D1096471

# Inn-Radweg 2

## Von Innsbruck nach Passau

Ein original *bikeline*-Radtourenbuch

Esterbauer

*bikeline*®-Radtourenbuch Inn-Radweg 2
© 1993-2001, **Verlag Esterbauer GmbH**
A-3751 Rodingersdorf, Hauptstr. 31
Tel: ++43/2983/28982-0, Fax: ++43/2983/28982-500
E-Mail: bikeline@esterbauer.com
www.esterbauer.com

4. überarbeitete Auflage, 2001

ISBN 3-85000-027-3

Bitte geben Sie bei jeder Korrespondenz Auflage und ISBN an!

**Dank** an alle, die uns bei der Erstellung dieses Buches tatkräftig unterstützt haben. Herzlichen Dank für die Informationen/ Korrekturen/Tips an: H.-W. Heuser, Miehlen; R. u. W. Cooper, Mochenwangen; H. Gufler, Innsbruck; B. Hermann, Regau; D. Pestel, Durach; J. u. G. Demharter, Augsburg; J. Reitgassl, München; R. Rivaletto; C. u. M. Meggle, Biessenhofen; G. Höfle, Uhingen; F. Rauch, Innsbruck; Chr. u. W. Kramer; M. Bald, Hagen; M. Kramer u. C. Müller, Unadingen;
**Das *bikeline*-Team:** Birgit Albrecht, Beatrix Bauer, Grischa Begaß, Anita Daffert, Michaela Derferd, Roland Esterbauer, Jutta Gröschel, Carmen Hager, Martina Kreindl, Veronika Loidolt, Bernhard Mues, Mirijana Nakic, Maria Pfaunz, Petra Riss, Tobias Sauer, Inga Schilgen, Gabriele Sipöcz, Matthias Thal.
**Bildnachweis**: Tirol Werbung, Ascher: 14; Verkehrsverein Hall i. T.: 16; Tourismusverband Schwaz: 21, 24; Brigitte Dieplinger: 26, 36, 109, 112, 117; Tourismusverband Maurach: 27, 28; Sandor Békési: 31, 38; Tourismusverband Kramsach: 32, 34; Verkehrsamt Kiefersfelden: 44, 45, 46; Kurverwaltung Oberaudorf: 48; Tourismusverband Kufstein: 49; Tourismusverband Ebbs/Bildagentur Niederstrasser: 50; Verkehrsbüro Rosenheim (Foto Trux): 56; Verkehrsverband Prien a. Chiemsee: 62, 68; Verkehrsverband Chiemsee: 64; Birgit Albrecht: 72; Fremdenverkehrsgemeinschaft Inn-Salzach/ H.Heine/Silvestris: 82, 92; Fremdenverkehrsamt Mühldorf: 86; Stadt Mühldorf: 87; Gem. Töging: 88; Tourismusverband Altötting: 90; Hot. Bayr. Alm: 94, 97, 98; Tourismusverband Braunau: 102; Rottal-Inn-Information (G. Dilling): 106; TV Obernberg: 114; Tourismusverband Schärding/Bryan Reinhart: 118; Tourismusverband Passau: 120, 122;
*bikeline*® ist eingetragenes Warenzeichen; Einband gesetzlich geschützt. Alle Rechte vorbehalten. Alle Angaben ohne Gewähr. Kein Teil dieses Buches darf in irgendeiner Form ohne schriftliche Genehmigung des Verlages reproduziert oder unter Verwendung elektronischer Systeme verarbeitet, vervielfältigt oder verbreitet werden.



**Dieses Buch wird empfohlen von:**

bikeline

*Was ist bikeline?*

*Wir sind ein junges Team von aktiven RadfahrerInnen, die 1987 begonnen haben, Radkarten und Radbücher zu produzieren. Heute tun wir dies als Verlag mit großem Erfolg.*

*Um unsere Bücher immer auf dem letzten Stand zu halten, brauchen wir auch Ihre Hilfe. Schreiben Sie uns, wenn Sie Fehler oder Änderungen entdeckt haben. Oder teilen Sie uns einfach die Erfahrungen und Eindrücke von Ihrer Radtour mit.*

*Wir freuen uns auf Ihren Brief,*

*Ihr bikeline-Team*

# Vorwort

**Der Inn-Radweg begleitet den „Fluss mit dem grünen Wasser" auf rund 308 Kilometern von Innsbruck in Tirol bis zur Mündung in die Donau bei Passau. Stark wechselnde Landschaftsbilder wie Hochgebirge, Hügelland oder Flussaue machen diese Reise zu einem einmaligen Erlebnis. Dabei verbindet der Inn die Regionen Tiroler Ober- und Unterinntal, Ober- und Niederbayern und das wiederum österreichische Innviertel miteinander. Die touristische Erschließung des Inn ist dementsprechend unterschiedlich, manche Strecken bieten noch „die Einsamkeit des Langstreckenfahrers". Die Route führt teils auf ausgebauten Radwegen, teils auf Landwegen, muss aber gelegentlich auch auf stärker befahrene Straßen ausweichen. Die Beschilderung der Inntal-Radroute ist – von kleinen Lücken abgesehen – durchgehend, Steigungen müssen dabei selten überwunden werden. Insgesamt also am Inn alles vorhanden für einen anregenden und erholsamen Radurlaub!**

**Dieses übersichtliche Radtourenbuch enthält alle wichtigen Informationen, die Sie für einen unbeschwerten Radurlaub benötigen. Präzise Karten, genaue Routenbeschreibungen, Ausflüge ins Umland und verlässliche Informationen über Kultur und touristisches Angebot machen es zum unentbehrlichen Reisebegleiter.**

# Kartenlegende

**Die Farbe bezeichnet die Art des Weges:**

- Hauptroute (main cycle route)
- Radweg (cycle path)
- Ausflug oder Variante (excursion)

**Strichlierte Linien zeigen den Belag an:**

- asphaltierte Strecke (paved road)
- nicht asphaltierte Strecke (unpaved road)

**Punktierte Linien weisen auf KFZ-Verkehr hin:**

- Radroute auf mäßig befahrener Straße (cycle route with moderate motor traffic)
- Radroute auf stark befahrener Straße (cycle route with heavy motor traffic)

- stark befahrene Straße (road with heavy motor traffic)
- starke Steigung (steep gradience, pointing uphill)
- leichte bis mittlere Steigung (slight gradience)
- 3 Entfernung in Kilometern (distance in km)
- Fähre (ferry)
- Gefahrenstelle (dangerous section)
- Text beachten (read text carefully)
- X X X Radfahren verboten (road closed to cyclists)

**Maßstab 1 : 50.000**

1 cm ≙ 500 m 1 km ≙ 2 cm

0 1 2 3 4 5 6 7 8 9km

- Tourist-Information (tourist-information)
- ( ) Einrichtung im Ort vorhanden (facility available)
- Jugendherberge; Hotel, Pension (youth hostel; hotel, guesthouse)
- Gasthaus (restaurant)
- Campingplatz (camp site)
- Radvermietung (bike rental)
- (Frei-)Bad ( (outdoor) swimming pool)
- Schiffsanlegestelle (boat landing)
- Schönern sehenswertes Ortsbild (picturesque town)
- Mühle Sehenswürdigkeit (place of interest)
- Bauwerk; Museum (building of interest; museum)
- Tierpark; Naturpark (zoo; nature reserve)
- Aussichtspunkt (panoramic view)
- Ausgrabung (excavation)
- Schnellverkehrsstraße (motorway)
- Hauptstraße (main road)
- Nebenstraße (minor road)
- Fahrweg (carriage way)
- Fußweg (foot path)
- Eisenbahn m. Bahnhof (railway w. station)
- Schmalspurbahn (narrow gage railway)
- im Bau (under construction)

- Staatsgrenze (national boundary)
- ständiger; eingeschränkter Grenzübergang (permanent; limited border checkpoint)
- Landesgrenze (country boundary)
- Wald (forest)
- Felsen (rock, cliff)
- Vernässung (marshy ground)
- Sumpf, Schilf (swamp)
- Weingarten (vineyard)
- Friedhof (cemetary)
- Watt (shallows)
- Damm, Deich (embankment, dike)
- Staumauer, Buhne (dam, groyne, breakwater)
- Tunnel; Brücke (tunnel; bridge)
- Kirche; Kapelle; Kloster (church; chapel; monastery)
- Schloss, Burg; Ruine (castle; ruin)
- Turm; Funkanlage (tower; TV-/radio-tower)
- Kraftwerk; Umspannw. (power station; transformer st.)
- Bergwerk; Windmühle (mine; windmill)
- Wegkreuz; Gipfel (calvary; (mountain) peak)
- Denkmal (monument)
- Sportplatz (sports field)
- Flughafen (airport, airfield)
- Quelle; Kläranlage (natural spring; purification plant)

# Inhalt



# Inn-Radweg

## Streckencharakteristik

### Länge

Die Länge des Inn-Radweges Teil 2 von Innsbruck nach Passau beträgt 308 Kilometer. Varianten und Ausflüge sind dabei nicht berücksichtigt.

### Wegequalität und Verkehr

Die Radroute entlang des Inns zwischen Innsbruck und Passau verläuft hauptsächlich auf asphaltierten Radwegen, Sand- oder Kieswegen, auf Ufer- oder Dammwegen und ruhigen Landstraßen. Wegstücke mit höherem Verkehrsaufkommen begegnen Ihnen nur äußerst selten und sind dann auch nur von kurzer Dauer.

Mit Steigungen haben Sie selten zu kämpfen, außer Sie machen Ausflüge aus dem Tal hinaus. Fast steigungsfrei ist die Strecke Innsbruck - Rosenheim und Mühldorf - Passau. Sonst gibt es hie und da schwache bis mittlere (selten auch starke) Steigungen.

### Beschilderung

Der Radweg entlang des Inn ist durchgehend beschildert, wenn auch das Design der Schilder von Land zu Land etwas differieren kann. Im Tiroler Inntal finden Sie in beiden Richtungen Schilder mit der Bezeichnung „Inntal-Radweg" vor, zwischen Kufstein und Wasserburg die bekannten Landeswegweiser mit ihren grünen Figuren vor weißem Hintergrund. Ab der Salzachmündung vor Braunau wird dann der Radweg bis Passau als „Naturerlebnisweg Unterer Inn" bezeichnet.

## Tourenplanung

Die Gesamtlänge des Inn-Radweges beträgt knapp 380 Kilometer, die in diesem Radwanderführer in 5 Etappen unterteilt ist. Jeder Abschnitt entspricht in etwa einer stärkeren Tagesetappe. Sportlichere Radfahrer oder Radfahrerinnen werden die Tour in zwei bis drei Tagen zurücklegen. Möchten Sie aber ein eher gemütliches Tempo haben und auch Museumsbesuche wie Badestopps in die Reise einplanen, so werden Sie fünf oder mehr Tage benötigen. Nutzen Sie im Bedarfsfalle die Kombinationsmöglichkeiten mit der Bahn.

**Infostellen**

Tirol-Werbung, A-6010 Innsbruck, Bozner Platz 6, ✆ 0512/5320

Landesfremdenverkehrsverband Bayern, D-80538 München, Prinzregentenstr. 18/IV, ✆ 089/212397-0

Fremdenverkehrsverband München-Oberbayern, D-80007 München, Sonnenstr. 10, ✆ 089/597347

Fremdenverkehrgemeinschaft Inn-Salzach, D-84503 Altötting, Kapellpl. 2a, ✆ 08671/8068

Touristinformation Rosenheimer Land, D-83022 Rosenheim, Wittelsbacher Str. 53, ✆ 08031/392-440

Verkehrsverband Chiemsee, D-83209, Prien am Chiemsee, Alte Rathausstr. 11, ✆ 08051/2280

Oberösterreich-Information, A-4021 Linz, Schillerstr. 50, ✆ 0732/663024

Tourismusverband Chiemgau, D-83276 Traunstein, ✆ 0861/58223, Fax 0861/64295. E-Mail: tourismus@chiemgau.btl.de; Internet Radtourenplaner: www.radeln.com.

ROTTAL-INNformation, D-84347 Pfarrkirchen, Postfach 1257, ✆ 08561/20268

Tourismusgemeinschaft „Unterer Inn", A-4780 Schärding, Unterer Stadtpl. 1A, ✆ 07712/4300.

**Anreise & Abreise**

Mit der Bahn:

Den Ausgangspunkt der Route, Innsbruck, und den Zielort Passau erreichen Sie mit Schnell-, InterCity- oder EuroCity-Zügen von Deutschland und Österreich aus problemlos.

Informationsstellen:

Österreichische Bundesbahnen: ✆ 01/1717
Radfahrer Hotline Deutschland,
✆ 01805/151415 oder ✆ 01803/194 194
Fahrpläne und Preise: ✆ 01815/996633,
http://www.bahn.de

Das Fahrrad als Kuriergepäck: Sie können Ihr Fahrrad als Kuriergepäck mit der Bahn verschicken. Das Kuriergepäck-Ticket können Sie entweder direkt beim Fahrkartenkauf oder beim Hermes-Versand, ✆ 01808/4884, erwerben. Der Transport erfolgt innerhalb von zwei Werktagen und kostet bei telefonischer Reservierung DM 46,50/€ 23,71 für das erste Rad, bei Kauf und Bestellung über die Bahn DM 46,–/€ 23,46 . Jedes weitere Fahrrad kostet Sie DM 38,–/€ 19,–. Sie sollten dabei folgendes beachten: das Fahrrad wird nur direkt von Haus zu Haus zugestellt, d. h. keine Lagerung am Bahnhof. Eine Ausnahme ist der Bahnhof Passau. Wenn Sie einen Bahnhof als Zustelladresse angeben, müssen Sie das Fahrrad direkt in Empfang nehmen. Aus Versicherungsgründen besteht Verpackungspflicht. Verpackungen können Sie entweder leihen oder kaufen. Auf Wunsch bringt Ihnen der Kurierfahrer auch eine Verpackung mit, welche DM 10,–/€ 5,– kostet. Nähere Informationen können Sie auch bei der Radfahrer-Hotline erhalten.

Für den Gepäcktransport in Österreich geben Sie Ihr Fahrrad am Bahnhof direkt ab und holen es nach 24 Std. am Zielbahnhof ab. Wenn Sie ein Umweltticket oder eine gültige Fahrradmitnahmekarte besitzen, dann zahlen Sie nur den halben Preis.

Die direkte Fahrradmitnahme ist in Deutschland und Österreich nur in Zügen, die im Fahrplan mit dem Radsymbol 🚲 gekennzeichnet sind, möglich, und nur wenn Sie im Besitz einer Fahrradkarte sind und genügend Laderaum vorhanden ist, eine Stellplatzreservierung ist deshalb empfehlenswert.

Der Preis beträgt für den Fernverkehr in Deutschland DM 16,–/€ 8,–, mit der BahnCard nur DM 12,–/€ 6,–, in Zügen des Regionalverkehrs DM 12,–/€ 6,– und in Zügen des

Nahverkehrs DM 6,–/€ 3,–.
Die Preise für die **österreichischen Fahrradkarten** sind wie folgt:
Fahrrad-Tageskarte: € 2,91
Fahrrad-Wochenkarte: € 6,54
Fahrrad-Monatskarte: € 19,62
Fahrrad-Jahreskarte: € 156,97
**Internationale Fahrradkarte:** € 10,17.

**Rad & Bahn**

Entlang der Route können Sie mit dem Fahrrad auf die meisten S-Bahnen und Regionalzüge umsteigen und eventuell die Fahrt abkürzen. Von einer kurzen Strecke im letzten Routenabschnitt zwischen Braunau und Schärding abgesehen, wird der Inn durchgehend von einer Bahnlinie begleitet. Von Innsbruck bis Rosenheim bzw. von Schärding bis Passau sind es Strecken mit Schnellzugverkehr, sonst Regionalverkehr.

**Radverleih am Bahnhof:** An den unten angegebenen Bahnhöfen entlang des Innradweges können Sie Fahrräder mieten.

In **Österreich** ist hierzu lediglich ein Ausweis erforderlich. Für längere Touren gibt es bei der ÖBB eine günstigere „5-Tage-Pauschale". Telefonische Vorbestellung ist empfehlenswert.

In **Deutschland** sollten Sie sich immer im voraus an der Vermietstation über Preise und Öffnungszeiten informieren. Zum Mieten eines Fahrrades benötigen Sie einen gültigen Lichtbildausweis und DM 250,– für die Kaution. Die Mietgebühren sind teilweise sehr unterschiedlich, sie betragen zwischen DM 6,– und DM 25,– pro Tag. Das geliehene Rad kann in Österreich bei jedem besetzten ÖBB-Bahnhof zurückgegeben werden, in Deutschland in der Regel nur an

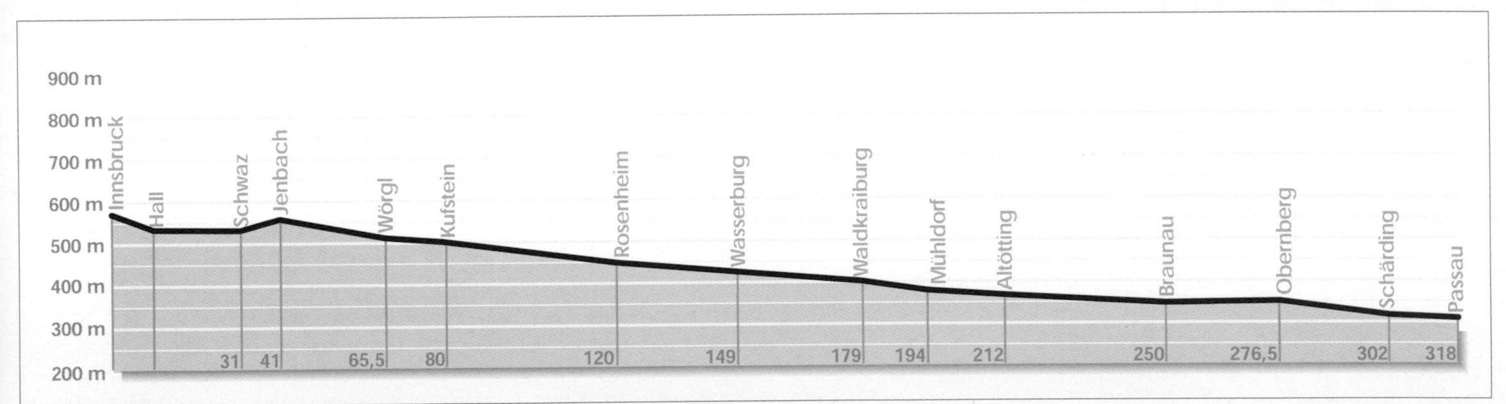

der Vermietstation. In Österreich besteht außerdem die Möglichkeit, für Gruppen bei rechtzeitiger Vorbestellung in jedem Bahnhof einen mobilen Fahrradverleih in Anspruch zu nehmen. Der nächste Depotbahnhof zum Inn befindet sich in Kitzbühl ✆ 05356/4055-34.
InnsbruckHauptbhf., ✆ 0512/503-5395
Bhf. Hall in Tirol, ✆ 05223/3131-385
Bhf. Brixlegg, ✆ 05337/2372-34
Bhf. Kufstein, ✆ 05372/6921
Prien am Chiemsee, ✆ 08051/5934
Bhf. Braunau, ✆ 07722/3209-34
Bhf. Schärding, ✆ 07712/305337
Passau, ✆ 0851/5304397

**Übernachtung**

Im Tiroler Inntal und auch am Unteren Inn zwischen Braunau und Passau ist eine gut entwickelte touristische Infrastruktur vorhanden. In beinahe jedem Ort finden Sie gut ausgestattete Unterkunftsmöglichkeiten in verschiedenen Kategorien. Anders im ruhigeren bayerischen Alpenvorland oder im Gebiet zwischen Rosenheim

und Wasserburg, wo der Tourismus bisher nicht diesen Stellenwert erlangt hat und viele Ortschaften über keine oder nur sehr wenige Fremdenzimmer verfügen. Hier bestellen Sie das Quartier am besten schon im voraus.

**Mit Kindern unterwegs**

Bis auf zwei Abschnitte, die mit einigen Anstiegen auf der Landstraße verbunden sind (von Griesstätt bis Wasserburg bzw. von Zell, kurz nach Wasserburg, bis Gars am Inn), verläuft die Route meistens auf ausgebauten Radwegen und in den meisten Städten gibt es Radstreifen. Damit ist grundsätzlich die gesamte Route für Kinder ab etwa 12 Jahren ohne weiteres geeignet.
Überfordern Sie aber Ihre Kinder nicht, planen Sie auch die Möglichkeit ein, einmal eine Strekke mit dem Zug oder dem Schiff abzukürzen. Natürlich sollte das Kinderrad qualitativ mindestens Ihrem eigenen Fahrrad entsprechen.

**Das Rad für die Tour**

Grundsätzlich ist der Inn-Radweg mit jedem funktionstüchtigen Fahrrad zu bewältigen, doch bieten Tourenräder, Trekking- oder Mountainbikes in jedem Fall mehr Reisekomfort. Mit Rennrad sollten Sie im Abschnitt zwischen Gars und Mühldorf die Variante eher meiden. Gewalzte und gekieste Uferwege sowie manche kurze Waldwege gehören am Inn jedenfalls immer wieder dazu. Da die Strecke am Inn einige leichte bis mittlere Steigungen und selten auch starke Anstiege aufweist, ist ein Rad mit Schaltung sicher für den Reisespaß von Vorteil.

**Reiseveranstalter & Gepäcktransport**

Organisierte oder geführte Radtouren entlang des Inns werden unter anderem angeboten von:

Eurotrek,8036 Zürich/Wettikon (CH), ✆ 0041/1/4620203-0

Austria Radreisen, 4780 Schärding (A), ✆ 0043/7712/55110

Eurobike, 5162 Obertrum, ✆ 0043/6219/7444

Verkehrsamt Chiemsee, 83335 Chiemsee (D), ✆ 0049/8664/245

Zenrale Servicestelle Ferien und Radeln, 83278 Traunstein (D), ✆ 0049/867/16351

Urlaub a. d. Bauernh. im Chiemgau, 83368 St. Georgen (D), ✆ 0043/8669/4001

Kur- u. Verkehrsamt Oberaudorf, Oberaudorf (D), ✆ 0049/800/8308000

Velociped, 35039 Marburg (D), ✆ 0049/6421/24511

**Reisezeit**

Die Wetterverhältnisse entlang des Inn sind aufgrund der wechselnden Landschaftstypen etwas unterschiedlich. Im Ober- und Unterinntal in Tirol befinden Sie sich im vom Föhn beeinträchtigten Mittel- bis Hochgebirgsklima. Erfrischende Luft, starke Sonneneinstrahlung und häufig morgendliche Nebelschwaden sind zu erwarten. Im Bereich Innsbruck kommt der Wind morgens häufig von Westen, verwandelt sich aber zur Tagesmitte in einen Ostwind. Gegen Abend wird es dann allgemein ruhiger. Im weiteren Verlauf des Tiroler Inntales können Sie morgens mit Süd- oder Südwestwinden starten, tagsüber weht es dafür häufiger aus Nord-Nordost, abends herrscht auch hier mehr Windstille.

Im Bayerischen Voralpenland und im Innviertel gewinnt in jeder Tageszeit der Wind aus West, Südwest die Oberhand, und windstille Momente werden seltener. In diesem Bereich wird die Luft feuchter und die Tageserwärmung größer. Damit erhöht sich auch die Gewitterhäufigkeit. Eine Regenbekleidung sollten Sie daher, besonders im Gebirge, mitführen. In Gebirgstälern können in kurzer Zeit heftige Gewitter aufziehen.

# Zu diesem Buch

Dieser Radreiseführer enthält alle Informationen, die Sie für Ihren Radurlaub entlang des Inns benötigen: exakte Karten, eine detaillierte Routenbeschreibung, ein ausführliches Übernachtungsverzeichnis, Stadt- und Ortspläne und die wichtigsten Informationen zu touristischen Attraktionen und Sehenswürdigkeiten.

Und das alles mit der ***bikeline*-Garantie**: jeder Meter in unseren Büchern ist von einem unserer Redakteure vor Ort auf seine Fahrradtauglichkeit geprüft worden!

**Die Karten**

Eine Übersicht über die geographische Lage des in diesem Buch behandelten Gebietes gibt Ihnen die Übersichtskarte auf der vorderen inneren Umschlagsseite. Hier sind auch die Blattschnitte der einzelnen Detailkarten eingetragen.

Diese Detailkarten sind im Maßstab 1 : 50.000 erstellt (2 Zentimeter = 1 Kilometer). Zusätzlich zum genauen Routenverlauf informieren die Karten über die Beschaffenheit des Bodenbelags (asphaltiert – nicht asphal-

tiert), Steigungen (leicht oder stark), Entfernungen (auf halbe Kilometer gerundet) sowie über kulturelle und gastronomische Einrichtungen entlang der Strecke.
Die empfohlene Hauptroute ist immer in Rot, Varianten und Ausflüge hingegen in Orange dargestellt. Die genaue Bedeutung der einzelnen Symbole wird in der Legende auf Seite 5 erläutert.
Aufgrund der speziellen Fließrichtung des Inn sind einige Karten - eingenordet - hochgestellt, beachten Sie die richtige Leserichtung von unten nach oben.

**Der Text**

Der Textteil besteht im wesentlichen aus der genauen Routenbeschreibung, welche die empfohlene Hauptroute flußabwärts enthält. Diese stichwortartige Streckeninformationen werden, zum leichteren Auffinden, von dem Zeichen ~ begleitet.

Unterbrochen wird dieser Text gegebenenfalls durch orange hinterlegte Absätze, die Varianten und Ausflüge behandeln.

Ferner sind alle wichtigen **Orte** zur besseren Orientierung aus dem Text hervorgehoben. Gibt es interessante Sehenswürdigkeiten in einem Ort, so finden Sie unter dem Ortsbalken die jeweiligen Adressen, Telefonnummern und Öffnungszeiten. Folgende Symbole werden dabei verwendet:

- Tourist-Information
- Schiff, Fähre
- Museum
- sehenswertes Bauwerk
- Ausgrabung
- Tierpark, Zoo
- Naturpark, Naturdenkmal
- Sonstiges
- Radverleih

*Die Beschreibung der einzelnen Orte, historisch, kulturell oder naturkundlich interessante Gegebenheiten entlang der Route tragen weiters zu einem abgerundeten Reiseerlebnis bei. Diese Textblöcke sind kursiv gesetzt und unterscheiden sich dadurch auch optisch vom eigentlichen Routentext.*

Zudem gibt es kurze Textabschnitte in den Farben violett oder orange, mit denen wir Sie auf bestimmte Gegebenheiten aufmerksam machen möchten:

Textabschnitte in violett heben Stellen hervor, an denen Sie Entscheidungen über Ihre weitere Fahrstrecke treffen müssen; z. B. wenn die Streckenführung von der Wegweisung abweicht, oder mehrere Varianten zur Auswahl stehen u. ä.

Textabschnitte in Orange stellen Ausflugstipps dar und weisen auf interessante Sehenswürdigkeiten oder Freizeitaktivitäten etwas abseits der Route hin.

**Übernachtungsverzeichnis**

Auf den letzten Seiten dieses Radtourenbuches finden Sie möglichst zu allen Orten an der Strecke eine Auswahl von günstig gelegenen Hotels und Pensionen. Dieses Verzeichnis enthält auch Campingplätze und Jugendherbergen. Ab Seite 125 erfahren Sie Genaueres.

# Von Innsbruck nach Kufstein 80 km

Der erste Abschnitt dieser Tour führt Sie von der Tiroler Landeshauptstadt Innsbruck nach Kufstein an die Grenze zu Deutschland.

Im historisch und auch gegenwärtig wichtigsten Durchlass dieser Region, im Unterinntal, schickt der hellgrüne Inn seine Wasser zu Tal. Ein faszinierendes Nebeneinander von (Berg)Natur und Kultur lässt sich erleben. Traditionelle Landwirtschaft wurde hier bereits im Mittelalter vom Handel und später auch vom Bergbau verdrängt. Der Inn diente dabei als unentbehrliche Verkehrsader, auf dem Salz und Erz verschifft wurden. Reizvolle Städte wie Hall, Rattenberg oder Schwaz zeigen noch diese Vergangenheit.

Die Inntal-Route verläuft auf gut beschilderten, ebenen Wegen, größtenteils in Flussnähe, und besteht zur Hälfte aus Rad- bzw. Güterwegen. Die Berührung mit der Autobahn lässt sich in diesem Talabschnitt leider nicht immer vermeiden. Ein Ausflug „entführt" Sie in die höheren Gefilde des alpinen Achensees und eine Variante bringt Sie zum Freilichtmuseum Tiroler Bauernhöfe.

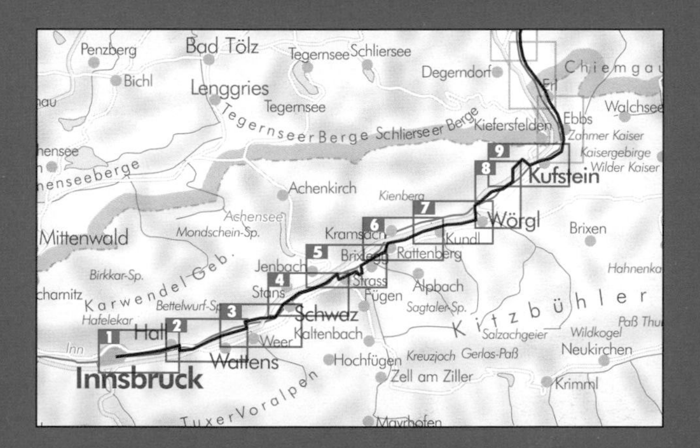

## Innsbruck

PLZ: A-6020; Vorwahl: 0512

**Innsbruck Tourismus**, Burggr. 3, ✆ 598500

**Tiroler Volkskunstmuseum**, ÖZ: Mo-Sa 9-17 Uhr, So/Fei 9-12 Uhr. Gebäude aus dem 16. Jh. Bedeutendes Heimatmuseum mit Trachten, Bauernstuben und Krippen. Kombinationskarte mit Hofkirche.

**Tiroler Landesmuseum Ferdinandeum**, Museumstr. ÖZ: Mai-Sept. Mo-Mi 10-17 Uhr, Do 10-17 Uhr und 19-21 Uhr, Okt.-April Di-Sa 10-12 Uhr und 14-17 Uhr, So/Fei 10-13 Uhr. Beherbergt die größte Gotiksammlung Österreichs, reiche ur- und kunstgeschichtliche Sammlungen sowie ein 150 m² großes Tirol-Relief.

**Bergisel-Kaiserjägermuseum**, Brennerstraße, ÖZ: April-Okt. 9-17 Uhr. Gedenkstätte der Tiroler Freiheitskämpfer, Denkmal und Bildergalerie von Andreas Hofer sowie Regimentsmuseum der Tiroler Kaiserjäger. Aussichtspavillon.

**Museum im Zeughaus**, ÖZ: Mai-Sept. Mo-Mi 10-17 Uhr, Do 10-17 Uhr und 19-21 Uhr, Okt.-April Di-Sa 10-12 Uhr und 14-17 Uhr, So/Fei 10-13 Uhr. Zeughaus Kaiser Maximilians I., erbaut um 1506. Naturwissenschaftliche und technologische Sammlungen.

**Alpenvereins-Museum**. Wilhelm-Greil-Str. 15, ÖZ: Mo-Fr 10-17 Uhr, Mai-Okt. Mo-Fr 10-17 Uhr, Sa 10-13 Uhr. Geschichte des Bergsteigens, Entwicklung der alpinen Ausrüstung.

*Die Innzeile in Innsbruck mit der Nordkette*

**Tiroler Kaiserschützen-Museum** Klosterg. 7. ✆ 23386, ÖZ: Mai-Sept. 9.30-16 Uhr, So/Fei 9-12 Uhr. Dargestellt wird die Tiroler Landesverteidigung in der Zeit von 1870 bis 1918.

**Maximilianeum**. ÖZ: Mai-Sept.Mo-So 10-18 Uhr, Okt.-April Di-So 10-12.30 Uhr, 14-17 Uhr.

**Glockenmuseum** Grassmayr, ÖZ: Mo-Fr 9-18 Uhr, Sa 9-12 Uhr. Kombination aus Glockengießerei, -museum, Klangraum und Gussschau.

**Goldenes Dachl**. Spätgotischer Erker mit über 2000 vergoldeten Kupferplatten, 1494-96 als Hofloge erbaut. Im Gebäude ist das Museum Maximilianeum untergebracht.

**Kaiserl. Hofburg (1460)**, Rennweg 1, ÖZ: 9-17 Uhr. Prächtige Wandgemälde und Deckenfresken von F. A. Maulbertsch, runkvoller Riesensaal.

**Hofkirche**, Eingang Tiroler Volkskunstmuseum, Universitätsstraße. ÖZ: Mo-Sa 9-17 Uhr, Juli/Aug. 9-17.30 Uhr. Erbaut im 16. Jh., besitzt eine noch spielbare Holzorgel aus dieser Zeit.

**Schloss Ambras**, ÖZ: April-Okt. Mo, Mi-So 10-17 Uhr, Dez.-März 14-17 Uhr. Bereits im 11. Jh. erwähnt. In der Folge zu einem Renaissanceschloss umgebaut. Kunst- und Waffensammlung, Spanischer Saal, Schlosspark.

**Stadtturm**, ÖZ: Juli-Sept. 10-20 Uhr, Okt.-Juni 10-17 Uhr. Um 1442-50 als Rathausturm erbaut.

**Helblinghaus**. Ursprünglich gotisch erbaut, im frühen 18. Jh. mit spätbarocken Stukkaturen versehen.

**Dom zu St. Jakob**. Barockbau von 1717-24, Altar mit dem berühmten Mariahilfbild von Lukas Cranach d. Ä.

**Annasäule**. Errichtet 1706 von den Landständen zur Erinnerung an die Abwehr eines bayerischen Einfalles im Spanischen Erbfolgekrieg.

**Altes Landhaus**. Barockpalast. Erbaut 1725-28. Sitz der Landesregierung.

**Leopoldsbrunnen**. Rennweg. Reiterstandbild Erzherzog Leopold V.

**Rudolfsbrunnen**. Errichtet 1863, erinnert an die 500jährige Vereinigung Tirols mit Österreich im Jahre 1363.

**Triumphpforte**. Errichtet 1765 zur Erinnerung an die Vermählung des späteren Kaisers Leopold II.

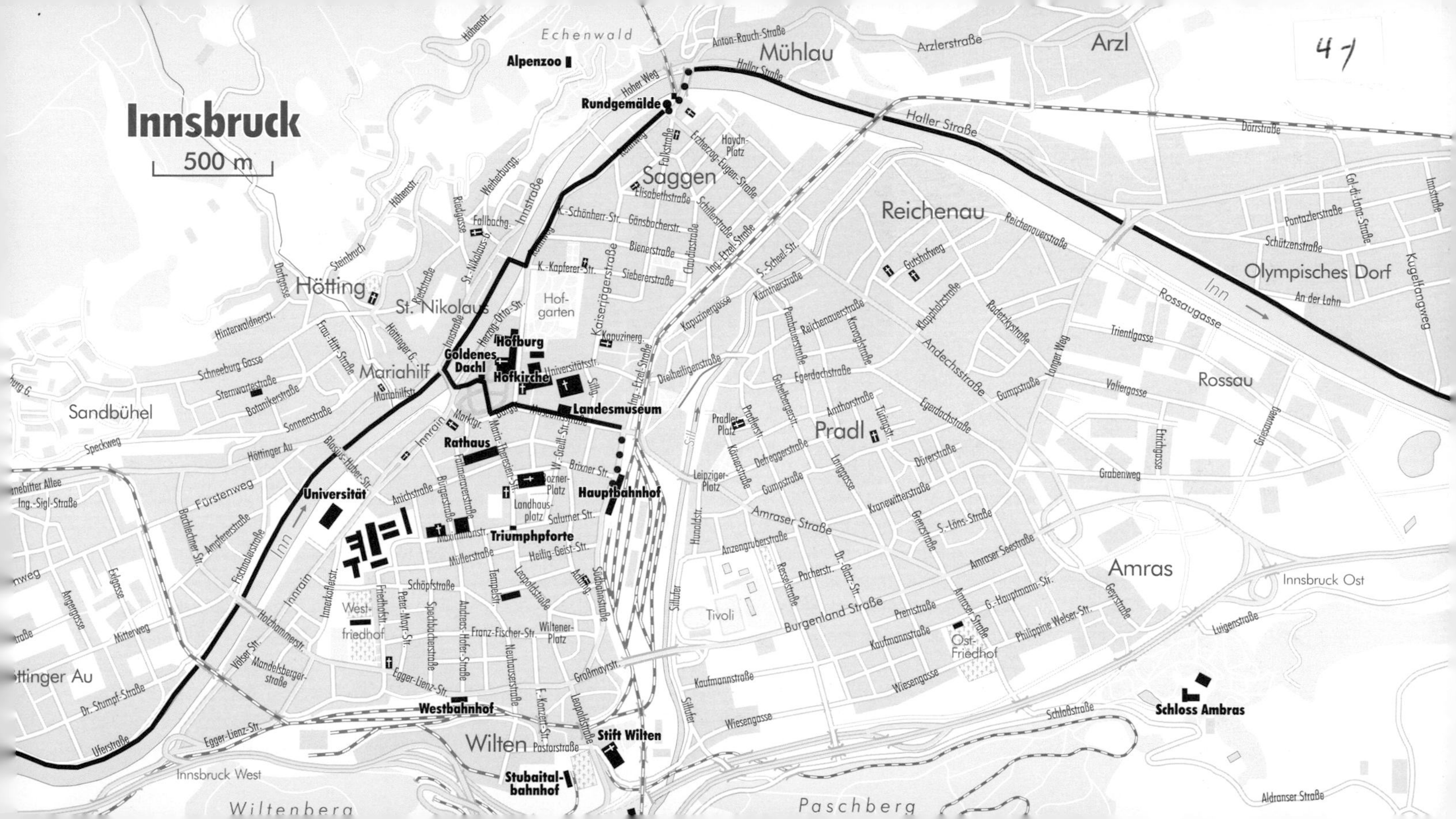

Innsbruck
500 m
Echenwald
Alpenzoo
Rundgemälde
Anton-Rauch-Straße
Mühlau
Arzlerstraße
Arzl
Haller Straße
Hoher Weg
Dörrstraße
Saggen
Haydn-Platz
Falkstraße
Erzherzog-Eugen-Straße
Elisabethstraße
Schillerstraße
Reichenau
Reichenauerstraße
Pontlatzerstraße
Col-di-Lana-Straße
Innstraße
Schützenstraße
Olympisches Dorf
An der Lahn
Kugelfangweg
Höhenstr.
Weiherburgg.
Riedgasse
Fallbachg.
Innstraße
K.-Schönherr-Str.
Gänsbacherstr.
Bienerstraße
Claudiastraße
Ing.-Etzel-Straße
S.-Scheel-Str.
Steinbruch
St.-Nikolaus-G.
K.-Kapferer-Str.
Siebererstraße
Kaiserjägerstraße
Gutshofweg
Dorfgasse
Höttinger
Riedstraße
St. Nikolaus
Hof-garten
Kärntnerstraße
Inn
Rossaugasse
Hinterwaldnerstr.
Herzog-Otto-Str.
Kapuzinerg.
Kapuzinergasse
Pembaurstraße
Reichenauerstraße
Klappholzstraße
Radetzkystraße
Trientlgasse
Frau-Hitt-Straße
Höttinger G.
Hofburg
Goldenes Dachl
Hofkirche
Universitätsstr.
Dreiheiligenstraße
Kranebitter Straße
Andechsstraße
Langer Weg
Schneeburg Gasse
Mariahilf
Sill
Gabelsbergerstr.
Egerdachstraße
Sternwartestraße
Botanikerstraße
Mariahilfstr.
Gumpstraße
Valiergasse
Rossau
Sandbühel
Sonnenstraße
Landesmuseum
Museumstraße
Amthorstraße
Egerdachstraße
Innrain
Marktgr.
Maria-Theresien-Str.
W.-Greil-Str.
Pradler Platz
Pradlerstr.
Pradl
Tüngstr.
Speckweg
Höttinger Au
Rathaus
Dürerstraße
Griesauweg
Blasius-Hueber-Str.
Brixner Str.
Defreggerstraße
Kärntnerstraße
Langgasse
Etrichgasse
Grabenweg
Bozner-Platz
Leipziger-Platz
Gumpstraße
Kranewitterstraße
Ing.-Sigl-Straße
Fürstenweg
Universität
Anichstraße
Bürgerstraße
Fallmerayerstraße
Landhaus-platz
Hauptbahnhof
Salurner Str.
Amraser Straße
Grenzstraße
S.-Löns-Straße
Bachlechner Str.
Ampfererstraße
Maximilianstr.
Triumphpforte
Anzengruberstraße
Fischnalerstraße
Müllerstraße
Heilig-Geist-Str.
Amraser Seestraße
Amras
Exlgasse
Schöpfstraße
Tempelstr.
Leopoldstraße
Adamgasse
Südbahnstraße
Rösselstraße
Pacherstr.
Dr.-Glatz-Str.
Innsbruck Ost
Angergasse
Innerkoflerstr.
West-friedhof
Friedhofstr.
Peter-Mayr-Str.
Speckbacherstraße
Andreas-Hofer-Straße
Hunoldstr.
Sillufer
Tivoli
Burgenland Straße
Premstraße
Amraser Straße
G.-Hauptmann-Str.
Geyrstraße
Mitterweg
Holzhammerstr.
Franz-Fischer-Str.
Wiltener-Platz
Philippine Welser-Str.
Luigenstraße
Kaufmannstraße
Ost-Friedhof
Höttinger Au
Völser Str.
Mandelsberger-straße
Egger-Lienz-Str.
Neuhauserstraße
Großmayrstr.
Kaufmannstraße
Wiesengasse
Dr. Stumpf-Straße
Westbahnhof
Schloss Ambras
Schloßstraße
Egger-Lienz-Str.
Leopoldstraße
Sillufer
Wiesengasse
Uferstraße
Wilten
E.-Kanzer-Str.
Pastorstraße
Stift Wilten
Innsbruck West
Stubaital-bahnhof
Aldranser Straße
Wiltenberg
Paschberg

**Basilika Wilten**. Erbaut 1751-55, schönste Rokokokirche Tirols.

**Alpenzoo**. Weiherburgg. 37, ✆ 892323, ÖZ: Im Sommer Mo-So 9-18 Uhr, Winter 9-17 Uhr. Höchstgelegener Tiergarten Europas mit in den Alpen beheimateten Tierarten. Am bequemsten erreichbar mit der Hungerburgbahn, vom Rennweg entlang der Route. Die Standseilbahn verkehrt ganzjährig in 15-Min.-Intervallen.

✷ **Riesenrundgemälde**, Rennw. bei Hungerburgbahn. ÖZ: Apr.- Okt. 9-17 Uhr. Ölbild auf 1.000 m² über die Schlacht am Bergisel 1809.

*Der alte **Stadtkern** von **Innsbruck** besticht durch seine mit schmucken Bürgerhäusern dicht bebauten, engen Gassen. Vom berühmten Prunkerker des „Goldenen Dachl" aus lässt sich optimal ein Rundgang starten, entlang verzierter, bunter Häuser mit Laubengängen und Fassadenmalerei. Sie zeugen vom Reichtum und Streben des frühen Bürgertums, das ab der frühen Neuzeit dem Adel seine neugewonnene Macht präsentieren wollte. Die emporragenden Berge im Hintergrund, wie überall in Innsbruck, bilden eine einmalige Kulisse. Allen voran die über 2300 Meter hohe **Hafelekar Spitze**, die als Hausberg der Innsbrucker gilt.*

*Vor dem 15. Jahrhundert war Innsbruck eine kleine Landstadt. Sie gewann erst im 15. Jahrhundert, als Herzog Friedrich in Innsbruck seine Residenz baute und sein Sohn Sigismund dort residierte, an Bedeutung. Die Anwesenheit des Habsburger Hofes, der zahlreichen Adeligen, des Klerus und einer wohlhabenden Bürgerschaft bestimmte den Charakter des reichen Stadtbildes, das vor allem von der Spätgotik, dem Barock und dem Rokoko geprägt ist.*

*Zahlreiche Touristen kommen jedoch vor allem wegen eines einzigen, mit Kupferplatten bedeckten gotischen Erkers, dem **Goldenen Dachl**. Ursprünglich war es die kaiserliche Loge bei den Turnieren und wurde von Maximilian I., dem letzten Ritter, um 1506 dem „Neuen Hof" Friedrichs hinzugefügt. Obwohl die Adelspaläste der Fugger, Londron und Trapps nicht die Pracht und Größe der Wiener Paläste erreichen, spiegeln sie doch die blaublütige Lebensart wider, der Europa in dieser Zeit die großartigsten Schöpfungen der Architektur verdankt. Dass die Bürgerschaft dem Adel nacheiferte, zeigen die reichstrukturierten, in Pastellfarben und Weiß gehaltenen Fassaden der Bürgerhäuser. Wenn Sie sich erst ab Innsbruck dem Inn-Radweg anschließen wollen und mit der Bahn angereist sind, gelangen Sie auf der folgenden Route zur Neuen Innbrücke: Beim **Hauptbahnhof** fahren Sie auf der **Bruneckerstraße** bis zur **Museumstraße** und biegen links ab. Vorsicht, hier müssen Sie die Fußgängerübergänge benutzen. Beim **Burggraben** wendet sich der Radstreifen nach links und führt am „Haus des Tourismus" vorbei. Gleich danach, wenn Sie rechts abbiegen, kommen Sie in die historische Altstadt von Innsbruck mit dem **Goldenen Dachl**. Die Innenstadt ist lediglich Fußgängern vorbehalten – hier bitte das Fahrrad schieben!*

*Ab der Ottoburg und der Innbrücke können Sie*

*wieder mit dem Fahrrad Ihre Reise auf dem Inn-Radweg fortsetzen, der bis zum Stadtrand von Innsbruck an der Innpromenade entlang führt. Am anderen Ufer, unter der Nordkette, präsentiert sich eine prächtige Häuserzeile bereits im Inn-Salzach-Stil, dessen Verbreitungsgebiet von den Südalpen bis in den Böhmerwald reicht.*

### Von Innsbruck nach Wattens 16 km

Die Innsbrucker Innenstadt verlassen Sie ab der **Neuen Innbrücke** an einem der Uferradwege, die - noch nicht als Inntal-Radweg beschildert - beidseitig flussabwärts führen.

**Tipp:** Der linksseitige Uferweg endet beim nächsten Fußgängersteg, Sie wechseln auf die andere Innseite. Am rechten Ufer können Sie nicht auf dem Promenadenweg weiterfahren, sondern müssen auf die Straße, dem **Rennweg** weiterfahren.

Bald finden Sie auf dem Rennweg einen Radweg vor und gelangen zur Sehenswürdigkeit **Riesenrundgemälde**.

**Tipp:** Neben dem Riesenrundgemälde befindet sich die Station einer Standseilbahn, welche – ganzjährig und in 15-Minuten-Intervallen – zum **Alpenzoo** und zur **Hungerburg** hinaufführt. In unmittelbarer Nachbarschaft der Station, auf der Promenade, versteckt sich ein schattiger Gastgarten.

Nachdem Sie hier die Innbrücke überquert haben, steht Ihnen ein Rad- und Fußweg zur Verfügung, der entlang der **Haller Straße** flussabwärts führt ~ bald radeln Sie mitten durch einen Park, zwischen **Olympischem Dorf** und Fluss gelegen. Errichtet wurde die Anlage für die Teilnehmer der Olympischen Winterspiele im Jahre 1976.

Die Innenstadt von Innsbruck

*Wenn Sie aus dem Park herauskommen und damit praktisch Innsbruck verlassen, wird der Blick plötzlich frei auf das Inntal mit dem vom Fluss aufgeschütteten, ebenen Talboden und den angrenzenden Bergketten.* ***„Unterinntal"*** *wird es von Innsbruck flussabwärts genannt. Es ist aber noch lange nicht der „Untere Inn", dem Sie erst am Schluss der Reise begegnen werden, vielmehr steht der Name im Gegensatz zum „Oberinntal". Viele Täler entstehen durch die Schürfkraft der Flüsse, nicht so das Inntal. Es entstand infolge eines Bruches in der Erdkruste und wurde vom eiszeitlichen Inngletscher verbreitert und vertieft. Der Fluss schuf in der Folge die breiten eiszeitlichen Schotter- und Felsterrassen, indem er sich mit Hilfe seiner Wasserkraft eingeschnitten hat. Das Tal ist seit jeher der wichtigste Verkehrsweg und Industriestandort der Region. Die teilweise feuchte Talsohle wird heute fast durchgehend landwirtschaftlich als Weide- oder Ackerfläche genutzt. Durch den Föhneinfluss wächst hier auch Mais oder Edelobst.*

Nach dem Park über einen Parkplatz und an einem **Hallenbad** am Ostrand von Innsbruck vorbei ~ danach auf einem Radweg geradeaus am Flussufer in das etwa 5 Kilometer entfernte Hall weiter, die Grenze zwischen den zwei Orten erscheint fließend ⤳ in Hall fahren Sie zunächst unter der Innbrücke durch und orientieren sich dann an den Bahngleisen, bis die Hauptroute über einen überdeckten Holzsteg ans rechte Ufer wechselt.

**Tipp:** Linker Hand hingegen finden Sie eine Unterführung in Richtung **Haller Altstadt**, die Sie keinesfalls versäumen sollten. Hierzu halten Sie sich nach der Bahnunterführung kurz links und fahren über die **Münzer Gasse**, vorbei an **Burg Hasegg** und **Münzerturm**. Der gut erhaltene Stadtkern wird schließlich mit Überquerung des Unteren Stadtplatzes erreicht.

## Hall in Tirol

PLZ: A-6060; Vorwahl: 05223

- **Tourismusverband**, Wallpachg. 5, ✆ 56929.
- **Stadtmuseum**. ÖZ: Juli und Aug. Im Burgkomplex untergebracht, bietet eine Darstellung des Haller Kultur- und Wirtschaftslebens (u. a. Münzen- und Reliquiensammlung).
- **Salz-Bergbaumuseum**. Kurzer Graben. ÖZ: Führungen Mai-Sept. Nachbildung des 1967 stillgelegten Bergwerkes im Halltal, „das Gefühl, selbst unter Berg zu sein", wird vermittelt (Stollen, Schächte, Bohrmaschinen im Betrieb usw.).
- Münzmuseum, Burg Hasegg 6, ✆ 44245. ÖZ: Im Sommer: Mo-Fr 9-12 Uhr und 14-17 Uhr, Sa 10-12 und 14-17 Uhr, So 14-17 Uhr. Im Winter: Mo-Do 9-12 und 14-17 Uhr, Fr 9-12 Uhr.
- **Altstadt**. Wunderschöne alte Bürgerhäuser, winkelige Gassen und idyllische Plätze.
- **Rathaus**, Oberer Stadtplatz. Besonders sehenswert der Rathaussaal, dessen Gebälk aus dem Jahre 1451 datiert.
- **Jesuitenkloster**, Stiftplatz. Die grauweiße Fassadenfärbung des Klosters entspricht dem Originalbefund von 1680.
- **Stadtpfarrkirche St. Nikolaus**, Oberer Stadtplatz. Älteste spätgotische Kirche Tirols, die mittlerweile eine barocke Innengestaltung erfuhr.

Hall in Tirol

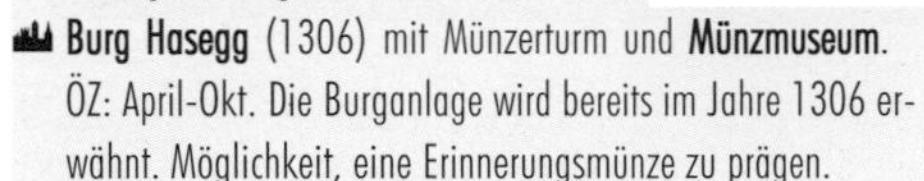

- **Burg Hasegg** (1306) mit Münzerturm und **Münzmuseum**. ÖZ: April-Okt. Die Burganlage wird bereits im Jahre 1306 erwähnt. Möglichkeit, eine Erinnerungsmünze zu prägen.

*Bald nach Beginn des Salzabbaus im Karwendel im 13. Jahrhundert erhielt* ***Hall*** *das Stadtrecht. Später kam die landesfürstliche Münzprägung hinzu, wodurch die Stadt einen starken Aufschwung erlebte und zeitweise an Größe sogar Innsbruck überholte. Der Handel wurde auch durch die erst ab dieser Stelle möglichen Innschifffahrt belebt. Die Plätten und Flöße begannen hier ihre lange Fahrt flussabwärts zur Donau hin. Rund 100 Kilometer weiter, in Burghausen, haben Sie Gelegenheit, solche, damals zum Transport von Salz verwendeten Plätten auf der Salzach auszuprobieren.*

*Reichtum bedeutete aber gleichzeitig Gefährdung von außen, so wurde die Stadt zum Schutze von Saline und Schifffahrt ummauert und erhielt einen wehrhaften Brückenkopf sowie die* ***Burg Hasegg****. Größere Teile dieser Befestigungsanlage sind bis heute erhalten geblieben. Die klar abgegrenzte und auf einem kleinen Hügel gelegene* ***Altstadt*** *bietet ein malerisches Bild. Baulich sind hier Spätmittelalter und Frühneuzeit noch bestimmend, die alten Bürgerhäuser präsentieren sich in den winkeligen Gassen mit einer gewissen Patina. Über den Dächern er-*

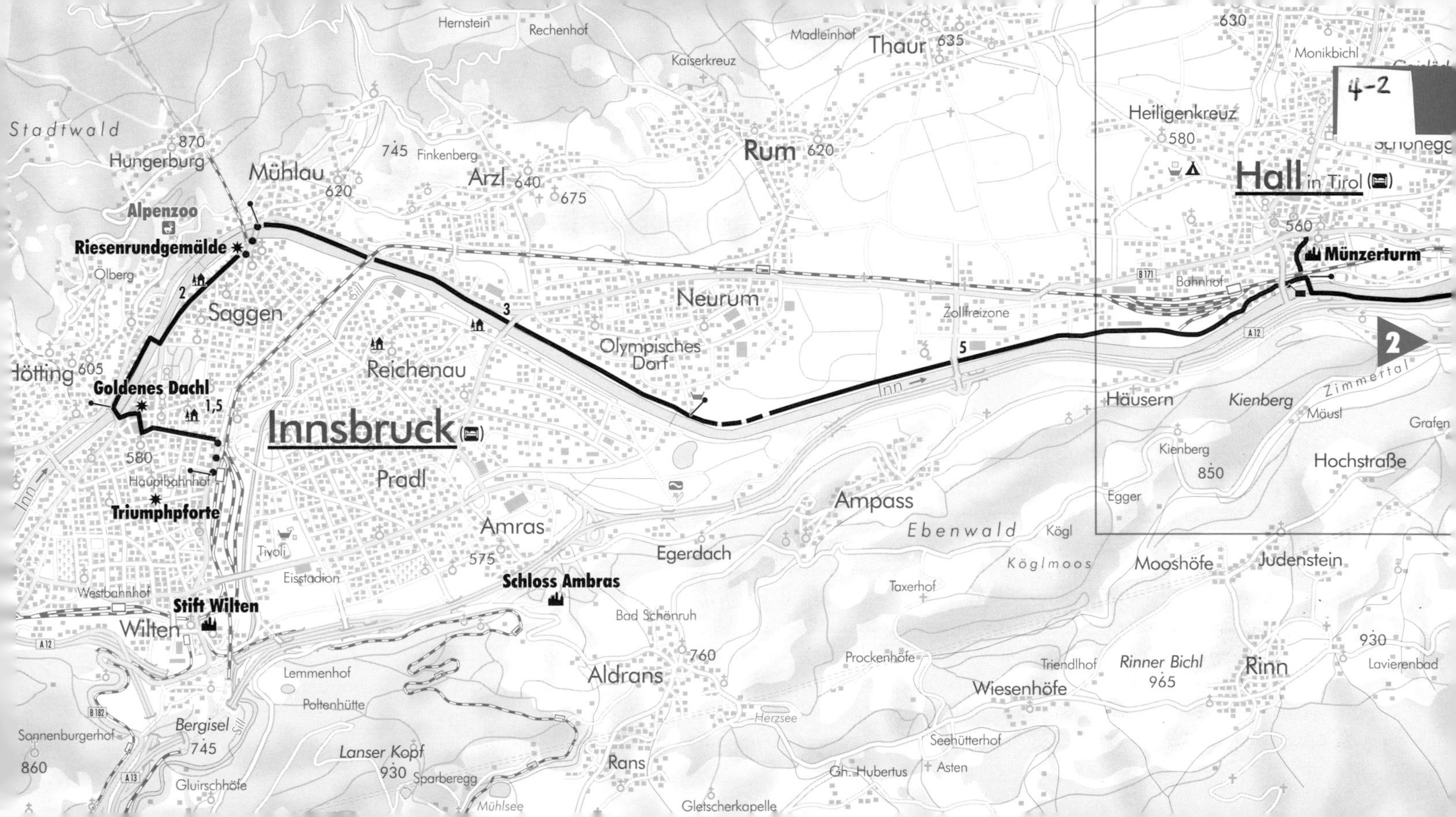
4-2
Stadtwald
Hungerburg
870
Mühlau
620
745
Finkenberg
Arzl
640
675
Hernstein
Rechenhof
Kaiserkreuz
Madleinhof
Thaur
635
630
Monikbichl
Heiligenkreuz
580
Rum
620
Hall in Tirol
560
Münzerturm
Alpenzoo
Riesenrundgemälde
Ölberg
Saggen
Hötting
605
Goldenes Dachl
1,5
Innsbruck
Reichenau
Neurum
Olympisches Dorf
Zollfreizone
Bahnhof
B 171
A 12
Inn
Häusern
Kienberg
Mäusl
Zimmertal
Grafen
Kienberg
850
Hochstraße
Egger
580
Hauptbahnhof
Triumphpforte
Pradl
Amras
Ampass
Ebenwald
Kögl
Tivoli
Eisstadion
575
Egerdach
Köglmoos
Mooshöfe
Judenstein
Westbahnhof
Stift Wilten
Wilten
Schloss Ambras
Taxerhof
Bad Schönruh
760
Prockenhöfe
Triendlhof
Rinner Bichl
965
Rinn
930
Lavierenbad
Wiesenhöfe
Aldrans
Lemmenhof
Poltenhütte
Herzsee
Sonnenburgerhof
Bergisel
745
860
Lanser Kopf
930
Sparberegg
Rans
Seehütterhof
Gh. Hubertus
Asten
Gluirschhöfe
Mühlsee
Gletscherkapelle
Sill
A 13
B 182
2
3
5
Schönegg

*scheint immer wieder die gewaltige Nordkette mit dem Bettelwurf (2.726 m).*

Der **Inntal-Radweg** wechselt also bei Hall auf die rechte Flussseite.

*Auf dem Holzsteg erlebt man den Inn immer noch als rauschenden Gebirgsfluss. Sein Wasser zeigt das charakteristische Hellgrün; etwas trübe von den Schwebestoffen, die der Fluss in seinem Quellgebiet, in der Schweizer Gletscherregion nahe dem Maloja-Pass, aufnimmt. Den Blick am Ende des nördlichen Talhorizontes schließt der über 2300 Meter hohe Wilde Kaiser ab.*

Nach Überquerung des Flusses radeln Sie auf einem gut ausgebauten Uferradweg in Richtung Wattens ~ nach 2,5 Kilometern passieren Sie eine futuristische wannenförmige Betonbrücke, in welcher die Bahn den Fluss quert ~ danach taucht jenseits der Autobahn die **Servitenkirche** zum Heiligen Karl Borromäus auf. Das auffallend in Rot und Weiß gehaltene Bauwerk ist aber erst über **Volders** auf der Bundesstraße zu erreichen.

*Die kunstliebende Hand des Erbauers Guarinoni aus dem 17. Jahrhundert ist an Form und Farbe der* **Servitenkirche** *stark zu spüren. Es entstand zur Zeit des Dreißigjährigen Krieges, in einer Zeit größten Elends und üppigsten Prunks. Der Überlieferung nach soll sich beim Bau ein interessanter Vorfall ereignet haben, als nämlich ein großer Felsblock sich von der Wand löste und auf die Leute zu stürzen drohte. Da rief ein Arbeiter: „Stehe still, im Namen Gottes" und der Felsbrocken blieb stehen. Als alle in Sicherheit waren, befahl ihm derselbe Mann: „Fahr in Gott's Nam' weiter", worauf der Fels ins Tal stürzte. Daran erinnert der Name „Stein des Gehorsams".*

*Überm Talgrund zieht das* **Schloss Friedberg** *mit seinem wehrhaften Turm den Blick auf sich. Etwas links davon, über dem nächsten Ort Volders, wird ein weiteres, 1574 erbautes Schloss namens Aschach sichtbar, wo der Herr Baron heute auch Appartements vermietet.*

Der angenehme, auch für Rennradfahrer geeignete Radweg verläuft weiter direkt am Inn ~ ungefähr 700 Meter nach dem Kloster führt die Inntal-Route unter der Autobahn durch, geradeaus vor Ihnen liegt **Baumkirchen** ~ auf der anderen Seite der Autobahn bei einem kleinen Steg nach links ~ in Volders geradeaus durch den Ort.

**Tipp:** Jene, die in den Ortskern wollen, halten sich bei der nächsten Kreuzung rechts und biegen nach 400 Metern links auf die Hauptstraße ein.

### Volders

PLZ: A-6111; Vorwahl: 05224

- **Tourismusverband**, Bundesstr. 23, ✆ 5231111.
- **Karlskirche** im Servitenkloster. Barockjuwel mit dem „Stein des Gehorsams".
- **Schloss Friedberg**. Führungen: vom Mitte Juni-Ende Aug.

- Modern ausgestattete Zimmer
- Ausgezeichnete Küche
- Einstellmöglichkeit für Fahrräder
- Ortszentrum **VOLDERS**
- Zimmerreservierung unter

**Tel. 05224/52591 • Fax DW 84**
**jagerwirt.volders@EUnet.at**
**http://members.EUnet.at./jagerwirt.volders**

**Tourismusverband VOLDERS, Tel. 05224/52311-0**

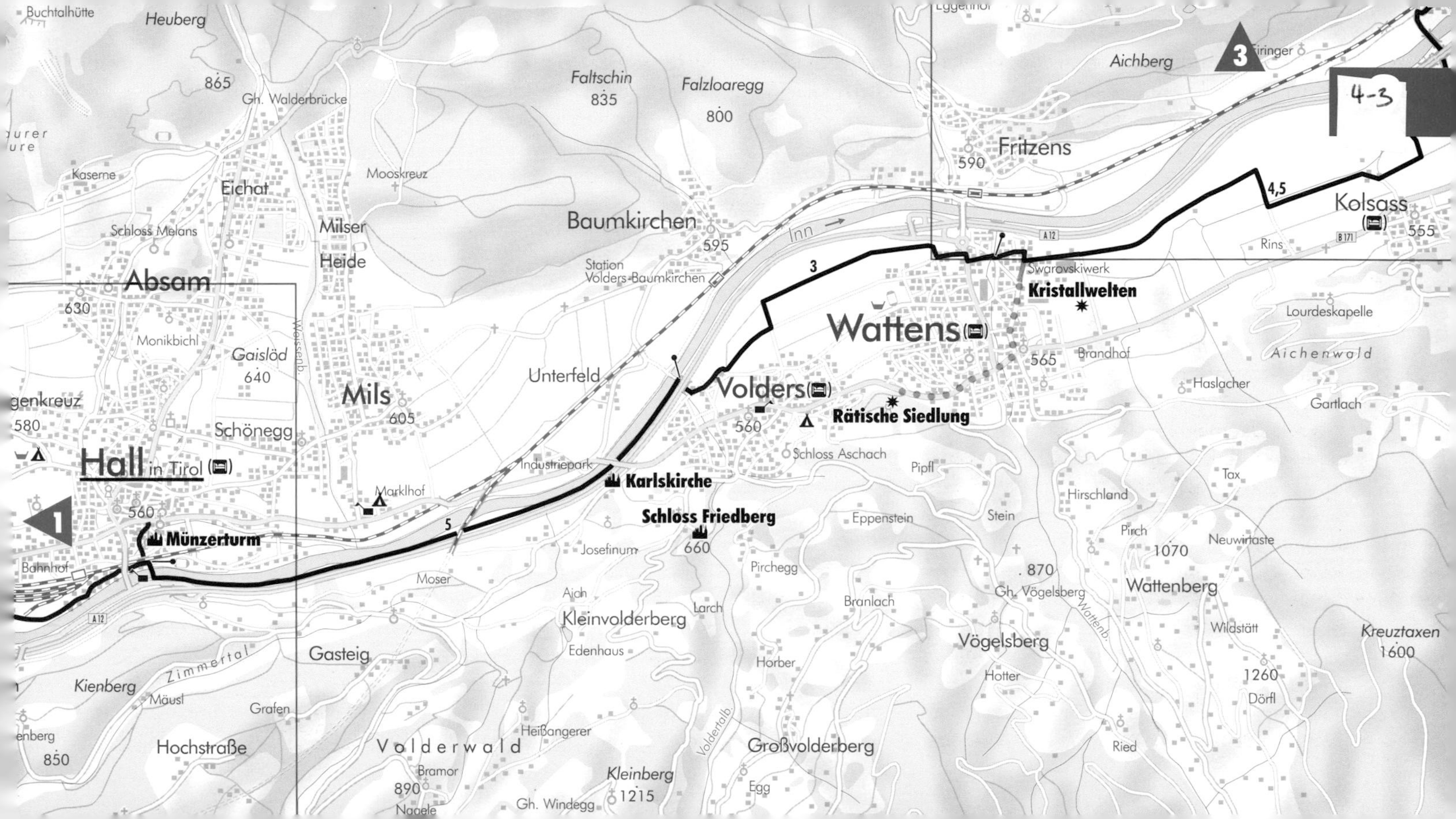
Buchtalhütte
Heuberg
865
Gh. Walderbrücke
Faltschin
835
Falzloaregg
800
Aichberg
Firinger
3
4-3
Fritzens
590
Kaserne
Eichat
Mooskreuz
Milser
Heide
Baumkirchen
595
Schloss Melans
Inn
A12
Kolsass
555
Rins
B171
Station
Volders-Baumkirchen
3
4,5
Swarovskiwerk
Kristallwelten
Absam
630
Monikbichl
Gaislöd
640
Wattens
Lourdeskapelle
565
Brandhof
Aichenwald
Unterfeld
Haslacher
Mils
605
Volders
Rätische Siedlung
Gartlach
580
Schönegg
560
Schloss Aschach
Pipfl
Tax
Hall in Tirol
Industriepark
Karlskirche
Hirschland
Marklhof
1
560
5
Schloss Friedberg
Eppenstein
Stein
Münzerturm
Pirch
1070
Neuwirtaste
Josefinum
660
Bahnhof
Pirchegg
870
Moser
Wattenberg
Gh. Vögelsberg
Aich
Branlach
Kleinvolderberg
Larch
A12
Wildstätt
Kreuztaxen
1600
Edenhaus
Vögelsberg
Gasteig
Zimmertal
Horber
Hotter
1260
Kienberg
Mäusl
Dörfl
Grafen
Heißangerer
Hochstraße
Volderwald
Großvolderberg
Ried
850
Bramor
Kleinberg
890
Egg
Gh. Windegg
1215
Nagele

um 14, 15 und 16 Uhr. Besonders sehenswert der Hof mit seiner Zisterne und die spätgotischen Galerien. Die ältesten Teile, darunter auch der mächtige Bergfried, stammen noch aus dem 13. Jh.

*Berühmt ist* **Volders** *für das an seinem Westrand freigelegte* **Urnenfeld** *aus der Zeit von etwa 1200 bis 800 v. Chr., welches zusammen mit einer rätischen Siedlung bei Wattens einen seltenen, geschlossenen vorgeschichtlichen Fund bildet. Die Objekte befinden sich im Vorgeschichtemuseum in Wattens, dem nächsten Ort auf dem Weg.*

Am anderen Ende von Volders kommen Sie zu einer Weggabelung und halten sich links ~ weiter geht es auf einem gut erhaltenen Güterweg ~ die Route entfernt sich kurz vom Fluss und führt durch ein ebenes Gebiet, welches heute den Namen Aue trägt, ein Hinweis auf die Zeit vor der Flussregulierung.

Nach einer geraden Fahrt zwischen den Feldern und nach weiteren 2 Kilometern erreichen Sie die Ortsgrenze von **Wattens** ~ am **Sportzentrum** vorbei und bei der ersten Kreuzung links ~ gleich darauf geht es rechts in die **Ritter-Waldauf-Straße** weiter. Sie endet bei der **Bahnhofstraße**, hier nach rechts und nach 100 Metern gleich wieder links in die **Neubaugasse** ~ nach dem Steg über den **Wattenbach** geradeaus über die Kreuzung bis zur **Innstraße** und dort rechts ~ während die Route über den **Mitterweg** weitergeht, gelangen Interessierte auf der Innstraße zur Stadtmitte.

**Wattens**

PLZ: A-6112; Vorwahl: 05224

- **Tourismusverband**, Dr.-Felix-Bunzl-Str. 6, ✆ 52904.
- **Industrie- und Vorgeschichtemuseum**, Höraltstr. 4, ✆ 54012. Funde aus der Rätersiedlung am Himmelreich und dem Urnenfeld von Volders sowie Darstellung der Entwicklung der Glasschmucksteinfabrik Swarovski & Co. und der Produkte der Papierfabrik Wattens. Führungen vom 15. Juni-15. Sept. jeden Freitag um 17 Uhr.
- **Freilichtmuseum „Rätersiedlung Himmelreich"**, Höraltstr. 4, ✆ 5002415 oder 54012, beschildert und frei zugänglich. Besterhaltene rätische Siedlungsanlage Tirols. Führungen: vom 15. Juni-15. Sept. jeden Freitag um 17 Uhr und nach Vereinbarung.
- **Swarovski-Kristallwelten**, Kristallweltenstr. 1, ✆ 51080/3810, ÖZ: Mo-So 9-18 Uhr. Die vom bekannten Künstler André Heller gestaltete Schau zeigt die (fantastischen) Möglichkeiten der Glaskristalle.

*Besiedelt war die Gegend um* **Wattens** *bereits zu einer relativ frühen Zeit, von der die auf dem „Himmelreich", einer weit in das Inntal vorspringenden Felskuppe, angelegte* **rätische Terrassensiedlung** *aus den ersten Jahrhunderten vor und nach Chr. zeugt. Sie wurde 1932 entdeckt und ohne nähere Aufnahme im Zuge der Erweiterung des dort befindlichen Steinbruches gesprengt. Bis auf die Münzen, die im* **Vorgeschichtemuseum** *ausgestellt sind, ist das geborgene Fundmaterial im Tiroler Landesmuseum Ferdinandeum in Innsbruck zu sehen.*

*Zwei Jahrzehnte später stieß man auf der Westseite der* **Himmelreichkuppe** *auf die Fundamente von 6 Häusern und 2 Nebengebäuden, eine 10 Meter tiefe Zisterne und einen vollkommen erhaltenen Ringwall von 170 Meter Länge. Vermutlich handelte es sich bei dieser Gipfelsiedlung um den Haufenhof eines rätischen Adeligen, dem die Terrassensiedlung sozial untergeordnet war. Die Werkzeuge, Waffen, Schmuck und Keramiken sind im örtlichen Museum ausgestellt. Die Ausgrabungsstätte und die eisenzeitlichen Siedlungsreste wurden zu einem* **Freilichtmuseum** *umgestaltet und* *sind vom Zentrum aus auf der Innsbrucker Straße erreichbar.*

*Ausschlaggebender für Erwerb und Identität der Wattener sind heute hingegen die international bekannten* **Swarovski-Werke**. *Daniel Swarovski, der die erste Fabrik um die Jahrhundertwende errichtete, stammte aus Böhmen – ähnlich den meisten Gründern der Inntaler* **Glasmacherkunst**. *Neben Glasschmucksteinen werden heute auch Lusterbehänge, Geschenkartikel und Rückstrahlelemente aus Hochbleikristall hergestellt. Zusammen mit einigen ausgelagerten Betrieben in Absam und Schwaz bildet das Werk das bedeutendste Industrieunternehmen Tirols und den größten Familienbetrieb Österreichs.*

Blick ins Inntal bei Schwaz

### Von Wattens nach Jenbach — 21,5 km

Wattens verlassen Sie vorbei am **Swarovski-Werk** auf dem **Mitterweg** ~ ein Güterweg führt weiter durch die Felder ~ nach etwa 2 Kilometern macht die Straße einen Schlenker nach rechts und folgt fortan einer Baumreihe ~ am Ortsrand von **Kolsass** umrunden Sie einen kleinen Weiler und halten sich weiter an die Flussrichtung.

**Kolsass**

PLZ: A-6114; Vorwahl: 05224

**Tourismusverband**, Mühlbach 6, ✆ 68124-56 od.0664/ 4502386.

**Pfarrkirche Maria Heimsuchung**. Als Urpfarre der Umgebung lassen sich die Wurzeln der Kirche bis 788 n. Chr. zurückverfolgen.

Ein paar hundert Meter nach den Gehöften zweigt die Route nach links ab, führt bis zur Autobahn und schwenkt dort nach rechts ~ Sie radeln nun parallel zur Autobahn in einem Waldstreifen, bis eine Landstraße quert ~ hier nach links und über den Inn ~ noch auf dieser Seite des Flusses liegt die Ortschaft Weer.

**Weer**

PLZ: A-6114; Vorwahl: 05224

**Tourismusverband**, Mühlbach 6, ✆ 68124-56 od. 0664/ 4502386.

**Pfarrkirche Hl. Gallus**. Eine der schönsten Barockkirchen Tirols. Sehenswert die Fresken von Franz Anton Zeiller. Ursprung um 1200 n. Chr.

Am linken Innufer angekommen, halten Sie sich vor der Bahnlinie rechts zum **Bahnhof Terfens** ~ die Siedlung erstreckt sich auf eindrucksvolle Weise unter steilen und kahlen Felswänden ~ die Route begleitet jetzt auf 2,5 Kilometern die Bahn ~ vor der Autobahnbrükke unter den Gleisen durch ~ an der nächsten Kreuzung rechts weiter nach Schwaz.

**Tipp:** Wenn Sie hier jedoch nach links abbiegen und einige hundert Meter Umweg nicht scheuen, können Sie sich in dem kleinen **Badesee** von Weisslahn eine angenehme Abkühlung verschaffen. Zur Kräftigung trägt dort auch ein Buffet bei.

Zunächst schlängelt sich der Radweg auf einen Hügel hinauf und mündet nach einem halben Kilometer am Rande einer Kieferplantage in eine Landstraße ~ rechts über die

Autobahn ~ leicht bergab weiter ~ vor den ersten Häusern im Wald zweigen Sie dann links ab ~ nach einem Rechtsbogen kommt die Straße zur Bahnhaltestelle **Pill-Vomperbach**, danach geht es rechts unter der Bahn durch ~ geradeaus liegt die Ortschaft **Pill**, wo Sie sich in schmucken Gasthöfen mit Hilfe der Tiroler Küche stärken können ~ die Route können Sie nach der Unterführung links weiter verfolgen.

### Vomperbach-Pill

PLZ: 6130; Vorwahl: 05242

**Tiroler Schnapsmuseum Plankenhof**, Dorf 6, ✆ 641950. Besucherführung mit Schnapsseminar und Verkostung. Anmeldung erbeten.

In **Vomperbach** am Spielplatz rechts dem Schild Richtung Schwaz folgen ~ nach den letzten Häusern zweigt ein kleiner Feldweg rechts ab, um gleich darauf nach links zu schwenken ~ Sie radeln nun geradewegs über die Felder auf Schwaz zu.

*Rechts vom Inn erhebt sich der Hausberg der Gegend: das* ***Kellerjoch*** *mit 2344 Meter Höhe. Etwas links davon, auf einem Hügel, steht ein Wahrzeichen des Unterinntales:* ***Schloss Freundsberg****. Der massive romanische Bergfried erinnert noch an die hochmittelalterliche Phase der Burg. Der Anlage, sie gehörte dem gleichnamigen Rittergeschlecht, wurde in der Folge eine Kapelle hinzugefügt, die eine bemerkenswerte Ausstattung im Stil der Renaissance besitzt. Näher zur Route liegt das* ***Schloss Mitterhart****, dessen Umrisse, verdeckt von Bäumen, nur schwer auszumachen sind.*

Hinter einer Kaserne zweigen Sie dann rechts ab und erreichen nach ein paar hundert Metern wieder das Innufer ~ links auf einem Promenadenweg weiter bis Schwaz erreicht ist ~ vor der Weiterfahrt am linken Flussufer empfiehlt es sich jedenfalls, in der alten Knappenstadt Schwaz eine Rast einzulegen ~ über die erste Brücke bei der Kirche gelangen Sie in den eigentlichen Stadtbereich

**Tipp:** Das Schaubergwerk am östlichen Stadtrand ist von der Stadtmitte aus Richtung Buch/Jenbach auf der Landstraße zu erreichen.

### Schwaz

PLZ: A-6130; Vorwahl: 05242

**Tourismusverband**, Franz-Josef-Str. 2, ✆ 63240-0.

**Bergbau und Heimatmuseum** auf dem Schloss Freundsberg, Burgg. 55, ✆ 63967. ÖZ: 15. April-15. Okt. Mo-Mi, Fr-So 10-17 Uhr.

**Feuerwehrmuseum**, Marktstraße, ✆ 62371. Besuch auf Anfrage.

**Haus der Völker**, St. Martin, ✆ 66090, ÖZ: Mo-So 9.30-18 Uhr. Thema: Museum für Kunst und Ethnographie.

**Franziskanerkloster**, Gilmstraße. Entstehung 1508-15. Sehenswerter arkadenreicher Kreuzgang, geschmückt mit spätgotischen Passionsszenen von Pater Wilhelm von Schwaben.

**Pfarrkirche zu Unserer lieben Frau**, Franz-Josef-Straße. Die größte gotische Hallenkirche Tirols mit zwei gleichrangigen Hauptschiffen.

✷ Planetarium, Alte Landstr. 15, ✆ 4319133. ÖZ: März-Nov. 11.00, 13.00, 15.00 und 17 Uhr, So 16.00 Uhr Kindervorführung.

✷ **Schau-Silberbergwerk**, Alte Landstr. 3a, ✆ 72372. ÖZ: Mo-So 8.30-17 Uhr. Einführung in die Geschichte des Stollenbaus, auch die frühere Arbeitsweise der Bergleute wird gezeigt. Führung ca. 2 Std.

*Die Fabel über die Entdeckung der Silbervorräte um* ***Schwaz*** *erzählt von einem wütenden Stier, der mit seinen Hufen die ersten glänzenden Erzstücke aus dem Boden gestampft haben soll. Jedenfalls begründete der Abbau von Silber und Kupfer jahrhundertelang den Wohl-*

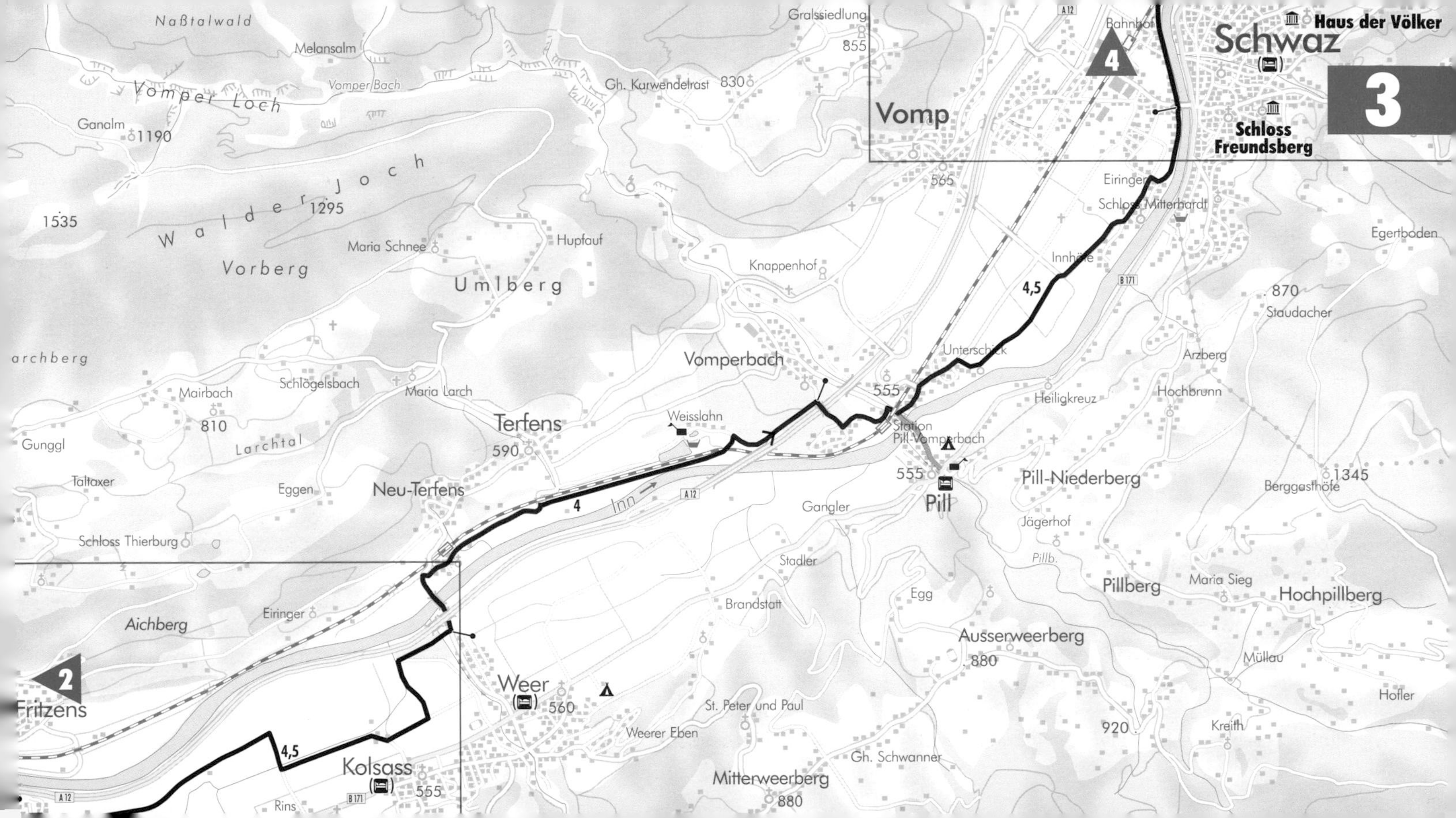

Naßtalwald
Melansalm
Vomper Bach
Vomper Loch
Gralssiedlung
855
Gh. Karwendelrast 830
Ganalm
1190
Walder Joch
1295
1535
Vorberg
Maria Schnee
Hupfauf
Umlberg
Knappenhof
Vomp
565
Bahnhof
4
Schwaz
Haus der Völker
Schloss Freundsberg
3
Eiringer
Schloss Mitterhardt
Innhöfe
Egertboden
4,5
B171
870
Staudacher
archberg
Unterschick
Arzberg
Vomperbach
555
Heiligkreuz
Hochbrunn
Mairbach
Schlögelsbach
Maria Larch
810
Terfens
Weisslahn
Station Pill-Vomperbach
Gunggl
Larchtal
590
555
Pill-Niederberg
1345
Berggasthöfe
Taltaxer
Eggen
Neu-Terfens
4
Inn
A12
Gangler
Pill
Jägerhof
Schloss Thierburg
Pillb.
Stadler
Pillberg
Maria Sieg
Hochpillberg
Eiringer
Aichberg
Egg
Brandstatt
Ausserweerberg
880
Müllau
2
Fritzens
Weer
560
St. Peter und Paul
Hofler
920
Kreith
Weerer Eben
4,5
Kolsass
555
Gh. Schwanner
Mitterweerberg
880
Rins
A12
B171

*stand des Ortes und machte ihn zur „Knappenstadt". In der vierschiffigen Kirche „Zu Unserer lieben Frau" saßen damals links die Bürger und rechts die Bergleute. Dies ist ein Beleg mehr für die starken sozialen Gegensätze im 15. und 16. Jahrhundert. Die schlechten Lebensbedingungen führten häufig zu Arbeitsniederlegungen und Glaubenskämpfen.*

*Zur Blütezeit des Bergbaus waren an die 20.000 Menschen in den Stollen beschäftigt. Ein Landreim aus dem Jahre 1558 nennt Schwaz „Aller perckhwerck muater" (Aller Bergwerk Mutter). D i e Schwazer Sehenswürdigkeit ist auch heute der älteste und schönste Teil des Bergwerkes, welcher als* **Schaubergwerk** *allgemein zugänglich gemacht wurde. Die Besucher – ausgerüstet mit Helm und Mantel – fahren mit der Grubenbahn zirka 800 Meter in den Berg ein.*

*Die Bedeutung der hiesigen Erzgänge sank infolge der neuzeitlichen überseeischen Entdeckungen rapide. Zeuge der einstigen Blüte ist noch das Handelshaus (heute Rathaus) in der Stadtmitte mit seinen bunten Fresken und mit rebenverdeckten Mauern sowie das nahegelegene Fuggerhaus, das heute ein Frauenkloster beherbergt. Die Fugger gehörten zu jenen oberdeutschen Kapitalisten, die die Habsburger im späten 15. und im 16. Jahrhundert als Financiers bevorzugten. So ist auch ihre Einflussnahme im Silberbergbau Tirols im Zusammenhang mit dem Geldbedürfnis Maximilians I. und Ferdinands I. zu sehen. Durch einen neuerlichen Aufschwung im Erzabbau und -handel im 18. Jahrhundert erfährt die Stadt eine Bereicherung durch barocke Kunstbauten und reiche Bürgerhäuser, von denen – infolge der Freiheitskämpfe 1809 – vieles zerstört wurde.*

Schwaz

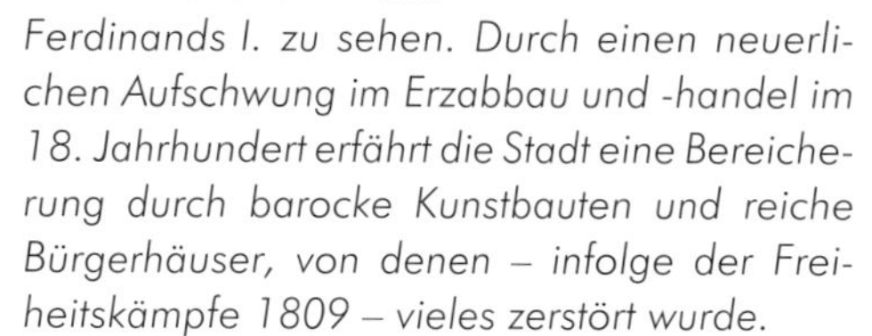

Die Fortsetzung der Route ab Schwaz erfolgt auf einem schmalen Promenadenweg am linken Ufer – gleich nach der Autobahnzufahrt, der Sie unterhalb ausweichen, teilt sich der Weg und Sie folgen rechts dem Rad- und Gehweg.

Sie behalten die Richtung am Flussufer bei, bis die Autobahn kreuzt.

**Tipp:** Dort führt ein Holzsteg links über jenen Bach, der zirka 2 Kilometer weiter die gern besuchte **Wolfsklamm** herausgebildet hat. Die Klamm ist mit 354 Stufen für Wanderungen ausgebaut. Die Route passiert nun die Autobahn unterhalb und wenn Sie die Klamm besichtigen wollen, biegen Sie danach links auf die Landstraße ein. Über die Ortschaft Stans erreichen Sie dann das Naturschauspiel.

Die Route aber führt parallel zur Autobahn weiter, von dieser lediglich durch eine Baumreihe getrennt.

## Tratzberg

**Schloss Tratzberg**, 6135 Stans bei Tratzberg, ✆ 6356620. Es werden Erlebnisführungen für Kinder geboten.

***Schloss Tratzberg*** *gehört neben Schloss Ambras bei Innsbruck zu den bedeutendsten und besterhaltenen Anlagen in Nordtirol. Die frühere*

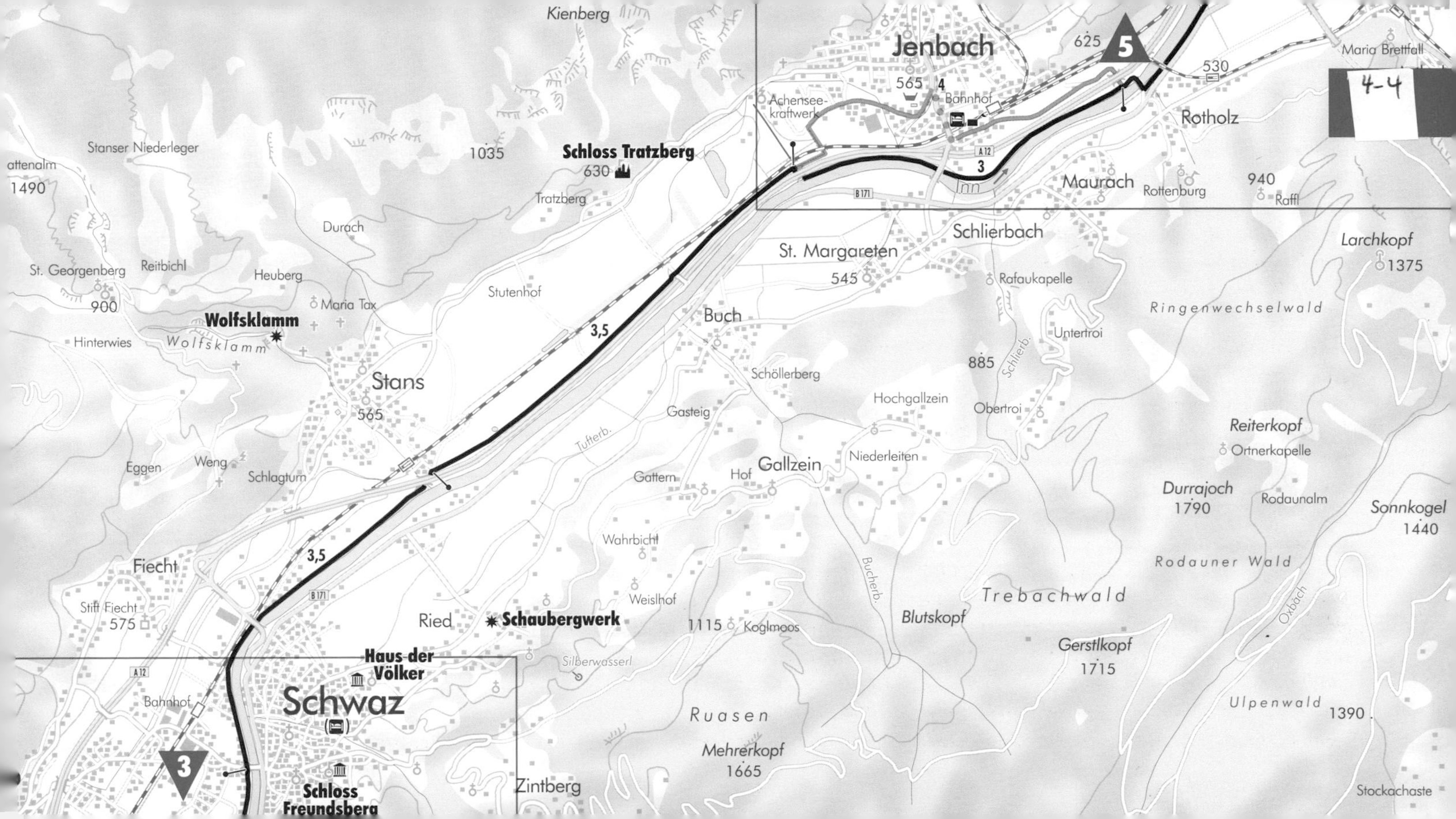

4-4
Jenbach
Kienberg
625
5
Maria Brettfall
530
565
4
Bahnhof
Achensee-kraftwerk
Rotholz
Schloss Tratzberg
630
1035
Stanser Niederleger
attenalm
1490
3
A12
B171
Maurach
Rottenburg
940
Raffl
Tratzberg
Durach
Schlierbach
St. Margareten
545
Larchkopf
1375
St. Georgenberg
Reitbichl
Heuberg
Rafaukapelle
900
Stutenhof
Maria Tax
Ringenwechselwald
Wolfsklamm
Buch
Untertroi
Hinterwies
Wolfsklamm
3,5
885
Schöllerberg
Stans
Hochgallzein
565
Gasteig
Obertroi
Tufterb.
Reiterkopf
Ortnerkapelle
Eggen
Weng
Schlagturm
Gattern
Hof
Gallzein
Niederleiten
Durrajoch
1790
Rodaunalm
Sonnkogel
1440
Wahrbichl
3,5
Fiecht
Rodauner Wald
Weislhof
Trebachwald
Stift Fiecht
575
Ried
Schaubergwerk
1115
Koglmoos
Blutskopf
Gerstlkopf
1715
Haus der Völker
Silberwasserl
Bahnhof
Schwaz
Ruasen
Ulpenwald
1390
Mehrerkopf
1665
Schloss Freundsberg
Zintberg
Stockachaste
Bucherb.
Oxbach
Schlierb.

*Feste wurde als Wehrposten gegen die Bayern errichtet und wurde ab 1500 nach einem Brand als Schloss wieder aufgebaut. Es befand sich lange Zeit im Besitz der* **Fugger,** *was wiederum vom Reichtum dieses auch für die Habsburger wichtigen Handelsgeschlechtes in der Zeit des Frühkapitalismus zeugt. Die Innenräume des Schlosses, besonders sehenswert sind die Rüstkammer, die Fuggerkammer oder der Habsburgersaal, sind reich ausgestattet. Getäfel und geschnitzte Holztüren aus dem 16. Jahrhundert, Balkendekken und Renaissanceschränke verleihen den Aufenthaltsräumen der einstigen Herrscher eine entsprechende Atmosphäre.*

Schloss Tratzberg

Zwischen Stans und Jenbach verläuft der Radweg in enger Tuchfüllung mit der Autobahn ~ 3,5 Kilometer nach dem Wolfsbach gelangen Sie zu einer Brücke.

**Tipp:** Hier können Sie wählen, ob Sie geradeaus einen kleinen Abstecher über Jenbach unternehmen oder die Hauptroute mit Unterquerung der Autobahn fortsetzen wollen. In Jenbach finden Sie jedenfalls einen reizvollen Bahnhofsplatz mit Restaurant vor und haben vor allem die Möglichkeit, zum Besuch des hochgelegenen **Achensees**, auf die dampfbetriebene Bergbahn umzusteigen. Auch die **Zillertalbahn** startet hier.

Die **Hauptroute** führt hingegen zwischen Autobahn und Fluss weiter, mündet hinter der nächsten Brücke in eine Uferstrasse und umfährt so Jenbach am Inn entlang. Die **Jenbach-Variante** trifft schließlich hinter dem Ort bei einer Holzbrücke auf die Hauptroute.

Für den Abstecher nach Jenbach bleiben Sie also links der Autobahn und halten sich beim ersten Seitenweg links ~ nach der Bahnunterquerung rechts in den **Mitterweg** ~ am **Fußballplatz** vorbei und auf der **Schießstandstraße** ortseinwärts ~ an einer großen Kreuzung angelangt, führt eine Straße links in Richtung Achensee und in die Ortsmitte von Jenbach ~

**Tipp:** Die alte Verbindungsstraße zum Achensee ist jedoch wegen der sehr steilen Trassenführung und der Enge der Fahrbahn für Radfahrer nicht zu empfehlen. Wenn Sie hier und vor der darauffolgenden Brückenrampe noch einmal rechts abbiegen, kommen Sie zum **Jenbacher Bahnhof**, wo sich die Gleise der ÖBB und der Achensee-Bahn (fast) kreuzen.

### Jenbach

PLZ: A-6200; Vorwahl: 05244

- **Tourismusverband** Jenbach, Achenseestr. 37, ✆ 63901.
- Museum Janbach, Achenseerstr. 21, ✆ 61409. ÖZ: Mai-Okt. Mo, Fr, Sa 14.00-17.00 Uhr. Thema: Eisenbahn, Berg- und hüttenwesen, Insekten, Muscheln, Sonderausstellungen.
- ✷ **Jenbacher Bahnhof**. Einer der wenigen Bahnhöfe mit drei verschiedenen Zugtypen und Spurweiten: ÖBB, Zillertalbahn, Achenseebahn.
- ✷ **Achenseebahn** (Dampfzahnradbahn). Bahnhof Jenbach, ✆ 62243. Mitnahme von Fahrrädern kostenlos; wenn Platz vorhanden auf Anfrage. Abfahrtszeiten nach Seespitz von Ende Mai-Ende Sept.: 8.40 (mit Fahrrad zu empfehlen!), 10.15, 10.55, 12.05, 13.45, 14.55 und 16.45 Uhr. In der Vor- und Nachsaison (Mai und Oktober): 11.00, 13.00 und 15.00 Uhr. Für die Rückreise von der Bahnstation Seespitz nach Jenbach:

9.30, 11.10, 12.20, 14.00, 15.10, 15.55 und 17.36 Uhr. Hier nehmen Sie mit dem Fahrrad am besten den letzten Zug. In der Vor- und Nachsaison: 12.00, 14.00 und 16.00 Uhr.

**Radverleih im Bahnhof**, ✆ 6060. Räder, Kindersitze und -helme können hier geliehen und an einem anderen Bahnhof der Zillertalbahn wieder abgegeben werden.

*Der Bahnhof von* **Jenbach** *wartet mit dem Kuriosum auf, dass hier die schmalspurigen, dampfbetriebenen Achensee-Zahnradbahn und Zillertalbahn sowie die Bundesbahnen, also drei Spurweiten, aufeinandertreffen. Der kleine Bahnhofsplatz mit dem ebenso kleinen Hotel wirkt fast modellhaft wie aus einer anderen Zeit; nicht nur für Eisenbahn-Nostalgiker ein Ort der Muße und der verzauberten Beschaulichkeit.*

## Zum Achensee

**Zum Achensee gelangen Sie von Jenbach mit der traditionsreichen Zahnradbahn zu dem auf 929 Meter Seehöhe liegenden Achensee. Nach dem rauschenden Inn unten im Tal erwartet Sie in einer prächtigen, hochalpinen Umgebung eine ruhige Seelandschaft. Ein gut ausgebauter Panoramaweg am Seeufer lädt Sie zu einer unvergesslichen Tour ein.**

**Tipp:** In Jenbach empfiehlt es sich für den Ausflug die Achenseebahn zu nehmen. Sie ist die älteste, ausschließlich mit Dampf betriebene Zahnradbahn Europas. Sie bewältigen damit rund 400 Höhenmeter abwechslungshalber aus fremder Kraft. Wollen Sie aber unbedingt mit Hilfe Ihrer Waden zum Achensee gelangen, so geht es am kürzesten über die alte Landstraße durch den Kasgraben, die allerdings sehr steil und eng ist. Die serpentinartige Bundesstraße 181 ist zwar angenehmer beschaffen, dafür aber länger und mehr vom Autoverkehr betroffen.

Achensee-Bahn in Maurach

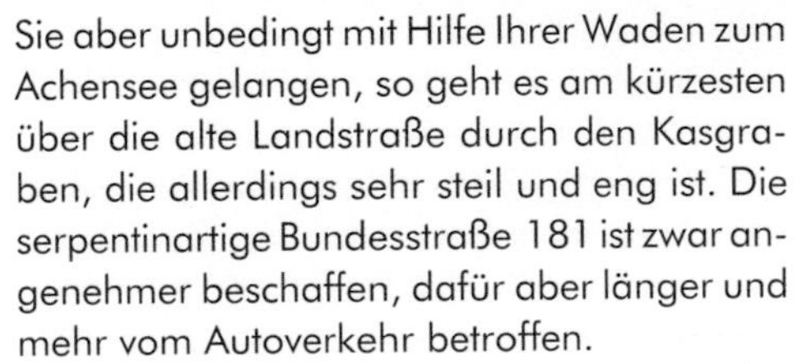

Nichts kann hier also mit der Achensee-Bahn konkurrieren, mit der Sie entweder bis Maurach oder gleich bis zum See fahren können. Da die Mitnahme von Fahrrädern in den Zügen nur bei genügend Platz erlaubt ist, nehmen Sie am besten den ersten Zug um 8.55 Uhr und auf der Rückfahrt den letzten um 17.36 Uhr.

### Maurach am Achensee

PLZ: A-6212; Vorwahl: 05243

**Informationsbüro**, ✆ 5355.

**Achensee-Schifffahrt**, ✆ 5253. Linienverkehr zwischen Seespitz-Buchau-Pertisau-Gaisalm-Achenseehof und Achenkirch. Abfahrtszeiten ab Seespitz zwischen Mai und Okt.: 9.45, 11.40, 12.10, 13.40, 14.10, 15.40, 16.20 und 17.37 Uhr. In der Vor- und Nachsaison: 11.40, 14.10 und 16.10 Uhr. Mitnahme von Fahrrädern nicht erlaubt!

**Notburgakirche** in Eben-Maurach. Zählt zu den schönsten Barockkirchen Tirols.

*Wie man bald merkt, wird in* **Maurach** *der Tourismus groß geschrieben, besonders im Winter, wo die Seilbahn im Rofangebirge ein vielfältiges Skiangebot erschließt. Geschäft reiht sich an Geschäft und Hotel an Hotel, Dienstleistungen aller Art werden angeboten, kein touristischer Wunsch bleibt unbefriedigt.*

### Pertisau

PLZ: A-6213; Vorwahl: 05243

**Tourismusverband**, ✆ 5260.

⛴ **Achensee-Schifffahrt,** ✆ 5253. Abfahrt nach Seespitz über Buchau von Ende Mai-Ende Sept.: 9.15, 10.45, 11.35, 13.35, 14.35, 15.35, 16.35 und 17.25 Uhr. In der Vor- und Nachsaison 12.Mai-25. Mai, 1. Okt.-28. Okt.: 11.35, 13.35 und 15.35 Uhr. Fahrradmitnahme nicht möglich!

✱ **Steinöl-Schaubergwerk**, ✆ 5521, 2 km nördlich. Führungen: Ende Mai-Anfang Okt., Di, Do-So 10.30-14.30 Uhr.

⛪ **Holzmeisterkirche**. Werk von Clemens Holzmeister. Um 12 und 18 Uhr wird anstelle des üblichen Glockenschlages das Ave-Maria vom Turm gesungen.

*In **Pertisau** haben Sie Gelegenheit, aus dem vielseitigen Verkaufsangebot der Geschäfte zu wählen, ein Boot zu mieten oder einfach baden zu gehen. Der Besuch des **Schaubergwerks** lohnt sich jedenfalls, wo der Abbau des sogenannten Ölsteines in einer Modellanlage gezeigt wird. Gemeint ist hier ein etwa 180 Millionen Jahre altes Ölschiefervorkommen, aus dem durch Erhitzung das ursprünglich von Fischen stammende Steinöl gewonnen wird. Ihm wird eine vielfältige Heilwirkung zugeschrieben.*

## Achenkirch

PLZ: A-6215; Vorwahl: 05246

ℹ **Tourismusverband,** ✆ 6270.

⛴ **Achensee-Schifffahrt,** ✆ 05243/5253. Mitnahme von Fahrrädern nicht erlaubt!

🏛 **Heimatmuseum Achental**, ÖZ: Mitte Mai-Ende Okt., Di, Do, Sa, So 13-18 Uhr. Im Sixenhof, einem charakteristischen Tiroler Bauernhof, werden frühere Lebensart u. Arbeitswelt gezeigt.

⛪ **Kalvarienberg-Kapelle**. Ganz dem Leiden Christi gewidmet. Die Kapelle besitzt eine heilige Stiege.

✱ **Handweberei,** ✆ 6341. Nach althergebrachter Methode werden verschieden Stoffe gewoben. Webstuhl aus der Zeit um 1750.

*Der fjordähnliche **Achensee** liegt eingebettet zwischen hohen Bergen des Karwendel- und Rofangebirges und bildet die Wasserscheide zwischen Isar und Inn. Die größte Tiefe erreicht er mit 133 Meter. Die Wassertemperatur liegt im Sommer, je nach Witterung, zwischen 16 und 22 Grad. Seine Entstehung verdankt der Achensee indirekt jenem Gletscher, der einen Moränenwall zum Inngraben hin aufgeschoben und dadurch aus dem Flusstal ein stehendes Gewässer geschaffen hat. So findet dieser sehr schön gelegene, alpine See seitdem seinen natürlichen Abfluss interessanterweise über den Achbach nach Norden. Eine künstliche Leitung bringt jedoch sein Wasser zum Achenseekraftwerk und in der Folge zum Inn. Man ist vielleicht überrascht, in dieser Höhe einen so belebten See vorzufinden: Segel- und Ruderboote teilen sich die Wasserfläche mit Personendampfern.*

*Der Achensee mit Ebner Spitze 1957 m*

## Von Jenbach nach Brixlegg — 11 km

Für die Weiterfahrt Richtung Inn und Hauptroute fahren Sie dann auf der Brücke über die Gleise und schwenken gleich danach links in die **Austraße** ~ hier streift die Route den **Zillertalbahnhof** ~ am Ende der Austraße fahren Sie unter der Autobahn durch und sind wieder auf der Hauptroute, die hier auf einer Holzbrücke den Inn überquert.

Die **Hauptroute** führt an Jenbach am Innufer vorbei ~ bei einer hölzernen Brücke wechseln

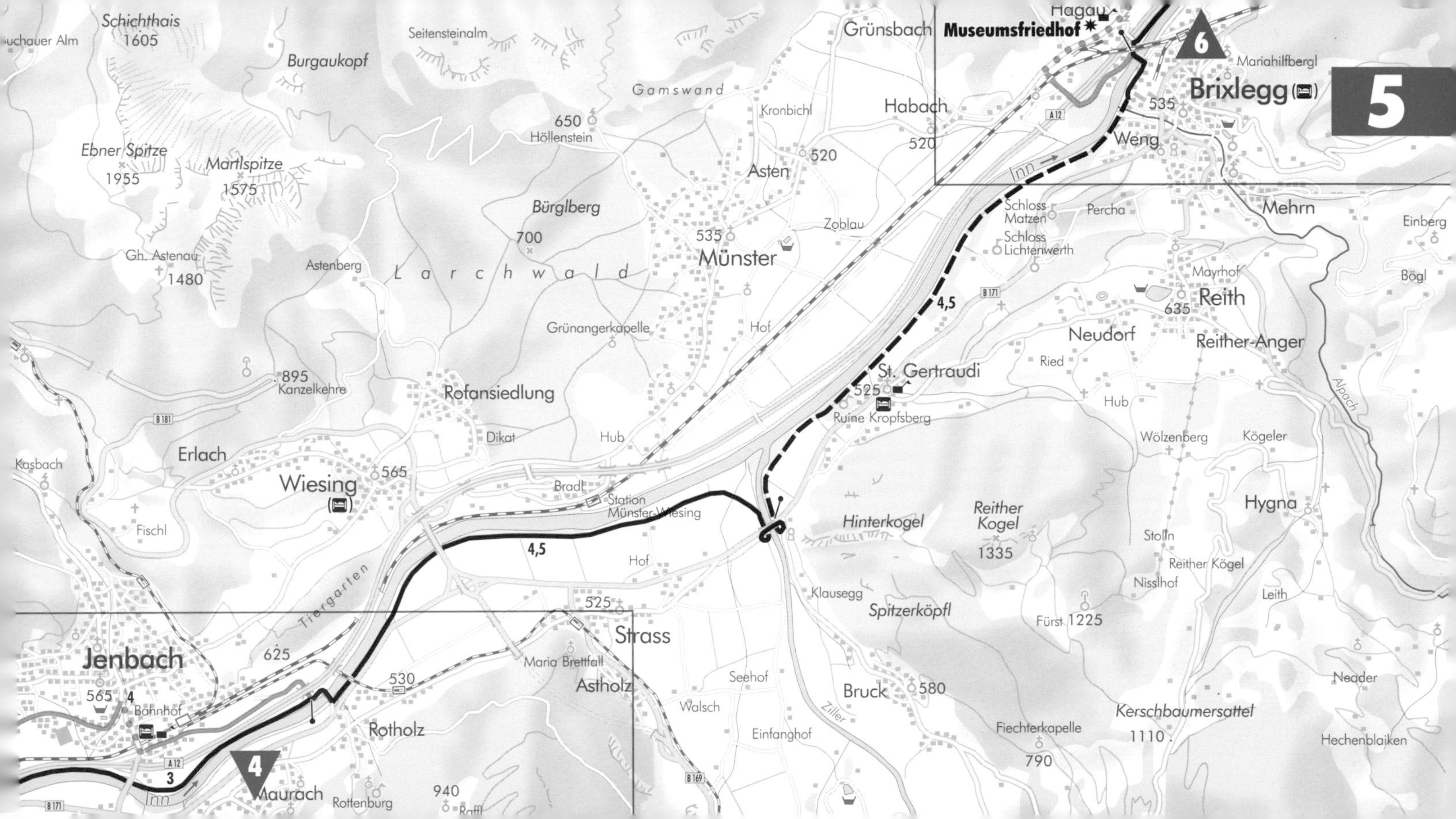

Schichthais
1605
Seitensteinalm
Burgaukopf
Gamswand
Grünsbach
Museumsfriedhof
Hagau
6
Mariahilfbergl
Brixlegg
5
Kronbichl
Habach
535
650
Höllenstein
Ebner Spitze
1955
Martlspitze
1575
520
Asten
520
Weng
Inn
Bürglberg
700
535
Münster
Zoblau
Schloss Matzen
Percha
Mehrn
Einberg
Schloss Lichtenwerth
Gh. Astenau
1480
Astenberg
Larchwald
Mayrhof
Reith
Bögl
635
4,5
Neudorf
Reither-Anger
Grünangerkapelle
Hof
St. Gertraudi
Ried
895
Kanzelkehre
Rofansiedlung
525
Ruine Kropfsberg
Hub
Alpach
Dikat
Hub
Wölzenberg
Kögeler
Erlach
Kasbach
Wiesing
565
Bradl
Station Münster-Wiesing
Hinterkogel
Reither Kogel
1335
Hygna
Fischl
4,5
Hof
Stolln
Reither Kögel
Nisslhof
Tiergarten
Klausegg
Spitzerköpfl
Leith
525
Fürst 1225
Jenbach
625
Strass
Maria Brettfall
565
4
Bahnhof
530
Astholz
Seehof
Bruck
580
Neader
Walsch
Kerschbaumersattel
Rotholz
Ziller
Fiechterkapelle
1110
Einfanghof
Hechenblaiken
3
4
790
Maurach
940
Rottenburg
Inn
A12
B171
B181
B169

→ direkt am Inntal- u. Zillertalradweg gelegen
→ radfreundliche Gasthöfe u. Privatzimmer mit Radabstellplätzen, Radfahrkost, fachkundigem Personal ...
→ schöne Gastgärten
→ Wallfahrtskirche Maria Brettfall mit Ausblick in das Inntal, Achental u. Zillertal
→ sehenswerte barocke Pfarrkirche des Hl. Jakob d.Ä.
→ einzigartig unser RAD-HAUS mit

TVB Strass i. Z.,
Tel./Fax 05244/63040


Sie auf das rechte Ufer ~ drüben angekommen, biegen Sie vor der Straßenunterführung links auf den markierten und asphaltierten Radweg ein ~ zur Rechten öffnet sich hinter dem Ort **Strass** eines der berühmtesten Seitentäler des Inn, das **Zillertal.**

**Strass im Zillertal**

PLZ: A-6261; Vorwahl: 05244

- **Tourismusverband**, mit Rad-Haus im Gemeindezentrum, ✆ 63040
- **Rad-Haus** im Ortszentrum. Rad-Service-Station mit WC's, Telefon, Werkzeug, Gepäckaufbewahrung, Radpannendienst, Betten-Info. Trinkwasser am Radbrunnen.
- Barocke **Pfarrkirche** des Hl. Jakob d. Ä.
- **Wallfahrtskirche** Maria Brettfall aus dem Jahr 1729, hoch über Strass mit Aussichtsterrasse und Rasthaus.

**Tipp:** Das Zillertal lässt sich auf dem Zillertal-Radweg auch gut mit dem Rad erkunden. Es ist 30 Kilometer lang und mit der Schmalspurbahn zu befahren. Die Bahn wurde um die Jahrhundertwende eröffnet und hat eine ihrer Endstationen in Jenbach. Räder werden kostenlos mitgenommen, wenn der Fahrgast mitfährt. Zudem gibt es an den Bahnhöfen einen Fahrradverleih. Eine Beschreibung der Radroute im Zillertal finden Sie im ***bikeline*-Radatlas Österreich**. Information bei der Zillertal Info, A-6262 Breitenbach, ✆ 05288/87187.

Der Radweg verläuft weiter dicht am Inn ~ erst vor der **Ziller** beschreibt er einen Bogen nach rechts und überquert den Abfluss einer Design-Kläranlage ~ der Radweg benutzt dann kurz den Damm der Ziller Ache, unterfährt die Bundesstraße und führt in einer Schleife zur Straße hinauf ~ davor zweigt aber ein anderer Radweg für die Ausflügler ins Zillertal ab ~ die Inntal-Route überquert die Ache und das Manöver wiederholt sich auf der anderen Seite, bis Sie am Bachufer wieder innwärts radeln ~ auf einem unbefestigten Weg erreichen Sie den Fluss und folgen seinem Verlauf.

*Sie fahren nun auf die **Ruine Kropfsberg** zu, die eindrucksvoll auf einem kleinen Bergkegel und unter dem mächtig wirkenden Reither Kogel liegt. Von hier aus sicherten sich die Salzburger Erzbischöfe ab dem 12. Jahrhundert ihre Rechte im Zillertal.*

Kurz vor der Ruine macht der Radweg einen Bogen nach rechts. Bei der Wegkreuzung halten Sie sich dann links und fahren schließlich zwischen Burg und Inn durch.

*Der Radweg am Inn führt hier an mehreren Burgen vorbei, deren Existenz das einstige politische Gewicht der Gegend unterstreicht. Die nächsten, die bald zu sehen sein werden, sind die* **Burg Lichtenwerth***, näher am Fluss gelegen, und jenseits der Bundesstraße* **Schloss Matzen** *mit seinem mächtigen romanischen Bergfried. All diese früheren Herrschaftssitze erreichen Sie von Brixlegg aus über die B 171 oder vom Radweg aus über die „grüne Wiese".*

*Dem* **Schloss Lipperheide***, zwischen dem alten Schloss und dem Ort St. Gertraudi gelegen, ist im Stil englischer Landschaftsgärten ein prächtiger Schlosspark angeschlossen. Er wurde gegen Ende des 19. Jahrhunderts angelegt und erstreckt sich über 15 Hektar. Der Spaziergang entlang der steinernen Löwen, Brunnen, idealisierenden Jagdhütten und künstlichen Teichen lohnt sich nicht nur für Erholungsuchende. Der Park ist auch ein Ausdruck vom Verständnis der einstigen gesellschaftlichen Elite von Natur und Landschaft.*

Auf der Route entlang des Inn nähern Sie sich nun Brixlegg ~ nach einem kurzen Waldabschnitt quert der Alpbach und gleich danach mündet der Radweg in eine asphaltierte Straße.

**Tipp:** Hier biegen jene, die in die Stadtmitte von Brixlegg oder zum Reither See wollen, in einem spitzen Winkel nach rechts in die Asphaltstraße ein.

**Brixlegg**

PLZ: A-6230; Vorwahl: 05337

- **Tourismusverband**, Römerstr. 1, ✆ 62581.
- **Tiroler Bergbau- und Hüttenmuseum**, Römerstr. 30. ÖZ: Pfingstmontag - 26. Okt., Mo-Sa 10-17 Uhr. Themen: Geologie, Fossilien, Mineralogie, Urgeschichtsfunde, alte Grubenkarten u. a.
- **Schlosspark Matzen**. Ausgedehnte Parkanlage mit stilvollen Bauten. Ehemaliger Landschaftsgarten mit Restaurant.
- ✱ **Wachskunst Donabauer**, Innsbrucker Str. 42a. Besichtigung der Handarbeit und Verkauf von Kerzen. ÖZ: Mo-Fr 8.30-17 Uhr, Sa 8.30-14 Uhr.
- ✱ **Schwefelquellen** im Heilbad Mehrn
- Bikeshop Frick, Marktstr. 7, ✆ 62732

*Auch* **Brixlegg** *blickt auf eine von Bergbau geprägte Vergangenheit zurück. Am Ort früheren Kupferabbaus betreibt heute Austria Metall seine Kupferhütten. Traurige Berühmtheit erlangte Brixlegg 1991, als eine überhöhte Dioxinbelastung der Umgebung, verursacht durch die örtlichen Montanwerke, bekannt wurde.*

### Von Brixlegg nach Wörgl — 16 km

Die **Hauptroute** führt bei der Einmündung des Radweges in die Asphaltstraße zunächst geradeaus neben dem Gelände der **Montanwerke** weiter ~ bei der Innbrücke wechseln Sie dann auf das linke Ufer.

**Tipp:** An diesem Punkt können Sie entscheiden, ob Sie gleich rechts auf dem Radweg Richtung Rattenberg weiterradeln oder aber links die **Variante** über Kramsach wählen. Diese führt mit Berührung eines skurrilen

musealen Friedhofes zum sehenswerten **Tiroler Bauernhofmuseum** auf eine Terrasse über dem Talgrund. Hier befinden sich außerdem mehrere **Badeseen**. Für die Variante, die überwiegend auf der mittelstark befahrenen Landstraße verläuft, müssen Sie somit einige leichte Steigungen überwinden. Zurück zur Hauptroute gelangen Sie dann am besten 10 Kilometer weiter flussabwärts bei Kundl. Der einzige Nachteil dieses Abstechers ist vielleicht die Tatsache, dass Sie auf den Besuch des vielleicht schönsten Städtchens im Unterinntal, Rattenberg, verzichten müssen!

## Zum Freilichtmuseum

**Sie haben hier die Möglichkeit, das Studium von Volkskunst und Handwerk mit einer Badepause in einem der reizvollen Seen auf der Anhöhe über Kramsach zu verbinden und auf diese Weise kurz dem geschäftigen Treiben im Tal zu entfliehen.**

Nachdem Sie nun Brixlegg und den Inn hinter sich gebracht haben, biegen Sie links ein und rollen über die Autobahn ~ an der Kreuzung nach einer Bahnunterführung rechts ~ nach ungefähr 300 Metern taucht auf der linken Straßenseite die Zufahrt zum sogenannten **Museumsfriedhof** auf.

*Der **Museumsfriedhof** zeigt einen makaberhumorvollen Umgang mit dem Tod (der anderen). Eine Sammlung von teilweise betagten Originalkreuzen und Grabinschriften gewährt Einblick in eine interessante Facette bäuerlichkleinbürgerlicher Alltagskultur. Eine der Inschriften lautet beispielsweise: „Hier ruht mein lieber Arzt Herr Grimm und alle, die er heilte, neben ihm."*

Weiter auf der Ausflugsroute fahren Sie geradeaus in den Ortskern von Kramsach und folgen von dort den Hinweistafeln zum Bauernhofmuseum.

**Kramsach**

PLZ: A-6233; Vorwahl: 05337

- **Tourismusverband**, Rathaus, ☎ 62209.
- **Museum Tiroler Bauernhöfe**, Mosen, ☎ 62636, ÖZ:Mo-So 9-18 Uhr. In Originalzustand wieder aufgestellte Bauernhöfe auf ca. 8 ha zu besichtigen, welche die verschiedensten Gebiete Tirols vertreten.
- ✱ **Museumsfriedhof**, Ortsteil Hagau. Musterfriedhof ohne Tote, dafür Grabkreuze mit „urigen" Sprüchen.

Hinter Kramsach schlängelt sich die Straße zu den Moränenseen hinauf, die sich fast 100 Meter über dem Niveau des Inn auf einer eiszeitlichen Schotterterrasse erstrecken.

*Der Voldöppberg bei Kramsach am Oberen Inn*

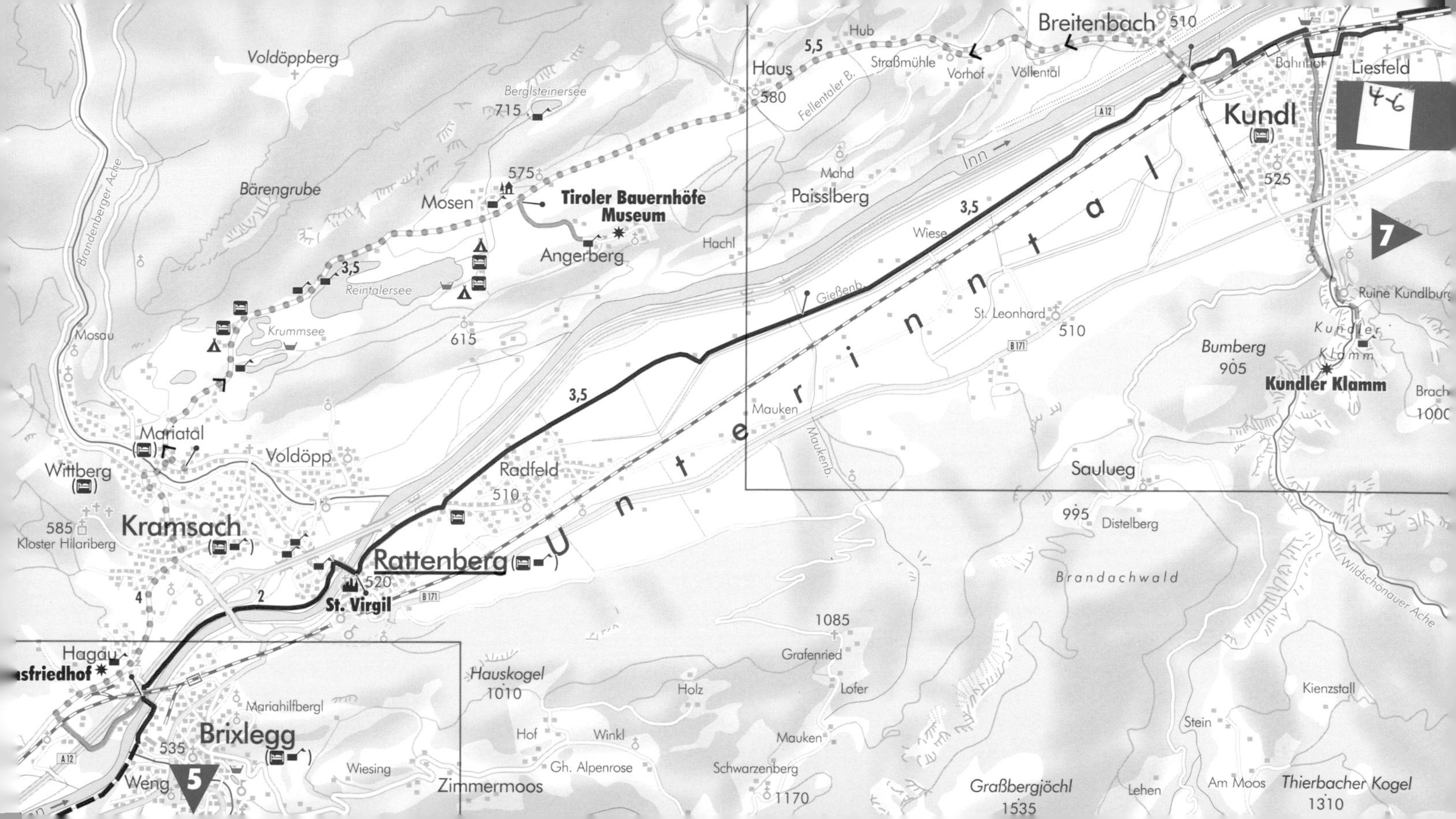
Voldöppberg
Berglsteinersee
715
Bärengrube
Brandenberger Ache
575
Mosen
Tiroler Bauernhöfe Museum
Angerberg
3,5
Reintalersee
Krummsee
615
Mosau
Mariatal
Wittberg
Voldöpp
585
Kramsach
Kloster Hilariberg
Radfeld
510
Rattenberg
520
St. Virgil
4
2
Hagau
Brixlegg
535
Mariahilfbergl
Weng
5
Wiesing
Zimmermoos
Hauskogel
1010
Hof
Winkl
Gh. Alpenrose
Holz
Lofer
Mauken
Schwarzenberg
1170
1085
Grafenried
Brandachwald
Graßbergjöchl
1535
Lehen
Am Moos
Thierbacher Kogel
1310
Stein
Kienzstall
Wildschönauer Ache
995
Distelberg
Saulueg
Bumberg
905
Kundler Klamm
Brach
1000
Ruine Kundlburg
St. Leonhard
510
Unterinntal
Mauken
Maukenb.
3,5
Wiese
Gießenb.
Hachl
Paisslberg
Mahd
Inn
Kundl
525
7
Liesfeld
Bahnhof
Breitenbach
510
Hub
5,5
Haus
580
Straßmühle
Vorhof
Völlental
Fellentaler B.
A12
B171
4-6

*Das Gebiet um den **Reintaler See, Krummsee** und weitere kleine Seen ist Spaziergängern, Wanderern und Badefreunden vorbehalten und eignet sich daher sehr gut für eine Erholungspause auf der Tour. Sie finden hier auch Campingplätze und Gaststätten.*

*Strandbad am Reintalersee bei Kramsach*

Oben angelangt, verlassen Sie nach der Siedlung **Mosen** die Landstraße nach rechts und erreichen am Waldrand bald den Fußweg, der zum Freilichtmuseum führt.

*Im **Freilichtmuseum** sind Bauernhöfe u. a. aus dem Alpbachtal, aus Südtirol oder aus dem Ötztal „originalgetreu" aufgestellt und zeigen die Lebens- und Wirtschaftsweise der bäuerlichen Bevölkerung vor der Industrialisierung. Die Einrichtungs- und Gebrauchsgegenstände reichen von Backöfen bis zu Zäunen aus beständigen Lärchenholzplatten.*

Für die Weiterfahrt zum Inn nützen Sie gleich den errungenen Höhenvorteil und rollen auf der Landstraße in Flussrichtung nach Kundl weiter bergab ~ hinter Breitenbach wird dann der Inn überquert und am Ortsrand von Kundl biegen Sie noch vor den Bahngleisen links ab.

### Kundl

Auf dem **Schmelzerweg** radeln Sie am Bahnhof vorbei und haben so wieder den Anschluss an den Inntal-Radweg geschafft.

Die **Hauptroute** verläuft ab der Innbrücke bei Brixlegg am linken Innufer weiter ~ bald quert die Bahn, dahinter teilt sich der Weg und Sie folgen jenem, der näher zum Inn verläuft und in einen Schotterweg übergeht ~ der Radweg verläuft zwischen Fluss und Autobahn ~ nach einem leichten Rechtsbogen des Flusses erscheint auf dem anderen Ufer bereits die charakteristische Innzeile **Rattenbergs** mit der Burgruine.

Der Inn ist hier in der Tat in „Griffnähe", bei niedrigem Wasserstand gelangt man leicht über die Böschung hinunter zu den Schotterbänken ~ bei der Stadtbrücke setzen Sie auf die andere Flussseite nach Rattenberg hinüber ~ drüben geht die Route gleich nach links ab, zuvor aber lassen Sie sich eine Rundfahrt in der sehr gut erhaltenen Altstadt von Rattenberg nicht entgehen!

### Rattenberg

PLZ: A-6240; Vorwahl: 05337

- **Tourismusverband**, Klosterg. 94, ✆ 63321.
- Handwerkskunst **Museum Nagelschmiedhäuser** (12. Jh.), Südtirolerstr. 33, am Schlossbergfelsen, ✆ 67097. ÖZ: Mo-Sa 9-18 Uhr, So/Fei 9-15 Uhr u. n. Vereinb. Alte Häuserzeile, die zu einer Entdeckungsreise in vergangene Jahrhunderte einlädt.
- **Stadtpfarrkirche St. Virgil.** Wertvolle Einzelstücke der Freskenmalerei und der Bildhauerkunst, gotischer Prachtbau, teilweise barocke Elemente.
- **Burgruine.** Der Unterbau stammt aus dem 11. Jh., später durch Maximilian I. zu einer imposanten Festung ausgebaut.
- **Kisslinger Kristallglas**, ✆ 64142. ÖZ: Mai-Okt., Mo-Sa 8.30-18 Uhr, So/Fei 9-17 Uhr, Nov.-April, Mo-Fr 8.30-18 Uhr, Sa 8.30-17 Uhr. Glasbläserei, -schleiferei, -malerei, -gravur.

*Mit seinen etwa hundert Häusern ist **Rattenberg** eine der kleinsten Städte in Österreich. Für die Standortwahl der ursprünglichen Siedlung, urkundlich ab dem 11. Jahrhundert erwähnt, spielten strategische Gründe eine wichtige Rolle.*

*So war die Stadt lange Zeit ein Grenzort zwischen Bayern und Tirol mit abwechselnder Landeszugehörigkeit. Aufgrund der natürlichen Gegebenheiten (die Inngrenze und der steil abfallende Schlossberg) nahm Rattenberg bereits im Mittelalter jene Form an, die sich durch die Jahrhunderte ohne nennenswerte Erweiterung erhalten hat. Nach 1500 war die Stadt eher als Bergbau- und Handelsplatz bedeutend, von hier aus brachten die Fugger die wichtigsten Nordtiroler Grubengebiete in ihren Besitz.*

*Mit dem Niedergang des Bergbaus im 17. Jahrhundert verlor Rattenberg seine Haupteinnahmequelle, aber der Verlauf der Hauptstraße zwischen Innsbruck und Kufstein durch die Stadt sicherte weiter wichtige Einkünfte. Durch den Bau des Umgehungstunnels von Rattenberg kann das kleine mittelalterliche Städtchen nun mit einer verkehrsarmen Fußgängerzone in malerischer Atmosphäre reizen. Der Ort besteht fast ausschließlich aus vorbildlich gepflegten alten Häusern, geschmückt mit Erkern, Torbögen aus Marmor, Rokokoverzierungen und geschmiedeten Nasenschildern. Sehenswert sind auch die Innpromenade und die „gläsernen Läden", die von einer traditionsreichen Glasverarbeitung künden.*

Ab der **Rattenberger Innbrücke** setzen Sie die Inntour am rechten Flussufer Richtung Kundl fort ~ nach einem Kilometer an der Weggabelung beim **Hotel Sonnenhof** nach links ~ der asphaltierte Güterweg führt zunächst entlang der schütteren Siedlung von **Radfeld**, später zwischen Feldern auf dem sich öffnenden Talbecken dahin ~ die Straße beschreibt einen leichten Rechtsbogen und quert den Gießenbach, die Route zweigt noch davor links ab.

*Kundler Klamm*

Der Weg folgt dem geraden Verlauf des Gießenbaches und Sie erreichen nach 7 km **Kundl** ~ durch das Betriebsgelände eines Sägewerkes und knapp vor der Brücke links ab, um unter der Brücke durchzufahren ~ bereits nach wenigen hundert Metern mündet der Weg in eine größere Straße, und Sie halten sich rechts, bis Sie an die Bahn stoßen ~ links in den **Schmelzerweg** einbiegen ~ nachdem Sie sowohl **Bahnhof** als auch **Fußballplatz** hinter sich gebracht haben, schwenken Sie nach rechts und passieren die Bahnanlage unterhalb.

**Tipp:** Wenn Sie nun geradeaus der **Austraße** folgen, kommen Sie in den Ortskern von Kundl und weiter von Schildern begleitet zur etwa 3 Kilometer entfernten **Kundler Klamm.** Diese bildet, geschaffen durch die Wildschönauer Ache, gleichsam die Naturattraktion der Gegend. Die Schlucht ist bis zum Gasthof Klamm mit dem Rad befahrbar, von dort geht's dann auf Schusters Rappen weiter.

### Kundl

PLZ: A-6250; Vorwahl: 05338

- **Tourismusverband**, Dr.-Fr.-Stumpf-Str. 3, ✆ 7326.
- **Wallfahrtskirche St. Leonhard** auf der Wiese. Ortsteil St. Leonhard. Heutiger Bau stammt von der Wende 14.-15. Jh. und vereint romanische, gotische sowie barocke Elemente.
- **Kundler Klamm**. Eine Wanderung durch die wildromantische Klamm mit einer anschließenden Bummelzugfahrt sollten Sie

sich nicht entgehen lassen.

* **Steindreherei**, Klammstraße. Anfertigung von Gebrauchsgegenständen auch aus mitgebrachten Stücken.
* **Glasschleiferei**, Lindenweg.
* **Kundler Eisarena**, neben dem Freischwimmbad. Im Sommer für Inlineskates geöffnet, von Nov.-März zum Eislaufen.

Innschleife bei Kirchbichl

*Ähnlich wie andere Orte auf dieser Strecke wurde auch* ***Kundl*** *durch den Bergbau im 15. und 16. Jahrhundert belebt, in der* ***Kundler Klamm*** *soll man sogar Gold gewaschen haben. Mit Erlaubnis des Landesherren wurde auch ein seltener Freiofen eingerichtet, wo die Leute Erz aus den aufgelassenen Stollen verarbeiten durften. Heute ist der Name Kundl am ehesten mit den hiesigen pharmazeutischen Werken verknüpft.*

Die Inntal-Route findet ihre Fortsetzung in der **Austraße**, nach der Bahnunterführung die erste Quergasse links ~ über die Wildschönauer Ache und dann links ~ die Straße beschreibt bald eine Rechtskurve und wechselt danach die Bahnseite ~ geradeaus neben der Bahn Richtung Wörgl weiter, das etwa 6 km entfernt liegt ~ nach der Unterführung an der nächsten Brücke links über die Autobahn ~ die Radroute führt dann wieder unter der Autobahn hindurch ~ an der Querstraße links ~ ins Zentrum von Wörgl fahren Sie hier geradeaus, für die Weiterfahrt hingegen nach dem Bach gleich wieder links und erneut unter der Autobahn hindurch.

**Tipp:** Der Weg in die Stadt Wörgl: Bei der Kreuzung rechts und nach der Bahnunterführung in der **Kommr.-Martin-Pichler-Straße** weiter bis zur Stadtmitte.

**Wörgl**

PLZ: A-6300; Vorwahl: 05332

* **Tourismusverband**, Bahnhofstr. 4a, ✆ 76007.
* **Wallfahrtskirche Mariastein**, ✆ 56376. Nach dem Aufstieg der 150 Stufen zur Gnadenkapelle im Turm, wird man durch den Anblick des berühmten gotischen Madonnenbildes, das schon im Mittelalter Gläubige aus nah und fern nach Mariastein lockte, belohnt.

*Die relativ junge Stadt* ***Wörgl*** *ist ein wichtiger Verkehrsknotenpunkt, internationale Bahnlinien und Straßenzüge treffen hier aufeinander. Der Ort hat aber auch einigen berühmten Künstlern, unter ihnen* ***Michael Haydn*** *oder* ***Wilhelm Busch****, schöpferische Eingebung beschert. Der amerikanische Dichter Ezra Pound etwa griff in den 30er Jahren das „Schwundgeld" des damaligen Bürgermeisters als Thema auf. Dieser kommunale Geldschein wurde für Notstandsarbeiten ausgestellt und monatlich abgewertet. Aus den so „gewonnenen" Erlösen konnten örtliche Bauten finanziert und die Arbeitslosigkeit gemildert werden.*

### Von Wörgl nach Kufstein 14,5 km

Nach dem Abstecher in die Stadt nehmen Sie beim **Tennisplatz** von Wörgl die Hauptroute wieder auf und fahren Richtung Fluss ~ Sie benutzen dabei die Unterführung unter der Autobahn und treffen bei der Einmündung des Wörgler Baches wieder auf den Inn ~ nach

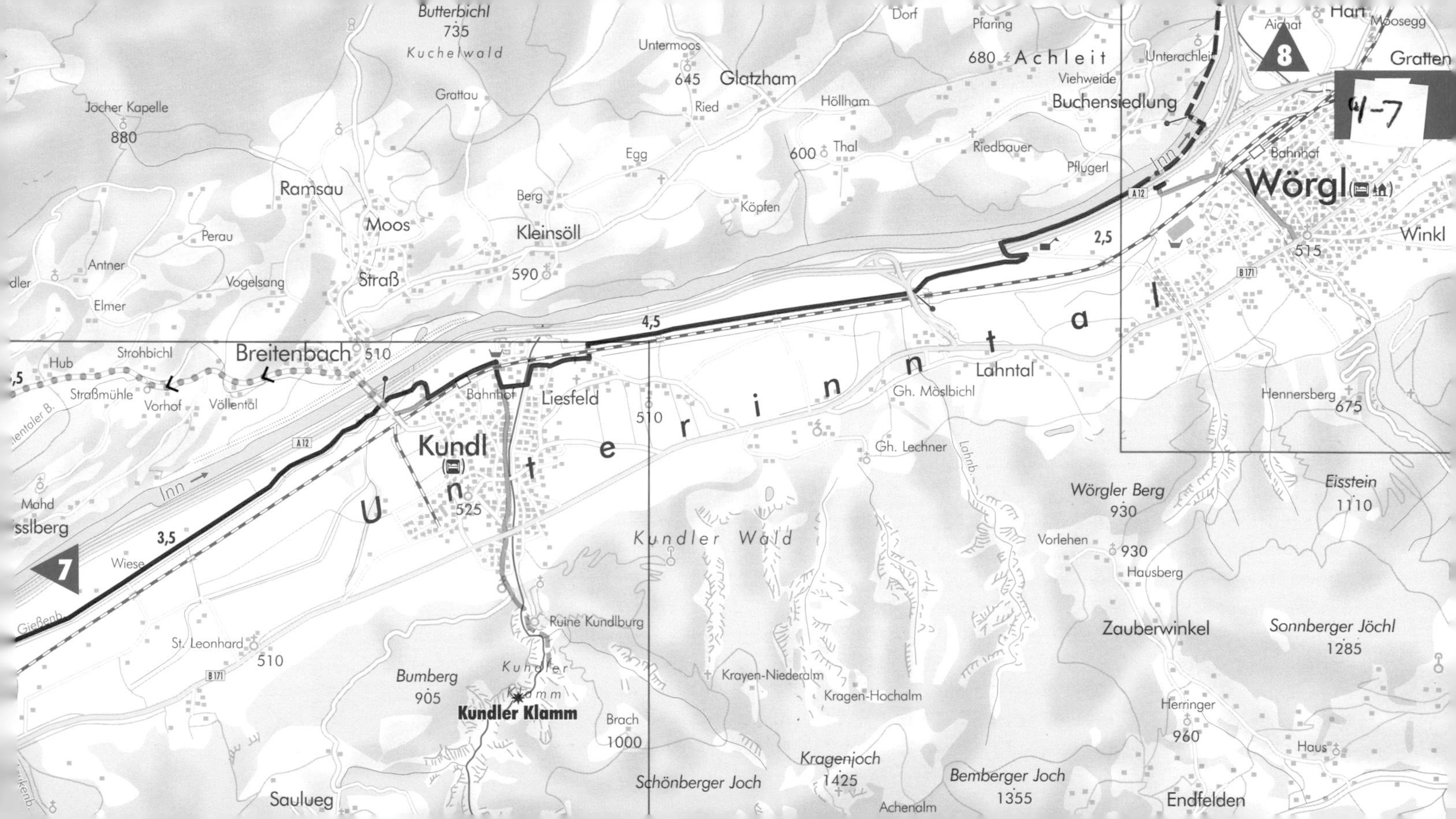
Butterbichl
735
Kuchelwald
Untermoos
645
Glatzham
Dorf
Pfaring
680
Achleit
Unterachlei
Aichat
Hart
Moosegg
8
Gratten
4-7
Jocher Kapelle
880
Grattau
Ried
Höllham
Viehweide
Buchensiedlung
Egg
600
Thal
Riedbauer
Pflugerl
Inn
Bahnhof
Wörgl
Ramsau
Berg
Köpfen
A12
Moos
Perau
Kleinsöll
2,5
Winkl
515
Antner
Vogelsang
Straß
590
B171
dler
Elmer
4,5
Hub
Strohbichl
Breitenbach
510
Lahntal
Straßmühle
Vorhof
Völlental
Bahnhof
Liesfeld
Gh. Möslbichl
Hennersberg
675
510
Kundl
Gh. Lechner
Lahnb.
Inn
Unterinntal
Mahd
525
Wörgler Berg
930
Eisstein
1110
sslberg
3,5
Kundler Wald
Vorlehen
930
Hausberg
7
Wiese
Gießenb.
Ruine Kundlburg
Zauberwinkel
Sonnberger Jöchl
1285
St. Leonhard
510
B171
Bumberg
905
Kundler Klamm
Kundler Klamm
Krayen-Niederalm
Kragen-Hochalm
Herringer
Brach
1000
960
Haus
Kragenjoch
1425
Bemberger Joch
1355
Saulueg
Schönberger Joch
Achenalm
Endfelden

rechts auf Schotter weiter ~ nach 600 Metern setzen Sie über den Steg auf das andere Innufer über und biegen rechts auf den Radweg ein ~ hinter der Autobahnüberführung geht die Route auf der Landstraße geradeaus weiter, führt durch die Ortschaft **Angath** und trifft nach einem Kilometer auf eine fast ausgetrocknete Flussschleife des Inn, an der Sie sich links halten.

*Dieser abgeschnittene* ***Flussarm bei Kirchbichl*** *markiert in zweifacher Weise eine interessante Stelle am Innverlauf: Hier steht das erste der 16 Innkraftwerke, denen Sie noch häufig begegnen werden. Andererseits zeigt diese nur noch wenig Wasser führende Schleife eindrucksvoll, dass sich der Gebirgsflusscharakter des Inn allmählich zu ändern beginnt und der Fluss infolge der plötzlich gering gewordenen Fallhöhe stellenweise sogar zum Mäandrieren neigt. Hier lagen vor hundert Jahren noch große Schopperstätten, die Tiroler Werften der Innschiffe.*

Sie umfahren den alten Flussarm und zweigen bei der Ortschaft **Oberlangkampfen** links ab.

**Tipp:** In der Ortsmitte bei der gelb gestrichenen Pfarrkirche biegen jene, die nach **Kirchbichl** am anderen Flussufer oder nach **Bad Häring** wollen, rechts ab.

Die Inn-Route führt geradeaus weiter und mündet nach einem halben Kilometer in eine größere Straße mit Radstreifen ein ~ diese Straße verlassen Sie schon 300 Meter weiter nach rechts.

Sie unterqueren die Kreuzung von Auto- und Eisenbahn in einer Linkskurve, danach biegen Sie rechts in Richtung Kufstein ab ~ der Güterweg schließt sich dem Bahnverlauf an ~ dem Asphaltband folgen und geradeaus auf **Kufstein** zufahren, an Schaftenau vorbei.

*Kufsteins Festung ist in der Ferne bereits zu erkennen, im Hintergrund erblicken Sie den* ***Zahmen*** *und den* ***Wilden Kaiser****, die auf der Reise lange den Horizont markierten und hier nun die Hauptkulisse bilden.*

## Schaftenau

Nach zirka 3 Kilometern entfernt sich der Weg etwas von der Bahn und teilt sich auf.

Die Innpromenade in Kufstein mit der

**Tipp:** Hier können Badelustige links zum nahen **Stimmersee** abzweigen. Sie fahren hierzu über die kleine Brücke und unter der Bahn durch. Bei der Landstraße biegen Sie rechts ein und verlassen diese erst nach 700 Metern nach links. Am waldumrahmten See erwarten Sie Bademöglichkeit und eine Gastwirtschaft.

Richtung Kufstein geht es bei der Verzweigung hinter Schaftenau rechts weiter und die Route führt über die Autobahn zum Inn ~ hier folgt zunächst ein unbefestigter Uferweg ~ vor den Gleisen rechts auf einem asphaltierten Weg weiter.

Auf dem **Promenadenweg** treffen Sie schließlich in Kufstein ein ~ in die Altstadt, die auf der anderen Flussseite liegt, gelangen Sie über die **Innbrükke** zur Festung ~ auf der anderen Seite angekommen, bietet sich die Möglichkeit, die Festung mit dem Lift oder zu Fuß zu „erklimmen".

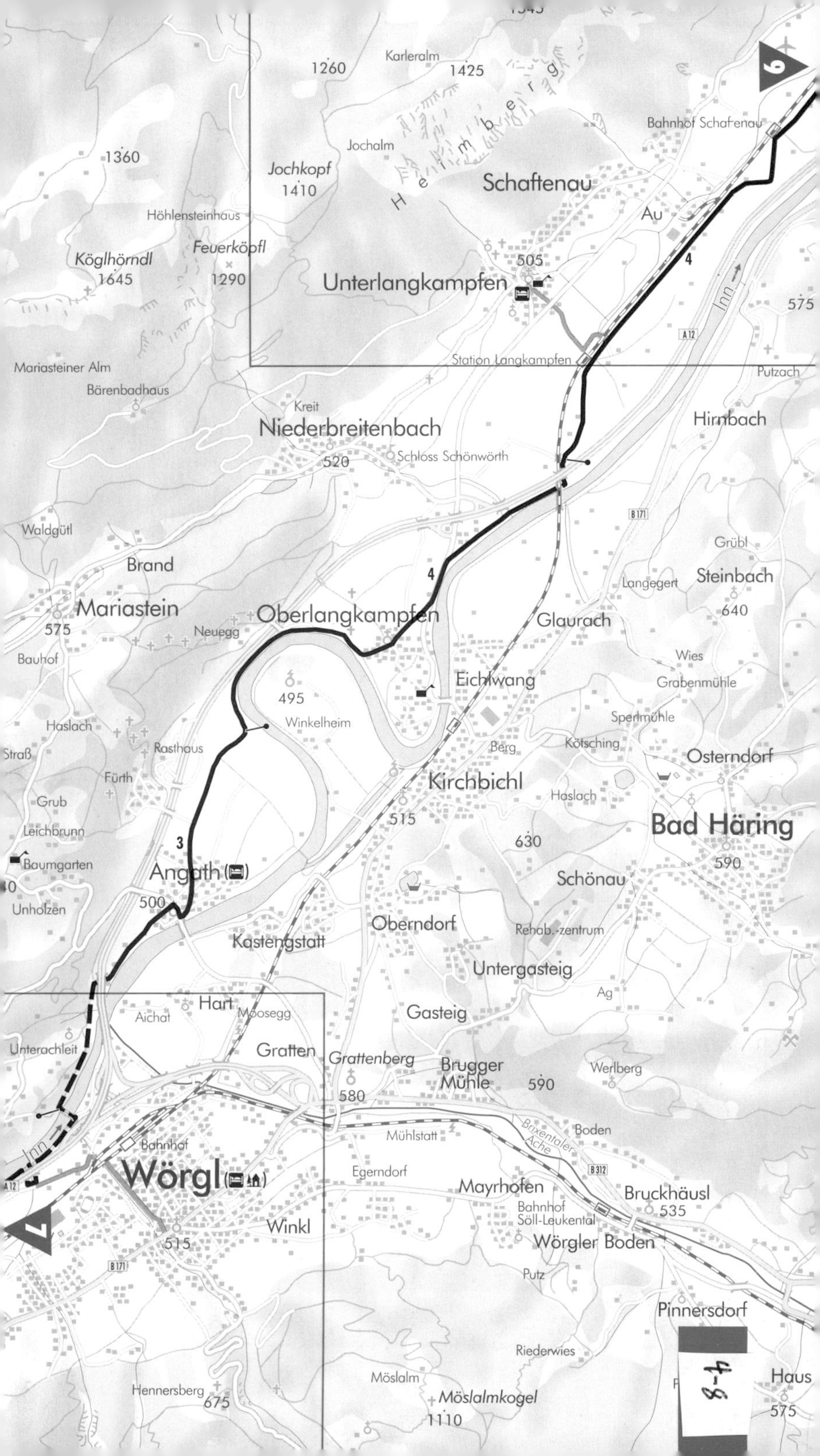
9
Karleralm
1260
1425
Hemmberg
Bahnhof Schafenau
Jochalm
Jochkopf
1410
Schaftenau
Au
1360
Höhlensteinhaus
Köglhörndl
1645
Feuerköpfl
1290
505
Unterlangkampfen
4
Inn
575
A12
Station Langkampfen
Putzach
Mariasteiner Alm
Bärenbadhaus
Kreit
Niederbreitenbach
Hirnbach
520
Schloss Schönwörth
B171
Waldgütl
Grübl
Brand
Langegert
Steinbach
640
Mariastein
575
Neuegg
Oberlangkampfen
Glaurach
Bauhof
Wies
Grabenmühle
Eichwang
495
Haslach
Winkelheim
Sperlmühle
Straß
Rasthaus
Berg
Kötsching
Osterndorf
Fürth
Kirchbichl
Grub
Haslach
Leichbrunn
515
Bad Häring
3
630
Baumgarten
590
Angath
Schönau
Unholzen
500
Oberndorf
Rehab.-zentrum
Kastengstatt
Untergasteig
Ag
Hart
Aichat
Moosegg
Gasteig
Unterachleit
Gratten
Grattenberg
Brugger Mühle
Werlberg
580
590
Brixentaler Ache
Boden
Mühlstatt
Bahnhof
B312
Egerndorf
Wörgl
Mayrhofen
Bruckhäusl
Bahnhof Söll-Leukental
535
7
Winkl
Wörgler Boden
515
B171
Putz
Pinnersdorf
Riederwies
4-8
Möslalm
Haus
Hennersberg
675
Möslalmkogel
1110
575

# Radlspaß in der „Kaiserstadt“ Kufstein

★ gemütliche Radwege den Inn entlang oder quer die Region Kufstein Freizeitvergnügen für gemütliche Radler und ausdauernde Biker

★ Radverleih, Reperaturwerkstätten und jede Menge an radfreundlichen Hotels

★ Das Feststädtchen zwischen Inn und Kalsergebirge ist mit seinem großen Kultur-, Unterhaltungs- und Veranstaltungsprogramm das ideale Ziel für Urlaub und Zwischenstop

★ NEU: gläserner Schrägaufzug direkt vom Stadtzentrum auf die Festung

★ Unser neugestaltetes Festungs- und Heimatmuseum bietet Einblick in Geschichte, Brauchtum, Biologie und Geologie Kufsteins und seiner Umgebung

★ Erste Innschifffahrt Tirols durch die Ferienregion Kufstein.

★ *HIGHLIGHTS 1999 und 2000:* Int. Radler und Biker-Tage vom 02.-06. Juni 1999 sowie 31. Mai bis 04. Juni 2000 – Fordern Sie Ihr detailliertes Programm an!

★ Zu Ihrer Auswahl stehen: Hotels, Pensionen, Privatquartiere, Ferienwohnungen und Unterkünfte am Bauernhof – gerne sind wir Ihnen bei der Quartiersuche behilflich.

Adresse: **Tourismusverband Kufstein**
Unterer Stadtplatz 8, A-6330 Kufstein
Tel.: 05372/62207 Fax: 05372/61455
e-mail: kufstein@netway.at
Internet: http:\\www.tiscover.com\kufstein

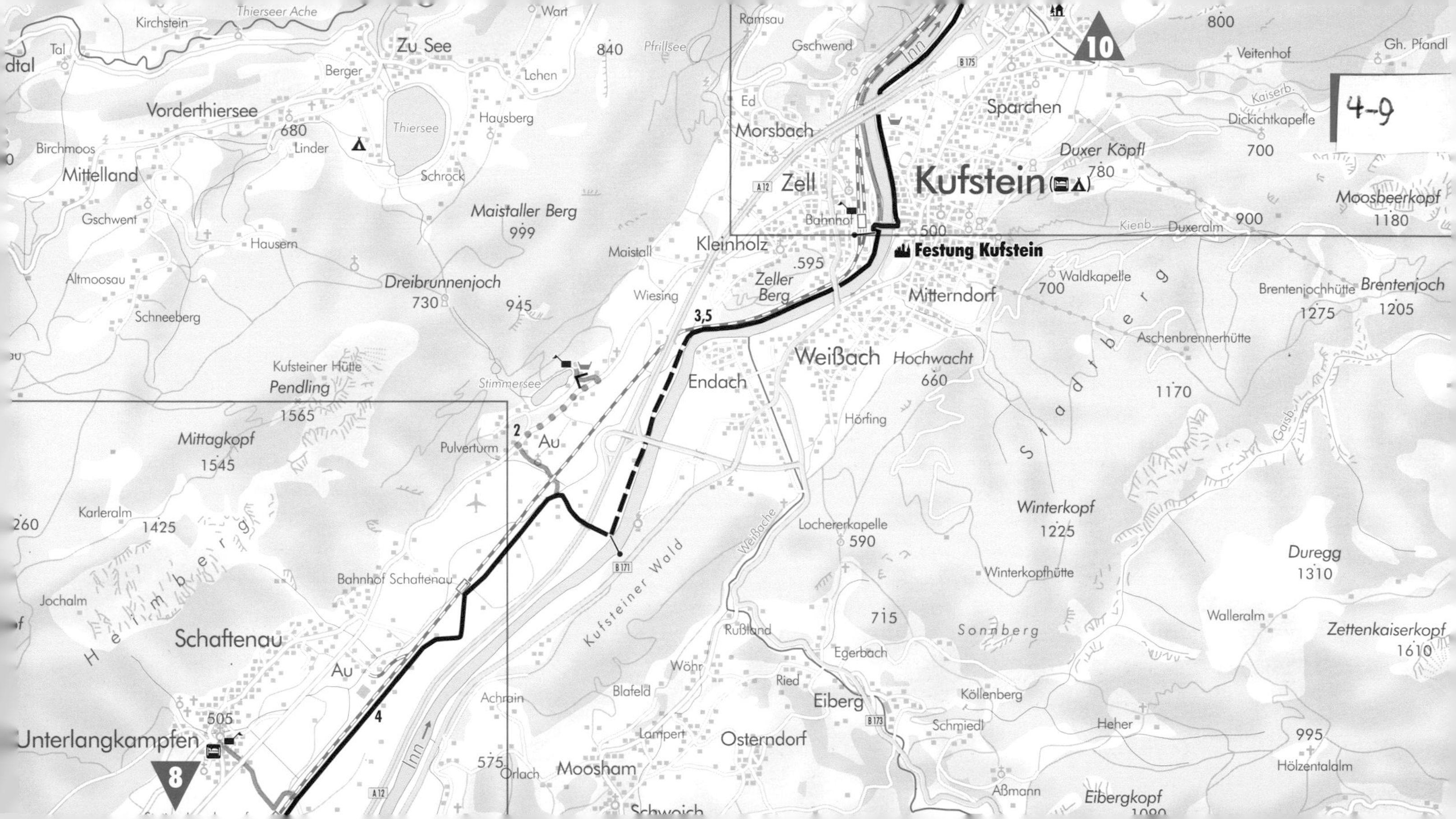
Kufstein
Festung Kufstein
Zell
Morsbach
Sparchen
Kleinholz
Zeller Berg
Mitterndorf
Weißbach
Endach
Hochwacht
660
Zu See
Thiersee
Vorderthiersee
Mittelland
Maistaller Berg
999
Dreibrunnenjoch
730
Pendling
1565
Kufsteiner Hütte
Stimmersee
Mittagkopf
1545
Au
Pulverturm
Bahnhof Schaftenau
Schaftenau
Unterlangkampfen
505
Kufsteiner Wald
Winterkopf
1225
Lochererkapelle
590
Winterkopfhütte
Duregg
1310
Walleralm
Zettenkaiserkopf
1610
Sonnberg
Eiberg
Osterndorf
Moosham
Eibergkopf
Stadtberg
Aschenbrennerhütte
Brentenjochhütte
1275
Brentenjoch
1205
Moosbeerkopf
1180
Duxer Köpfl
780
Duxeralm
900
Dickichtkapelle
700
Veitenhof
Gh. Pfandl
800
Waldkapelle
700
Kirchstein
Thierseer Ache
Wart
840
Pfrillsee
Lechen
Hausberg
Berger
Linder
680
Schrock
Birchmoos
Gschwent
Hausern
Altmoosau
Schneeberg
Karleralm
1425
Jochalm
Heimberg
Maistall
Wiesing
Ramsau
Gschwend
Ed
Bahnhof
500
.595
3,5
2
4
Hörfing
1170
715
Rußland
Egerbach
Wöhr
Ried
Blafeld
Achrain
Köllenberg
Schmiedl
Heher
995
Hölzentalalm
Aßmann
Lampert
575
Orlach
Inn
B 171
B 173
B 175
A 12
10
8
4-9

## Kufstein

Vorwahl: 05372; PLZ: A-6330

- **Tourismusverband**, Unterer Stadtpl. 8, ✆ 62207.
- **Tiroler Innschifffahrt**. Öz: Ende April-Okt. Abfahrt: 10.30-14 Uhr, Juli/Aug. 14 und 16 Uhr. 2 Std. Fahrtdauer.
- **Festungs- und Heimatmuseum,** ÖZ: Mitte Nov.-Mitte Dez. geschl. Objekte aus der Urgeschichte, Landwirtschaft, Gewerbe sowie Zoologie.
- **Nähmaschinenmuseum**. Kinkstraße. ÖZ: Mo-So. Museum zum Gedenken an Josef Madersperger in seinem Geburtshaus.
- **Museum SINNfonie** und Schauglasbläserei, Weißachstraße
- **Kufsteiner Festung**. 1205 erstmals erwähnt. Freiluftbühne.
- ✷ **Heldenorgel** im Bürgerturm der Festung. Erbaut im Jahr 1931, die größte Freiorgel der Welt.
- ✷ **Sessellift Wilder Kaiser.** ÖZ: Mai-Okt., 9-16 Uhr.

*Die Stadt **Kufstein** entstand am Fuße eines mächtigen Inselberges, umgeben von den steil abfallenden Wänden des Kaisergebirges und der Thierseer Berge, die den Übergang des Inntales zum Alpenvorland beherrschen. Einer geöffneten Pforte gleich zeigt sich die Landschaft. Diese Grenzlage war jahrhundertelang auch der Grund für Zwistigkeiten zwischen Tiroler und bayerischen Herrschern.*

*Symbolisch für die Bedeutung des Verkehrsweges steht die um 1200 errichtete **Festung**, die seitdem ständig nach den jeweiligen Anforderungen der Kriegstechnik ausgebaut wurde. So wundert es nicht, dass die Stadt eine lebhafte Militärgeschichte verzeichnen kann; bei der Eroberung durch Kaiser Maximilian I. im Jahre 1504 wurde sogar erstmalig die Artillerie entscheidend für eine Schlacht eingesetzt. Das mittelalterliche Stadtbild hat Kufstein infolge des Spanischen Erbfolgekrieges, des Tiroler Freiheitskrieges und der Bombardierung von 1944 eingebüßt.*

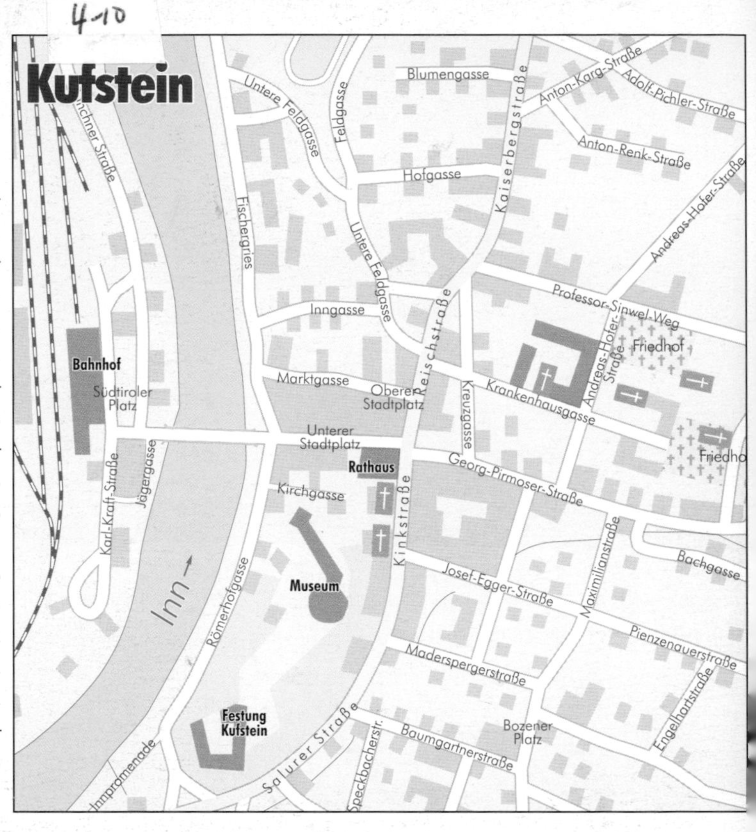

# Von Kufstein nach Wasserburg 67,5 km



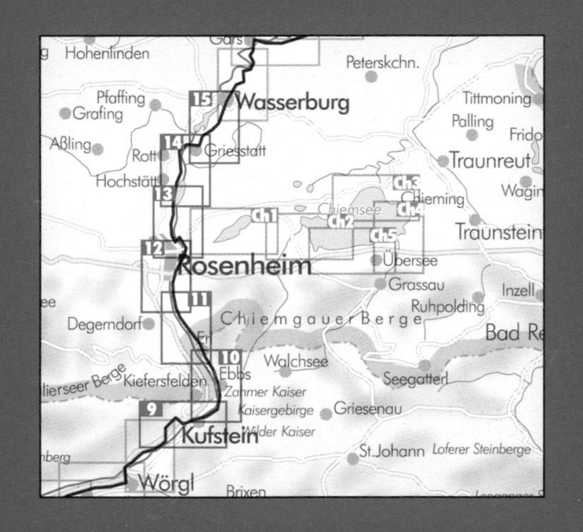


Im dritten Abschnitt verändert sich die landschaftliche Kulisse. Die spitzen Berggipfel weichen zuerst bewaldeten, flachen Bergkuppen und später den lieblichen Hügeln des bayrischen Voralpenlandes. Die Szenerie wirkt ruhiger: Die touristisch-industrielle Betriebsamkeit des Tiroler Inntales macht einer eher bäuerlich-ländlich geprägten Gegend Platz. Höhepunkte der Reise sind das schmucke Städtchen Neubeuern, Rosenheim mit dem Innmuseum oder das bezaubernde Stadtensemble von Wasserburg. Sie treffen auf große Klöster wie Altenhohenau oder Attel. Auch der Fluss verändert sich: Eine Kette von Staustufen und Regulierungsdämmen zwingt dem Fluss den menschlichen Nutzungswillen auf.

Die beschilderte Inntal-Route wird bis kurz vor Wasserburg auf beiden Seiten des Inn geführt. Unsere Hauptroute begleitet den Fluss größtenteils auf ebenen Radwegen am Damm. Die Variante hingegen wählt oft schwach frequentierte Landstraßen, die auch mal ins hügelige Umland abschweifen. Eine Ausflugsroute lädt Sie zum Besuch des „bayerischen Meeres", dem Chiemsee ein.

**Tipp:** Im Abschnitt von Kufstein bis Wasserburg können Sie zwischen zwei Ufervarianten wählen, die beide im Gelände durchgehend ausgeschildert sind:

Die hier gewählte **Hauptroute** orientiert sich mehr am Fluss und verläuft bis Rosenheim am Ostufer (=rechtes Ufer) und dann bis kurz vor Wasserburg am Westufer. Die meiste Zeit fahren Sie auf asphaltierten bzw. geschotterten Radwegen am Inndamm. Dies ist auch die schnellste weil kürzeste und steigungsfreie Möglichkeit, weiterzukommen. Auf diese Weise passieren Sie die letzten österreichischen Dörfer auf der Innstrecke wie Ebbs und Erl oder das schmucke bayrische Städtchen Neubeuern.

*Blick auf Kiefersfelden*

Die **Variante** am Westufer bis Rosenheim bzw. Ostufer bis Wasserburg verlässt öfter den Fluss und benutzt Güterwege in der Talebene wie auch schwach frequentierte Landstraßen, die (hinter Rosenheim) ins bäuerlich geprägte oberbayrische Hügelland ausweichen. Dadurch gestaltet sich die Reise etwas abwechslungsreicher aber auch länger. Für die Variante dürfen Sie allerdings einige leichte bis mittlere Anstiege nicht scheuen. Zwischen den zwei Routen können Sie immer wieder wechseln, auf der Variante kommen Sie gleich hinter Kufstein nach Kiefersfelden und damit nach Deutschland.

## Am Westufer von Kufstein nach Rosenheim 38 km

Die Inntal-Route am linken Ufer setzt in Kufstein bei jener Innbrücke an, die in die Altstadt führt ~ der Uferradweg verlässt die Stadt am Bahnhofsgelände vorbei und führt der **Burgruine Thierberg** entgegen ~ an der Stadtgrenze unter der Autobahnbrücke hindurch.

Der Radweg verläuft weiter am Fuße des Thierberges auf dem schmalen Streifen, den sich Bundesstraße, Bahn und Uferweg miteinander teilen müssen ~ bereits auf bayrischem Gebiet folgen Sie dem Rechtsbogen des Flusses und biegen unmittelbar vor der nächsten Autobahnbrücke links auf die Asphaltstraße nach Kiefersfelden ein ~ hier finden Sie bereits die grünen „Inntal-Radweg"-Schilder vor, die Sie bis Wasserburg begleiten werden ~ die Straße schlängelt sich zwischen Wohnhäusern auf eine Kreuzung zu, an der Sie rechts über eine kleinere Brücke weiterfahren.

Bei der nächsten Kreuzung geradeaus weiter und auf einer Fußgängerbrücke über den Kieferbach ~ gleich danach wenden Sie sich nach links und folgen dem Weg am **Umspannwerk** vorbei ~ parallel zur Bahn ~ an der Kreuzung entweder links über die Bahn nach Kiefersfelden oder geradeaus weiter auf dem Inn-Radweg

Nach Kiefersfelden fahren Sie auf dem **Schröckenweg** vorbei am Zementwerk, queren die Gleise einer Schmalspurbahn und

Innfähre bei Kiefersfelden

treffen auf eine Vorfahrtsstraße ~ ein Radweg führt von hier in gerader Verlängerung bis zur Hauptstraße ~ um ins Ortszentrum zu kommen, biegen Sie dort links ein.

**Kiefersfelden**

PLZ: D-83088; Vorwahl: 08033

**Kur- und Verkehrsamt**, Dorfstr. 23, ✆ 976527.

**Innfähre Kiefersfelden-Ebbs**, Betriebszeiten: Mai-Okt., Mo-So 7-11 Uhr und 13-18 Uhr.

**Volkstheater**. Gegründet 1618, besitzt die größte deutschsprachige Sammlung handgeschriebener Volksschauspieltexte.

**König-Otto-Kapelle**. Vor dem Grenzübergang. Neugotisch, im Auftrage von König Ludwig I. 1834 erbaut.

**Blaahaus**, Blaahausstraße (direkt am Radweg). Errichtet für die Arbeiter des Eisenhammerwerkes 1696. Die älteste bayerische Arbeitersiedlung. In Zukunft wird hier ein **Heimatmuseum** untergebracht sein.

✱ **Bergfriedhof** am Osthang des Buchberges mit der zwiebeltürmigen Heiligen-Kreuz Pfarrkirche (erstmals erwähnt 1315).

*__Kiefersfelden__ zog aus seiner Grenzlage am Inn und der von den alten Tiroler Innstädten herführenden Straße als Umschlagplatz seit alters her Gewinn. Zum Wohlstand trug mit der Zeit auch noch der Zement bei, dessen Grundstoff hier gewonnen und weiterverarbeitet wird.*

*Berühmt ist die Stadt jedoch für ihr Volkstheater und die bäuerlich-komödiantische Tradition, die – früher im Inntal weit verbreitet – hier heute noch gepflegt wird. Jeden Sommer werden von Kieferer Laien die sogenannten Ritterschauspiele im ältesten __Dorftheater__ Deutschlands, vor barocken Kulissen, aufgeführt. Sie basieren auf Stücken des Zillertaler Holzknechtes Joseph Schmalz, der dafür auch „Bauernshakespeare" genannt wird. Die Handlung kreist meistens um das ewige Thema Gut und Böse, das Spiel ist naiv und pathetisch, für die einen komisch, für die anderen rührend, und erinnert an das Barocktheater.*

Die Route geht am Stadtrand von Kiefersfelden entlang der Bahn nach Norden weiter ~ die Straße unterquert eine Autobahnzufahrt.

**Tipp:** An der Querstraße kommen Sie nach links unter der Bahn zum nahen **Hödenauer Strandbad**. Es ist sogar mit einem Wasserskilift ausgestattet. Wenn Sie hier noch ein paar Hundert Meter zurücklegen, werden Sie einen weiteren Badeplatz am **Kreuthsee** finden.

Blaahaus in Kiefersfelden

Die eigentliche Inn-Route aber führt ab dem Abzweig zu den Badeseen etwas rechts versetzt von der Bahn weiter ~ Sie fahren nun auf den bewaldeten **Florianiberg** zu, der einer Insel gleich von den Pflügen verschont blieb ~ kurz vor dem Inselberg nach rechts und dann links in den Wald ~ nach dem Steg biegen Sie rechts und dann wieder links ab, um dem „Berg" auszuweichen ~ Sie folgen der Asphaltstraße geradeaus und lassen sich von einem lokalen Radwegschild (mit Nummer) nicht beirren.

Die Route erreicht nun die Bundesstraße zwischen Oberaudorf und Niederndorf, das auf österreichischer Seite liegt ~ linker Hand führt ein Begleitradweg in das bayrische Oberaudorf.

*Im Hintergrund ragt der 823 Meter hohe* ***Aussichtspunkt Hocheck*** *auf, zu dem auch ein Sessellift von Oberaudorf aus emporführt. Von der Bergspitze lässt sich das Inntal über eine weite Strecke überblicken.*

**Oberaudorf**

Vorwahl: 08033; PLZ: D-83080

**Verkehrsamt**, Kufsteiner Str. 6, ✆ 309743.

**Ortsgeschichtliches Museum**, im Burgtor, ✆ 30120, ÖZ: Mai-Sept. Di und Fr 14-18 Uhr. Themen: Geologie, Besiedelung, Innschifffahrt, Fremdenverkehr.

**Pfarrkirche Unsere Liebe Frau**. Sehenswert der barocke Hochaltar von 1729.

**Karmelitenkloster Reisach**, erbaut 1732-47.

Die Inn-Route biegt bei der Bundesstraße vor Oberaudorf zunächst rechts auf den Radweg ein, um ihn nach 100 Metern wieder nach links zu verlassen ~ vor der Innsiedlung geht es bei der Weggabelung links auf der **Kaiserstraße** weiter.

Der Ausklang des Oberinntals bei Kiefersfelden

Beim Pferdegehege wählen Sie den Schotterweg zur Rechten und an der T-Kreuzung dann nach links ~ bei dem kleinen Häuschen am Rande der Lichtung beginnt ein Radweg ~ Sie überqueren den kleinen Thaler Graben und fahren zunächst am Waldrand entlang ~ nach einigen hundert Metern kommen Sie zum Steg über den Auerbach ~ nach dem Bach passieren Sie in **Reisach** das Betriebsgelände eines Busunternehmens ~ danach halten Sie sich rechts und kurz darauf wieder links.

Bis Flintsbach steht ein 9 Kilometer langer Dammweg bevor ~ das Karmelitenkloster taucht auf, und nach 500 Metern führt die Route rechts unter der Uferautobahn hindurch zum Inn.

**Tipp:** Falls Sie nach Österreich wollen oder die rechtsufrige Hauptroute für die Weiterfahrt wählen, biegen Sie hier rechts ab. Eine Fußgängerbrücke verbindet hier die beiden Ufer.

Die Variante verläuft ab Reisach am linken Inndamm weiter ~ nach etwa 4,5 Kilometern Fahrt am Damm kommen Sie zum Abzweig zum nahen **Kirnsteiner See**, an dessen Ufern sich auch ein Campingplatz befindet ~ dieses Weglein finden Sie genau auf der Höhe des spitzen Grenzberges Kranzhorn und des Zollamtes am anderen Ufer ~ der Dammradweg macht in der Folge eine leichte Linkskurve um eine Innbucht.

*Wenn Sie auf dieser Höhe links zur Autobahn hinüberschauen, sehen Sie in Form einer klei-*

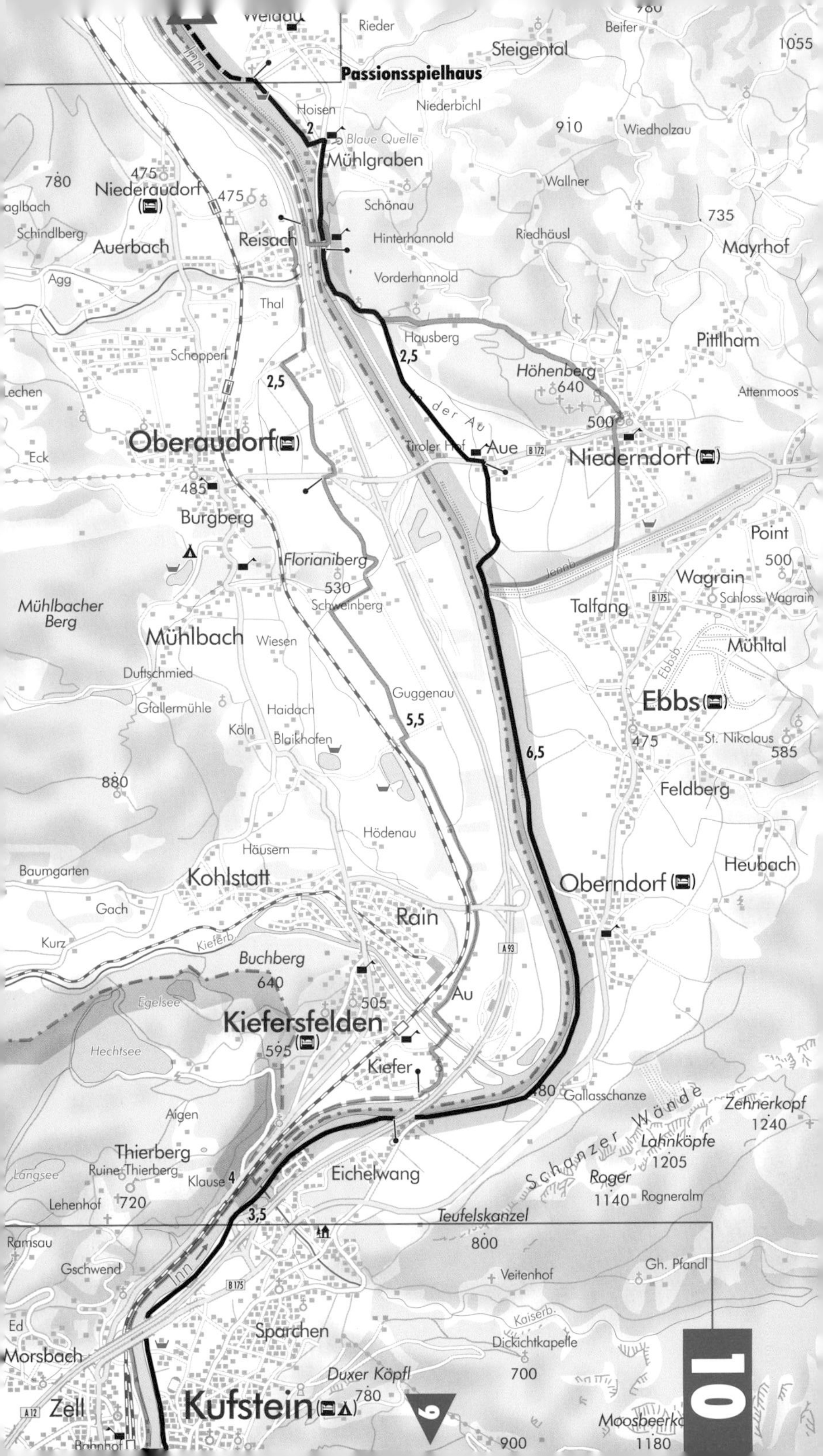

Passionsspielhaus
Rieder
Beifer
Steigental
1055
Hoisen
Niederbichl
2
Blaue Quelle
Mühlgraben
910
Wiedholzau
Wallner
780
475
Niederaudorf
475
Schindlberg
Auerbach
Reisach
Schönau
Hinterhannold
Riedhäusl
735
Mayrhof
Agg
Vorderhannold
Thal
Hausberg
2,5
Pittlham
Schopperl
2,5
Höhenberg
640
Attenmoos
Lechen
500
Oberaudorf
Tiroler Hof
Aue
B 172
Niederndorf
Eck
485
Burgberg
Point
500
Florianiberg
Jennb.
Wagrain
530
Schweinberg
B 175
Schloss Wagrain
Mühlbacher Berg
Talfang
Mühlbach
Wiesen
Mühltal
Duftschmied
Ebbsb.
Guggenau
Gfallermühle
Haidach
Ebbs
5,5
Köln
Blaikhofen
475
St. Niclaus
6,5
585
880
Feldberg
Hödenau
Häusern
Heubach
Baumgarten
Kohlstatt
Oberndorf
Gach
Rain
Kurz
Kieferb.
A 93
Buchberg
640
Au
Egelsee
505
Kiefersfelden
Hechtsee
595
Kiefer
480
Gallasschanze
Zehnerkopf
1240
Schanzer Wände
Aigen
Lahnköpfe
1205
Thierberg
Eichelwang
Roger
Ruine Thierberg
Klause 4
1140
Rogneralm
Längsee
Lehenhof
720
3,5
Teufelskanzel
800
Ramsau
Gschwend
Gh. Pfandl
Veitenhof
Inn
B 175
Ed
Kaiserb.
Sparchen
Dickichtkapelle
Morsbach
Duxer Köpfl
700
10
A 12
Zell
780
Kufstein
9
Moosbeerk
Bahnhof
900
1180

*Radeln im Umland von Oberaudorf*

*nen Erhöhung den „**Gletschergarten**" von **Fischbach**. Der Block besteht aus einem härteren Gestein, der dem schleifenden Gletschereis, das zumindest viermal im Zeitraum von einer Million Jahren aus den Alpen herausgewachsen ist, mehr widerstehen konnte als seine Umgebung. Sein Höcker- und Rinnenrelief zeugt somit von der Arbeit des Gletschers. Bedauerlicherweise zollte der technische Geist diesem Naturdenkmal wenig Respekt und sägte die Fahrspuren der Autobahn einfach in den Fels.*

Kurz nach der Innbucht müssen Sie bei einer **Bootsanlegestelle** vom Damm herunter und folgen der parallel verlaufenden, breiten Pflasterstraße ~ unterwegs finden Sie linker Hand eine Abzweigung nach Flintsbach.

### Flintsbach am Inn

PLZ: D-83126; Vorwahl: 08034

**Verkehrsamt** Flintsbach, Kirchstr. 9, ✆ 1813.

**Pfarrmuseum** im Pfarrheim. Kirchplatz, ✆ 644. U. a. Urnenfunde aus der Zeit 1250-750 v. Chr.

✷ **Burgruine Falkenstein**. Erhalten sind der massive Bergfried mit Zinnen und Gebäuderesten aus dem 15./16. Jh.

Weiter auf der Route passieren Sie einen Hubschrauberlandeplatz und folgen nach einer Brücke geradeaus dem Bachverlauf. Bald ist die Verbindungsstraße zwischen Brannenburg und Nußdorf erreicht. Bei dieser Straße geht die Route kurz nach links ab und biegt gleich nach dem **Brückenwirt** rechts Richtung Raubling ab. Bevor Sie aber die linksufrige Inn-Route fortsetzen, bietet sich ein Abstecher ins nahe Brannenburg am Fuße des Wendelstein an.

### Brannenburg

PLZ: D-83098; Vorwahl: 08034

**Verkehrsamt**, Rosenheimer Str. 5, ✆ 4515.

**Schloss Brannenburg.** Erste Bauten im 13. Jh., im 16. Jh. neu erbaut, heute Privatschule.

✷ **Biberhöhe,** im südlichen Ortsbereich. Ein 40 m hoher Block bestehend aus Nagelfluhgestein, einem eiszeitlichen Konglomerat. Er misst allerdings zehn Fußballfelder und beherbergt auch eine Wallfahrtsklause, die 1626 von einem Eremiten in den Fels gehauen wurde.

✷ **Wendelsteinbahnen**, im südwestlichen Ortsbereich, Kerschelweg 30, ✆ 3080. Bergfahrt Zahnradbahn: Mo-Fr 10-14 Uhr stündl., Sa/So 10-14 Uhr stündl. Bergfahrt Seilbahn: 9-16 Uhr stündl. Die älteste Zahnradbahn Deutschlands und die Seilbahn führen auf den berühmten Aussichtsberg Wendelstein. Das Alpenpanorama in 1.840 m Höhe reicht vom Großglockner über Großvenediger, die Stubaier Alpen, das Karwendel und das Wettersteingebirge bis zu den Allgäuer Bergen; an klaren Tagen sogar noch weiter.

Weiter auf der Variante lassen Sie den Brückenwirt am linken Innufer hinter sich ~ Sie fahren durch eine kleine Siedlung und halten sich nach einem Steg links ~ die Straße schlängelt sich durch Wiesen und Äcker und entfernt sich etwas vom Fluss ~ nach dem Weiler **Schwaig** halten Sie sich dem Schild „Inntal-Radweg" folgend rechts ~ nach einigen Schlenkern des Weges biegen Sie dann vor **Reischenhart** an der T-Kreuzung links ab ~ 300 Meter danach im Ort nach rechts ~ rund einen Kilometer nach dem Dorf biegen

Sie nach rechts in eine Asphaltstraße ein.

Rechts zur Bundesstraße, zur Linken liegt **Kirchdorf**, die Route aber nimmt innwärts den Begleitradweg entlang der Straße.

### Kirchdorf

Direkt vor der Innbrücke links ab ⤳ Sie nehmen den asphaltierten Radweg, nicht den Schotterweg direkt am Fluss.

**Tipp:** Wenn Sie jedoch das bezaubernde Städtchen **Neubeuern** auf der anderen Seite des Inn besuchen möchten, so fahren Sie über die Brücke und halten sich drüben rechts.

Die Variante führt vor Raubling durch ein Augebiet, es lassen sich viele Wasservögel blicken ⤳ nach 1 km treffen Sie auf einen Altarm des Inn ⤳ nach der Brücke geht es links nach Raubling, rechts setzt sich die Route fort.

Salzingerhof
GÄSTEZIMMER
mit DU/WC
*Fam. Ranftl*
A-4982 Kirchdorf
Tel. + Fax.:
++43(0)7758/3114


### Raubling

Auf Schotter durch einen ruhigen Waldabschnitt und Richtung Rosenheim weiter ⤳ wieder auf Asphalt zweigen Sie rechts ab und fahren etwas versetzt am Inn entlang weiter.

*Der Inn-Radweg bei Ebbs mit dem Zahmen Kaiser*

**Tipp:** Einen Kilometer flussabwärts kommen Sie zu einer Treppe, die links vom Damm hinunterführt. Wenn Sie ihr folgen, erreichen Sie über einen zweiten Damm die Schottergrube **Happinger See**, die zum Baden und Rasten einlädt.

Kurz vor Rosenheim treffen Sie am Dammradweg auf ein weiteres Flusskraftwerk ⤳ die Route weicht ihm aus, führt über eine Brücke und zweigt danach erneut innwärts ab.

**Tipp:** Bei der südlichen Umfahrungsstraße von Rosenheim besteht die Möglichkeit, die **Ausflugsroute** zum **Chiemsee** anzutreten. Hierzu wird zunächst Richtung **Stephanskirchen** der Inn überquert.

Richtung Rosenheim geht es durch einen Park, der mit stattlichen Bäumen aufwartet ⤳ nach einem Sportplatz stößt der Radweg auf eine breitere Straße, hier schwenken Sie nach rechts ⤳ beim Inn fahren Sie dann links unter der Bahn durch ⤳ Sie befinden sich bereits im Stadtgebiet von Rosenheim und bei der nächsten Brücke mit dem **Innmuseum** erreichen Sie erneut einen Knotenpunkt auf der Tour.

**Tipp:** Bei dieser Innbrücke treffen **Salzburger Straße** und **Innstraße** aufeinander. Sie verlassen also den Uferweg vor der Brücke und halten sich sowohl für den Stadtbesuch als auch für die Hauptroute am Westufer linksherum an die Innstraße. Wer hingegen die Variante bis Griesstätt am Ostufer wählt, wechselt hier die Flussseite. Nicht versäumen sollten Sie auf jeden Fall das Innmuseum, das sich gleich hier beim Brückenkopf befindet.

**Rosenheim** s. S. 56

## Am Ostufer von Kufstein nach Rosenheim 35 km

Die **Hauptroute** beginnt bei der Innbrücke in **Kufstein** am rechten Flussufer ~ beim Hallenbad verlässt dann der Radweg die Straße und führt am Ufer unter der Autobahnbrücke durch ~ nach 1,5 Kilometern müssen Sie mit einem kleinen Schlenker dem einmündenden Kaiserbach ausweichen, danach geht es am Innufer weiter ~ ab hier ist der Inn für etwa 13 Kilometer Grenzfluss zwischen Österreich und Deutschland, auf der anderen Seite sehen Sie bereits die Häuser des bayerischen Ortes **Kiefersfelden** ~ das Inntal wird zunehmend breiter und der Fluss selbst nimmt infolge der Stauung durch das erste größere Kraftwerk bei Niederndorf schon beachtliche Größe an.

Ab **Oberndorf**, dessen mächtiger barokker Kirchturm weithin sichtbar ist, gibt es drei Parallelwege, die in Flussnähe nach Norden ziehen ~ Sie halten sich an den Dammradweg und setzen nach 2,5 Kilometern über den begradigten Jennbach ~ zur Rechten sehen Sie auf die Ortschaft Ebbs.

### Ebbs

PLZ: A-6341; Vorwahl: 05373

- **Tourismusverband**, Wildbichlerstr. 29, ✆ 42326.
- Innfähre Ebbs Kiefersfelden, im Ortsteil Eichelwang. Fährzeiten: Mai-Okt., Mo-So.
- **Pfarrkirche**. Eine der schönsten Barockkirchen von Tirol, auch „Dom des Tiroler Unterinntals" genannt.
- **St. Nikolauskirche**. Aus den Resten der ehemaligen Burg von Ebbs erbaut, existiert in dieser Form seit 1490.
- **Fohlenhof**, Schlossallee 31, ✆ 42210. Berühmtestes Haflingergestüt der Welt, ca. 180 Pferde. Anfang Juli-Mitte Sept. jeden Fr um 20 Uhr großes Schauprogramm, Besichtigung Mo-So 9-12 Uhr und 14-17 Uhr.
- **Raritätenzoo**, am Fuße des Zahmen Kaisers, ✆ 0664/3002600, ÖZ: Ostern-1. Nov. 10-17 Uhr. Blumen- und Vogelparadies.
- ✷ **Funarena „Hallo Du"**, Am Inntal-Radweg. Mit Erlebnisfreibad, Funpark, Beachvolleyballplätzen, Kegelbahnanlage u. v. m.

Nach Überquerung des Jennbachs halten Sie sich wieder innwärts und passieren das Kraftwerk ~ 300 Meter nach der Staustufe zweigt der Inntal-Radweg vom angenehmen Uferweg ab, um für ein paar Kilometer landeinwärts zu führen ~ Sie verlassen also den Fluss und radeln kurz auf einem unbefestigten Weg ~ nach einer Stromleitung links und wieder auf Asphalt ~ mit einigen Kurven geht es jetzt entlang von einem Bächlein ~ an der Verbindungsstraße zwischen Niederndorf und Oberaudorf (D) halten Sie sich links, um nach Überquerung des Bachs Richtung Erl abzuzwei-

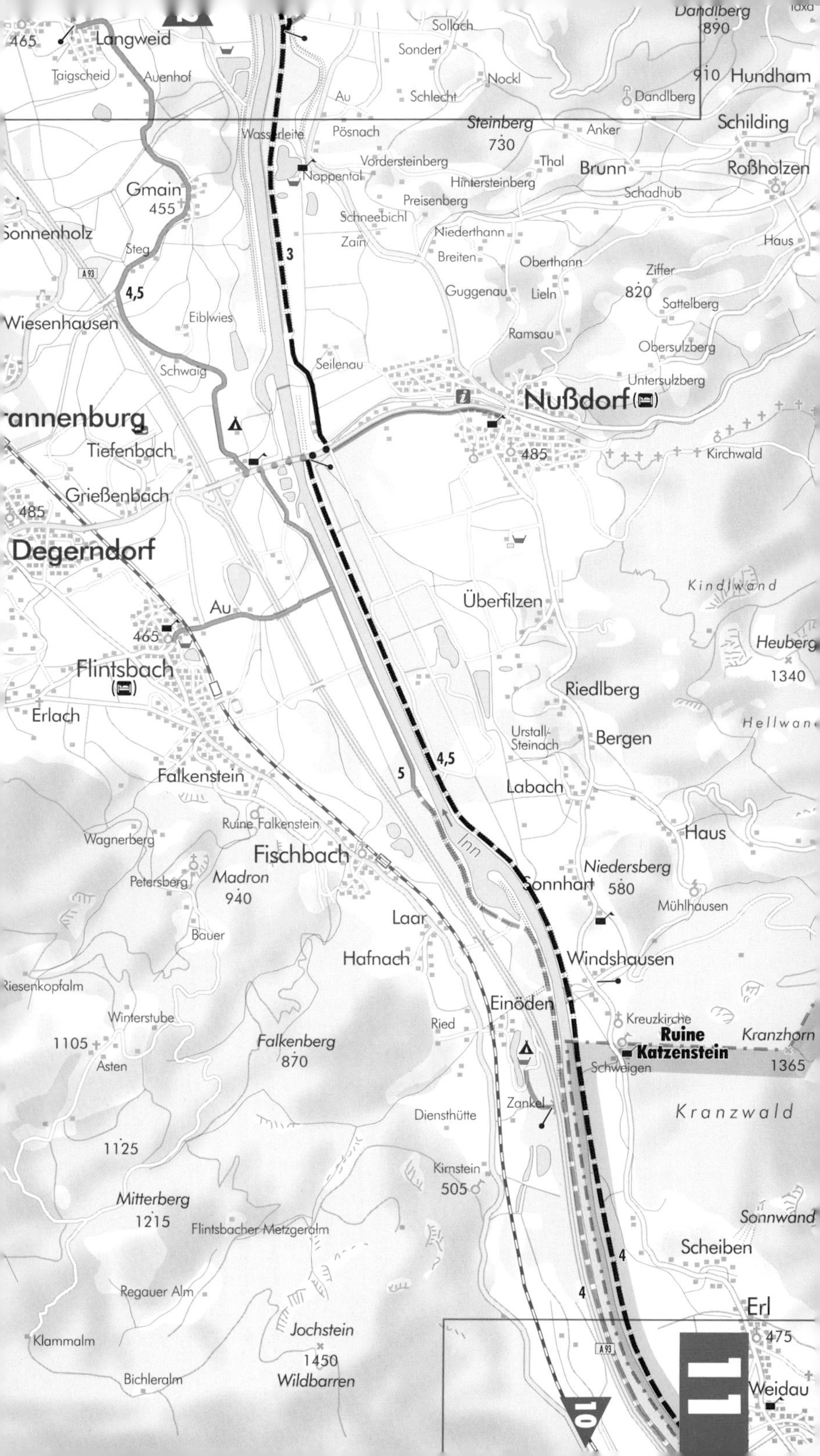
Langweid
465
Taigscheid
Auenhof
Sollach
Sondert
Au
Schlecht
Nockl
Dandlberg
890
910
Hundham
Dandlberg
Schilding
Steinberg
730
Anker
Wasserleite
Pösnach
Vordersteinberg
Thal
Brunn
Roßholzen
Noppental
Hintersteinberg
Schadhub
Gmain
455
Preisenberg
Sonnenholz
Schneebichl
Niederthann
Haus
Zain
Steg
3
Breiten
Oberthann
Ziffer
A93
4,5
Guggenau
Lieln
820
Sattelberg
Wiesenhausen
Eiblwies
Ramsau
Obersulzberg
Seilenau
Schwaig
Untersulzberg
Nußdorf
Brannenburg
485
Kirchwald
Tiefenbach
Grießenbach
485
Degerndorf
Kindlwand
Überfilzen
Au
465
Heuberg
Flintsbach
1340
Riedlberg
Erlach
Hellwand
Urstall-Steinach
Bergen
4,5
5
Falkenstein
Labach
Ruine Falkenstein
Haus
Wagnerberg
Inn
Fischbach
Niedersberg
Madron
Petersberg
Sonnhart
580
940
Mühlhausen
Laar
Bauer
Hafnach
Windshausen
Riesenkopfalm
Einöden
Kreuzkirche
Winterstube
Ried
Ruine
Kranzhorn
1105
Falkenberg
Katzenstein
Asten
870
Schweigen
1365
Zankel
Diensthütte
Kranzwald
1125
Kirnstein
505
Mitterberg
Sonnwand
1215
Flintsbacher Metzgeralm
4
Scheiben
Regauer Alm
4
Erl
Jochstein
475
Klammalm
A93
1450
Bichleralm
Wildbarren
Weidau
10
11

gen ~ Hungrige hingegen werden noch vor der Innbrücke im „**Tiroler Hof**" versorgt.

**Tipp:** Wer nach Niederndorf will, hält sich hier an der Straße ostwärts. In den Bergen hinter der Ortschaft findet sich auch der sehenswerte **Wildpark** von Wildbichl. Die Fahrt dorthin eignet sich allerdings wegen der starken Steigung nur für trainierte Mountainbiker.

**Niederndorf**

PLZ: A-6342; Vorwahl: 05373

**Tourismusverband**, Nr. 32, ✆ 61377.

**Wildpark bei Wildbichl**, 5 km nordöstlich, ✆ 62233, ÖZ: ganzjährig geöffnet, April-Okt. 9-18 Uhr. Entlang eines Wanderweges sind viele der heimischen Tierarten vom Luchs bis zum Mufflon im Freigehege zu sehen. Baumlehrweg mit über 60 Baum- und Straucharten.

Ab **Niederndorf** führt die rechtsufrige Hauptroute auf einem asphaltierten Güterweg weiter ~ Sie radeln durch Wiesen, bis der Hechenberg mit Wallfahrtskapelle erreicht ist ~ hier biegen Sie links auf die Landstraße ein ~ vorbei an einer **Kapelle** rollen Sie wieder zum Inn hinunter und lassen die Holzbrücke mit dem **Zollhaus Reisach-Mühlgraben** hinter sich.



700 m nach der Zollbrücke, in **Mühlgraben**, verlässt die Inntal-Route wieder die Straße innwärts ~ hinter der Schwimmhalle auf einem Schotterweg über eine Brücke ~ wieder am Inndamm angelangt, erwartet Sie ein gut befahrbarer gekiester Radweg und wird bis Nußdorf in 7 Kilometern Ihr Begleiter sein.

**Tipp:** Wer allerdings Erl besuchen möchte ist ab Mühlgraben auf die recht angenehme Landstraße angewiesen. Eine Rückkehr zur Dammroute ergibt sich in diesem Fall nach der **Zollstation Windshausen.**

*Zur Rechten taucht das **Passionsspielhaus von Erl** mit seiner geschwungenen, segelartigen Fassade auf. Das jetzige (1959) erbaute Passionsspielhaus umfasst 1.500 Sitzplätze. Neben den Passionsspielen, die alle 6 jahre stattfinden (das nächste Ende Mai 2002-Anfang Okt.) wird das Haus als Konzerthale genutzt. Das Haus hat eine besonders gute Akustik vorzuweisen, die schon den berühmten Dirigenten Sergiu Celibidachi beeindruckte.*

**Erl**

PLZ: A-6343; Vorwahl: 05373

**Tourismusverband**, ✆ 8117.

✱ **Trockenbachwasserfall**. Östlich von Erl und unter Naturschutz.

Auf dem Inndamm an Erl vorbei ~ bei **Windshausen** passieren Sie die Grenze zu Deutschland.

*Überm Zollhaus, am Hang des 1366 Meter hohen Kranzhorn, versteckt sich im Wald die **Ruine Katzenstein**, eine ehemalige Grenzbefestigung.*

**Tipp:** Zu den Inntal-Radwegschildern gesellen sich in Bayern auch kleinere nummerierte Wegweiser, die allerdings nur lokale Radrouten betreffen.

*Die Erhebungen in der Landschaft werden nun kleiner, mit der Enge des Tiroler Unterinntales ist es nun endgültig vorbei. Sollten Sie auf dieser Strecke vormittags unterwegs sein, bläst Ihnen eventuell der „Erler Wind" in den Rücken! Er ist ein Berg- und Talwind aus dem Süden, der im Wechsel von Tag und Nacht, von Wärme und Kühle, seinen Ursprung hat. Anders als der laue Föhn macht er „frische Leut". Vielleicht zählt das Inntal gerade deshalb zu den bevorzugten Sommerfrischen und Alterssitzen Oberbayerns.*

Nach weiteren 4,5 Kilometern am rechten Inndamm erreichen Sie die Brücke von Nußdorf, wo die Hauptroute sich kurz Richtung Osten wendet ~ bei der nächsten Querstraße geht es aber schon linksherum in Flussrichtung weiter, ausgeschildert sind die Innstufe Nußdorf und Neubeuern.

**Tipp:** Wer einen kurzen Abstecher nach Nußdorf unternehmen möchte, hält sich hingegen geradeaus am Begleitradweg. In Nußdorf fällt vor allem das von Neubauten verschonte dörfliche Ortsbild auf.

**Nußdorf am Inn**

PLZ: D-83131; Vorwahl: 08034

ℹ **Fremdenverkehrsverein**, Brannenburgerstr. 10, ✆ 907920 od. 19433. ÖZ: Mo-Fr 9-12 Uhr und 14-17 Uhr.

**Pfarrkirche St.Vitus**. Lindenweg. Spätgotischer Bau aus der zweiten Hälfte des 15. Jhs.

✷ **Kirchwald mit Wallfahrtskapelle**, ca. 45 Min. Aufstieg zu Fuß. Hier befindet sich die letzte bewohnte Einsiedelei Oberbayerns.

Der Inntal-Radweg erreicht auf dem rechten Ufer bald die Staustufe von Nußdorf ~ ab hier wechseln Sie wieder auf den Damm und radeln auf Schotter weiter.

**Tipp:** Nach 1,5 km finden Sie eine Abzweigung zum **Badesee** von Neubeuern, er befindet sich in einem Landschaftsschutzgebiet.

Darauffolgend taucht ein Steg auf, der rechtsherum zu einem zweiten Damm hinüberführt. Auf diese Weise kommen Sie in die besonders sehenswerte Kleinstadt Neubeuern.

Falls Sie die Hauptroute ohne diesem Umweg fortsetzen wollen, fahren Sie am äußeren Flussdamm einfach geradeaus weiter ~ hinter Neubeuern vereinen sich die beiden Dammwege wieder.

Für den Abstecher nach Neubeuern haben Sie also auf den inneren Damm „umgesattelt" und sehen schon bald die **Burganlage**, die über dem Städtchen aufragt ~ bei einem allein stehenden Haus rollen Sie vom Damm, fahren links durch eine Hecke und steuern direkt auf Neubeuern zu ~ in einer kleinen Randsiedlung geht es dann rechts in die **Sailerbachstraße** ~ an der Hauptstraße links und nach einem kurzen Anstieg erreichen Sie das Stadttor mit dem schmucken Marktplatz.

**Neubeuern**

PLZ: D-83115; Vorwahl: 08035

ℹ **Verkehrsamt**, Marktpl. 4, ✆ 2165.

**Schloss Neubeuern**. Erbaut 1150 und hoch über dem Ort gelegen.

*Gekreuzte Schiffshaken bilden das Wappen von* ***Neubeuern****, sie erinnern an die Vergangenheit und das einst wichtigste Gewerbe des Ortes. Man sieht in der Kirche, im Wirtshaus, an den Hausfronten immer wieder die Bilder der einstigen Innschifffahrt. Obwohl der Inn heute nur noch bei Hochwasser, wenn seine Fluten immer noch bis nahe an den Burgberg herankommen, seine frühere existentielle Bedeutung wiedererlangt, übte hier noch vor einigen Jahren der letzte Schiffbaumeister am Inn sein Handwerk aus. Er baute, meistens nicht mehr für den Inn bestimmt, die berühmt*

Westerndorf bei Rosenheim

*gewordenen „Neubeurer Gamsen". Jene Kleinschiffe, mit denen man im Schiffszug einst den Inn und die Donau bis weit „ins Ungarland" hinunter befahren hat.*

*Berühmt ist Neubeuern, das 1982 offiziell zum schönsten Dorf Deutschlands gewählt wurde, für sein Ortsbild und die schöne Aussicht von der Schlossterrasse. Der Blick reicht am Alpenrand das Flusstal hinauf, bis in die Firnregion des Zentralmassivs. Im Westen ragt der Wendelstein auf, Eckpfeiler und mit 1838 Metern höchster Berg des bayerischen Inntals. Unter der Burg liegt, zwischen zwei Toren, der Innere Markt. Er strahlt mit seinen schmucken, kleinen Häusern, dem Floriani-Brunnen und den alten Gastwirtschaften eine idyllische Atmosphäre aus. Dazu trägt sicherlich auch bei, dass der Durchzugsverkehr weit unten in der Ebene verläuft.*

Die Hauptroute setzen Sie fort, indem Sie von Neubeuern zur Dammgabelung zurückkehren und auf einem der Dämme flussabwärts weiterfahren ~ diese vereinen sich hinter Neubeuern und Sie radeln wieder in Flussnähe weiter.

**Tipp:** Gleich hinter der Autobahnunterführung führt rechter Hand ein Asphaltweg zu einer ein Kilometer entfernten Seenlandschaft mit **Wöhrsee** und **Hochstrasser See**. Für Liebhaber des Wildbadens ist dieses Gebiet mit seinen vielen bewachsenen Tümpeln wohl ein Paradies.

*Der* ***Inn****, den heute fast durchgehend Dämme in ein festes Bett zwängen, bildete hier früher ein Labyrinth von Nebenarmen, Inseln, Altwassern und Sümpfen. Den Fluss säumen in Oberbayern, spiegelgleich mit ihm, mehrere Dutzend Seen. Ihr Schotter wurde für den Bau der Inntalautobahn gebraucht. Die Becken füllten sich in der Folge mit Grundwasser. In heißen Sommerperioden, wenn im Alpenvorland die Moorseen keine Erfrischung mehr bringen, sind diese Grundwasserseen nach einem Regen so kühl wie Bergseen.*

Die Hauptroute zieht von der Autobahnbrükke nordwärts am Inn weiter ~ nach 2 Kilometern auf dem geschotterten Dammweg gibt es die Möglichkeit, nach **Thansau** abzuzweigen und sich im Dorfgasthaus bewirten zu lassen ~ weiter am Damm erreichen Sie das Kraftwerk von Rosenheim und umfahren das dazugehörige Umspannwerk rechts in einem großen Bogen ~ danach geht es asphaltiert am Damm weiter ~ nach der Staustufe unterqueren Sie nach einem Kilometer eine Brücke, um sie dann in einer Schlinge zu erklimmen.

**Tipp:** Auf der Straßenbrücke vor Rosenheim bieten sich mehrere Möglichkeiten für die Weiterfahrt an: Sie kommen beidseitig des Inn in die Stadt, kürzer und gemütlicher ist jedoch die mit **„Rosenheim"-Schildern** ausgewiesene Route am Westufer. Als **„Inntal-Radweg"** bezeichnet, wendet sich die **Hauptroute** hingegen landeinwärts und benutzt den straßenbegleitenden Radweg. An

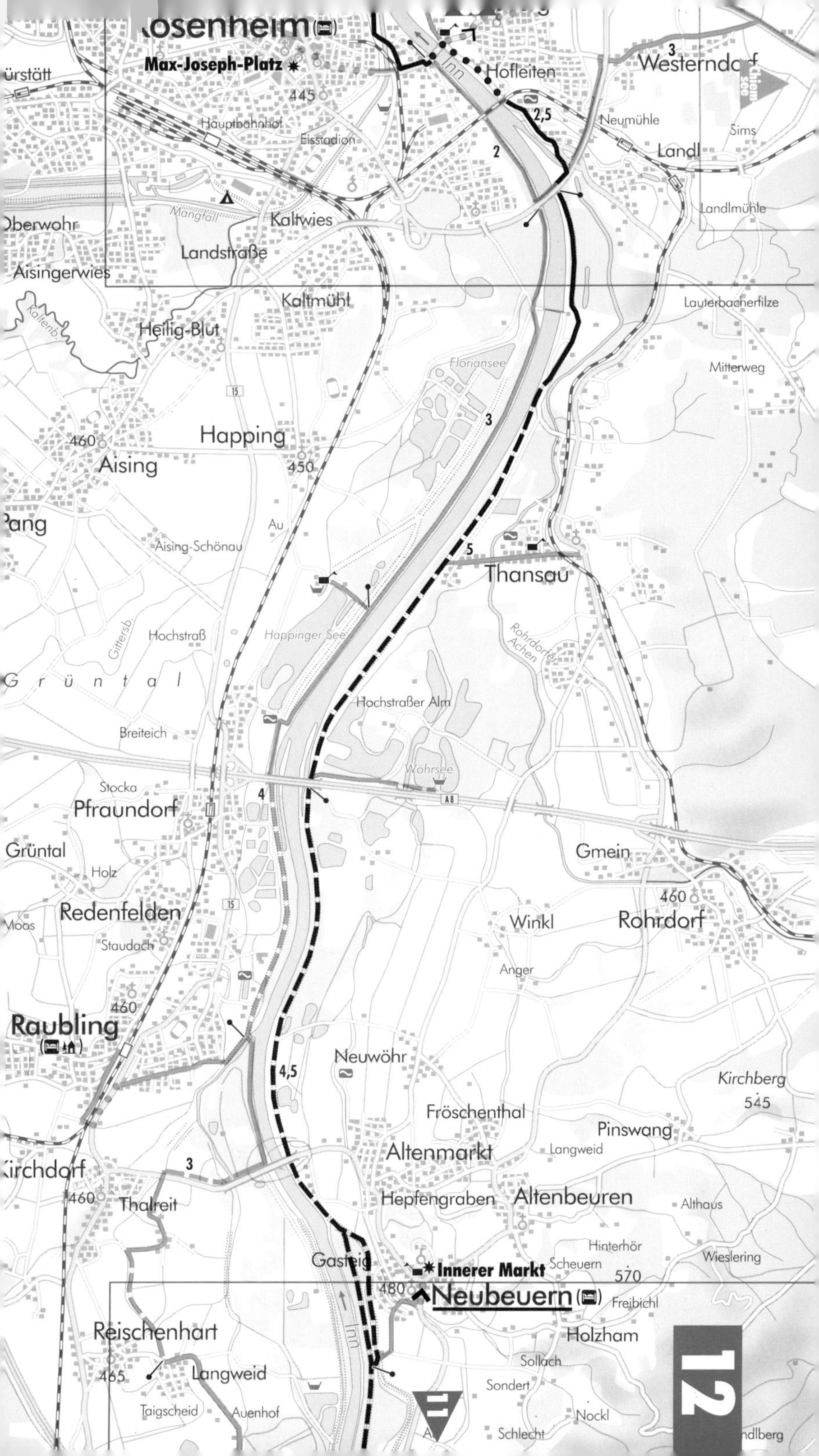
Rosenheim
Max-Joseph-Platz
445
Hauptbahnhof
Eisstadion
Mangfall
Kaltwies
Oberwohr
Landstraße
Aisingerwies
Kaltmühl
Heilig-Blut
Kaltenb.
Happing
450
460
Aising
Au
Aising-Schönau
Hochstraß
Gittersb.
Grüntal
Breiteich
Stocka
Pfraundorf
Holz
Redenfelden
Moos
Staudach
460
Raubling
Kirchdorf
460
Thalreit
Reischenhart
465
Langweid
Taigscheid
Auenhof
Inn
Hofleiten
2,5
2
Westerndorf
3
Neumühle
Sims
Landl
Landlmühle
Chiemsee
Lauterbacherfilze
Mitterweg
Floriansee
3
5
Thansau
Rohrdorfer Achen
Happinger See
Hochstraßer Alm
Wöhrsee
A8
4
15
Gmein
460
Rohrdorf
Winkl
Anger
Neuwöhr
4,5
Kirchberg
545
Fröschenthal
Pinswang
Langweid
Altenmarkt
Hepfengraben
Altenbeuren
Althaus
Hinterhör
Wieslering
Scheuern
570
Innerer Markt
Gasteig
480
Neubeuern
Freibichl
Holzham
Sollach
Sondert
Nockl
Schlecht
11
12

der ersten Kreuzung bei **Landl** biegen Sie dann Richtung Rosenheim links ab. Jene, die die Inntour mit dem **Ausflug** zum **Chiemsee**, dem „bayerischen Meer", bereichern wollen, fahren hier Richtung **Stephanskirchen** geradeaus auf der 39er Route weiter.

Die **Hauptroute** folgt ab der Kreuzung bei Landl dem Begleitradweg Richtung Rosenheim ~ bei der nächsten Querstraße halten Sie sich links, wobei der Radweg die Straßenseite wechselt ~ beim **Gasthof Auerbräu** vor der Bahnbrücke müssen Sie dann auf die Fahrbahn.

**Tipp:** Bei der Innbrücke von Rosenheim gelangen Sie gleichsam wieder zu einem „Verteiler" auf der Inntour: die Hauptroute wechselt hier auf die andere Flussseite und führt nach Rott am Inn weiter. Am rechten Ufer zieht hingegen eine Variante Richtung Griesstätt nordwärts. Beide Routen sind als „Inn-Radweg" ausgeschildert. Bei dieser Brükke in Rosenheim kehren außerdem die Chiemsee-Ausflügler zum Inn zurück. Welche Route Sie auch wählen, das nahe gelegene Innmuseum beim Brückenkopf auf dem linken Ufer sollten Sie auf keinen Fall versäumen.

Ins **Zentrum** von Rosenheim, westlich vom Inn gelegen, führt die **Innstraße** ~ die Altstadt beginnt beim **Ludwigsplatz**.

Zentrum von Rosenheim

**Rosenheim**

PLZ: D-83022-26; Vorwahl: 08031

**Touristinfo am Salingarten**, Münchener Str., Postadresse: D-83022, Kufsteiner Str. 4, ✆ 3659061.

**Innmuseum**, Innstr. 74, ✆ 305148, ÖZ: April-Okt., Fr 9-12 Uhr, Sa/So 10-16 Uhr. Ausstellungen zur Hydrologie und Geologie des Flusses, seiner Besiedelungsgeschichte sowie der Innschifffahrt. Modell eines bergwärts geschleppten Schiffzuges.

**Städtische Galerie**, Max-Bram-Pl., ✆ 361447, ÖZ: Di-Sa 9-13 Uhr und 14-17 Uhr, So 10-13 Uhr und 14-17 Uhr. Wechselnde Ausstellungen.

**Städtisches Museum**, Mittertor, Ludwigspl. 26, ✆ 361440, ÖZ: Di-Sa 9-13 Uhr und 14-17 Uhr. Vor- und Frühgeschichte mit Römersammlung, Innschifffahrt, Marktgeschichte und Handwerk sind Schwerpunkte. u.a. eine voll eingerichtete Küche aus dem 17./18. Jh.

**Holztechnisches Museum**, Max-Josefs-Pl. 4, ✆ 16900, ÖZ: Di-Sa 9-13 Uhr und 14-17 Uhr. Holzverarbeitung in den Bereichen Wohnen, Landwirtschaft, Verkehr, Architektur und Kunst einst und jetzt, Originalstücke und Modelle.

**Ausstellungszentrum Lokschuppen**. Rathausstr. 24, ✆ 3659036. Von Mai bis November finden hier regelmäßig große Sonderausstellungen statt.

**Max-Josefs-Platz**. In der heutigen Fußgängerzone sind noch charakteristische Innstadthäuser mit ihren Laubengängen und dem waagrechten Frontalabschluss vor den Grabendächern zu sehen.

*Bereits in der römischen Antike trafen wichtige Handelswege bei* **Rosenheim** *aufeinander: Die Konsularstraßen zwischen Salzburg und Augsburg, sowie zwischen Innsbruck und Regensburg. Denn lange bevor Kaiser Augustus im Jahr 15 v. Chr. das Land eroberte und in die Provinzen Noricum und Rätien gliederte, deren Grenze der Inn bildete, blühte in Rosenheim schon der Fernhandel mit Bernstein und anderen Waren zwischen dem nördlichen und dem südlichen Europa.*

*An der Funktion als wichtiger Warenum-*

*schlagplatz hat sich auch in der Gegenwart nichts geändert: Die Stadt am Inn ist nach wie vor ein Wirtschaftszentrum mit einem Einzugsgebiet, das weit über seine Grenzen reicht. Handel und Verkehr haben Rosenheim geprägt, wobei der Inn immer eine große Rolle spielte. „In Rosenheim beginnt die Welt", sagten die Chiemgauer vor 1857, als der erste Eisenbahnzug hier eintraf. Ursprünglich war die Bahnlinie München – Wien über Wasserburg geplant, die Schienen verlegte man jedoch in Richtung Rosenheim.*

## Rund um den Chiemsee 88 km

**Dieser Ausflug sucht das beliebte Urlaubsgebiet um den größten See Bayerns auf. Der Chiemsee umfasst drei Inseln, von denen die Frauen- und die Herreninsel am bekanntesten sind. Die Route führt von Rosenheim aus zuerst am Simssee vorbei und folgt danach dem beschilderten Chiemsee-Radweg.**

**Tipp:** Die etwa 18 km lange Fahrt zum

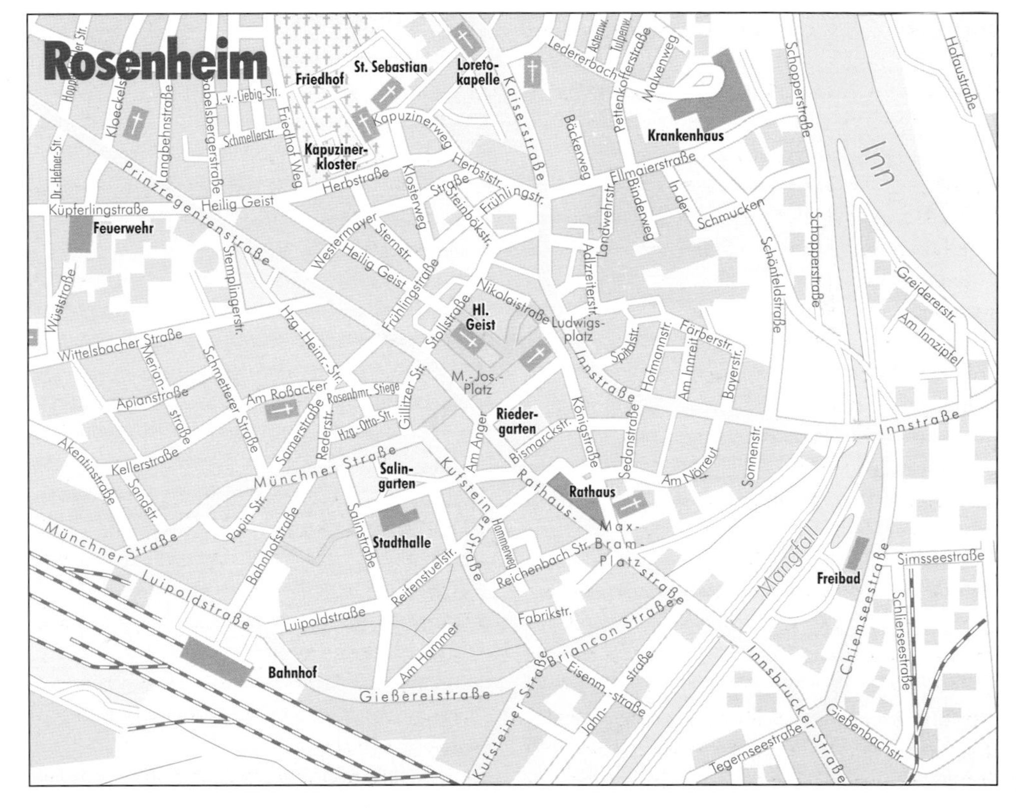

## Stephanskirchen am Simssee

*Der Simssee ist einen Abstecher wert!*

Viele Radfahrer machen einen oder zwei Tage Station bei uns in Stephanskirchen. Für Freunde des Badelebens steht ein schöner Badeplatz kostenlos zur Verfügung, der von zwei Kiosken betreut wird. Stephanskirchen wurde mit vielen Umweltpreisen ausgezeichnet. **„Sanfter Tourismus“** ist bereits seit den 80-er Jahren erklärtes Ziel von Stephanskirchen. Leider ist es nicht ganz leicht in Stephanskirchen Übernachtungsmöglichkeiten zu finden, da es zu wenige Vermieter gibt, deshalb fahren Sie besser mit Zimmer-Vorbestellung an den Simssee. *(Finden Sie im Übernachtungsverzeichnis)* Auch für das leibliche Wohl ist in Stephanskirchen gesorgt. Biergärten, Gasthäuser und Spezialitäten-Restaurants freuen sich auf den Besuch von Radfahrern. Von hier aus können Sie dann einen Tagesausflug zu **Chiemsee** machen. (15km nach Prien) noch mal in Stephanskirchen übernachten und dann wieder auf den Inndamm (7km) zurückkehren.

**Verkehrsverein Stephanskirchen-Simssee e. V**
**Weinbergstr. 15, 83071 Stephanskirchen**
**Tel. 08036/615, Fax: 08036/303866**
**verkehrsverein-stephanskirchen@t-online.de**
**www.Stephanskirchen-urlaub.de**


Chiemsee erfolgt zum größten Teil auf schwach befahrenen Nebenstraßen, zum geringen Teil auf Radwegen, aber eine kurze Strecke von wenigen Kilometern muss im mittelstarken Verkehr zurückgelegt werden. Bevor das „bayerische Meer" erreicht ist, sind auch ein paar leichte Steigungen zu überwinden. Die Umfahrung des Chiemsees verläuft mit Ausnahme der Südseite meist direkt am Seeufer auf stimmungsvollen Radwegen und kann per Schiff an mehreren Stellen verkürzt werden. Das insgesamt weniger attraktive Seeufer im Süden bietet mit dem Grabenstätter Moos vor allem für Naturfreunde Sehens- und Erlebenswertes.

Den Ausflug beginnen Sie am besten bei der Straßenbrücke über den Inn südlich von Rosenheim ~ hier fahren Sie zunächst auf dem Inntal-Radweg bis zur ersten Kreuzung ostwärts, um dann der 39er Route folgend geradeaus nach **Stephanskirchen** weiterzufahren ~ nach Überquerung der Bahn verlässt der Radweg die Bundesstraße und kommt herunter nach **Schlossberg** in die Mühlstraße ~ bei der nächsten Gelegenheit wählen Sie rechts die **Westerndorfer Straße** ~ nach der Bundesstraße passieren Sie **Westerndorf** ~ danach gelangen Sie zur stark befahrenen Straße nach Stephanskirchen und halten sich rechts an den Begleitradweg.

**Stephanskirchen**

PLZ: 83071; Vorwahl: 08036

**Verkehrsverein**, ✆ 615

**Kaffeekannenmuseum**

**Antiquitäten-Weinstube**, im Gocklwirt, Weinbergstr. 9, ✆ 1215, Führung Mi-So 15 Uhr und 22 Uhr ab 10 Personen. Sie sehen hier die 3 m x 5 m große und damit größte Kunstuhr der Welt, gebaut zwischen 1879 und 1881.

In Stephanskirchen schwenken Sie auf dem neu asphaltierten Radweg vor dem Bahnübergang nach links ~ neben dem Bahnhof lädt ein Gasthaus mit Biergarten zur Jause ein, ansonsten geht es auf der Landstraße parallel zur Bahn weiter ~ in **Baierbach** wechselt die Straße durch eine Unterführung die Bahnseite ~ nach der Bahn rechts finden Sie den Gocklwirt ~ drüben erreichen Sie bald das Strandbad vom **Simssee**.

Nach der Zufahrt zum Strand geht die

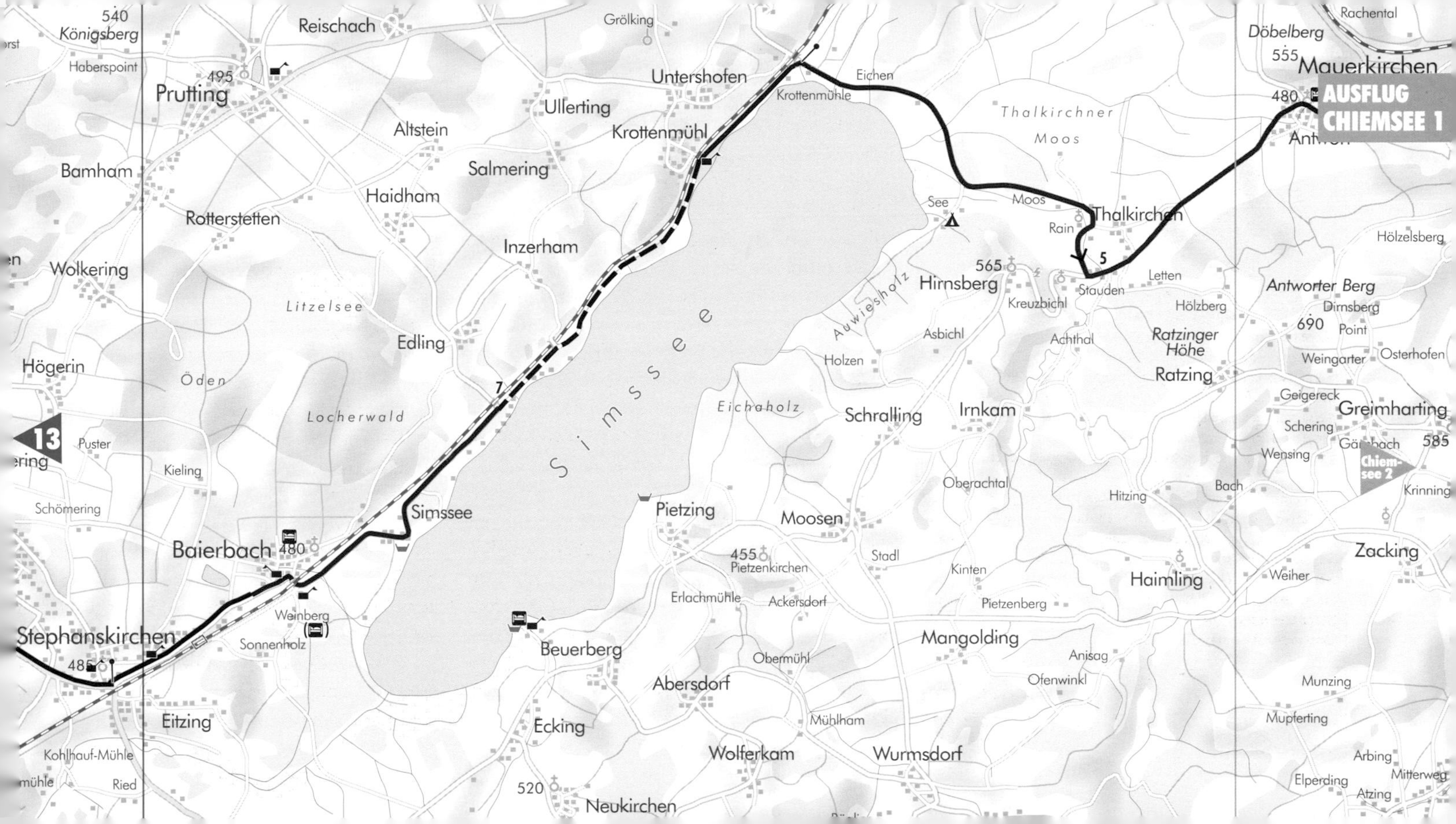

AUSFLUG CHIEMSEE 1
Simssee
Prutting
Reischach
Untershofen
Krottenmühl
Mauerkirchen
Thalkirchen
Hirnsberg
Stephanskirchen
Baierbach
Simssee
Pietzing
Beuerberg
Schralling
Irnkam
Ratzing
Greimharting
Zacking
Haimling
Mangolding
Abersdorf
Wurmsdorf
Wolferkam
Ecking
Neukirchen
Eitzing
Edling
Inzerham
Haidham
Salmering
Altstein
Ullerting
Rotterstetten
Bamham
Wolkering
Högerin
Königsberg
Haberspoint
Döbelberg
Antworter Berg
Ratzinger Höhe
Moosen
Chiem-see 2
13

*Frauenchiemsee gegen Süden*

Route nicht in der Sackgasse zum Waldgasthof, sondern links auf der Landstraße weiter ~ Sie nähern sich wieder der Bahn an und folgen in einem Waldabschnitt ihrem Verlauf ~ nach der Abzweigung nach **Prutting** wird der Asphalt vom Schotter abgelöst und die Fahrtrichtung beibehalten ~ zwischen Bahn und Simssee, vorbei am Strandbad von **Krottenmühl**, bis zum Seespitz ~ am **Seespitz** bei der Kreuzung rechts nach Prien ab.

*Rechter Hand streift der Blick über den Schilfgürtel des langgezogenen Simssees. Links erstreckt sich das landschaftsgeschützte Feuchtgebiet vom* ***Thalkirchner Moos****, ein Rest der letzten Eiszeit.*

Nach 1,5 Kilometern treffen Sie auf einen Campingplatz und folgen der Landstraße nach links ~ die Route verläuft hier am Rande einer Geländestufe, die das Moos vom Süden her säumt ~ darauf liegt die Ortschaft **Hirnsberg**, weit sichtbar mit seinem romanischen Kirchturm.

In der nächsten Siedlung hinter dem Friedhof links Richtung **Thalkirchen** ab ~ an der leichten Steigung an der Querstraße links weiter ~ Sie durchfahren nach zirka 2 Kilometern **Mauerkirchen** und biegen bei der Kreuzung rechts auf die Vorfahrtsstraße ein ~ nach zirka 400 Metern rechts auf den Radweg nach Rimsting.

### Rimsting

PLZ: D-83253 ; Vorwahl: 08051

**Verkehrsamt**, Schulstr. 4, ✆ 4461.

**Pfarrkirche St. Nikolaus.** Hochaltar und Kanzel aus der Domstiftskirche auf Herrenchiemsee.

✱ **Ratzinger Höhe** (694 m). Aussichtspunkt mit einzigartigem Blick auf den Chiemsee und die Chiemgauer Alpen.

In Rimsting verlassen Sie die Hauptstraße gegenüber der Pfarrkirche nach links ~ auf der Westernacher Straße aus der Ortschaft hinaus ~ links Richtung Sportplatz Westernach ~ am Steinlehrpfad entlang nach links in den Chiemsee-Uferweg ~ am Gasthof Seehof vorbei nach rechts auf den straßenbegleitenden Radweg ~ an der nächsten größeren Kreuzung rechts ab ~ nach 200 Metern kann die Seeumfahrung beginnen, indem Sie rechter Hand beim Bootshafen in den Schotterweg einbiegen. Die Reise um den See ist hier im Uhrzeigersinn beschrieben.

## Der Chiemsee

*Der Chiemsee, ebenso wie Dutzende kleiner Seen im Umkreis nördlich von ihm, ist ein Überbleibsel des Inngletschers. Das Eis schuf die von Schuttmoränen umwallte Mulde, in welcher Wasser zurückbleiben konnte. Ursprünglich war der See größer, inzwischen sind aber weite Gebiete versumpft und verlandet, oder wurden im Zuge der Kultivierung trockengelegt.*

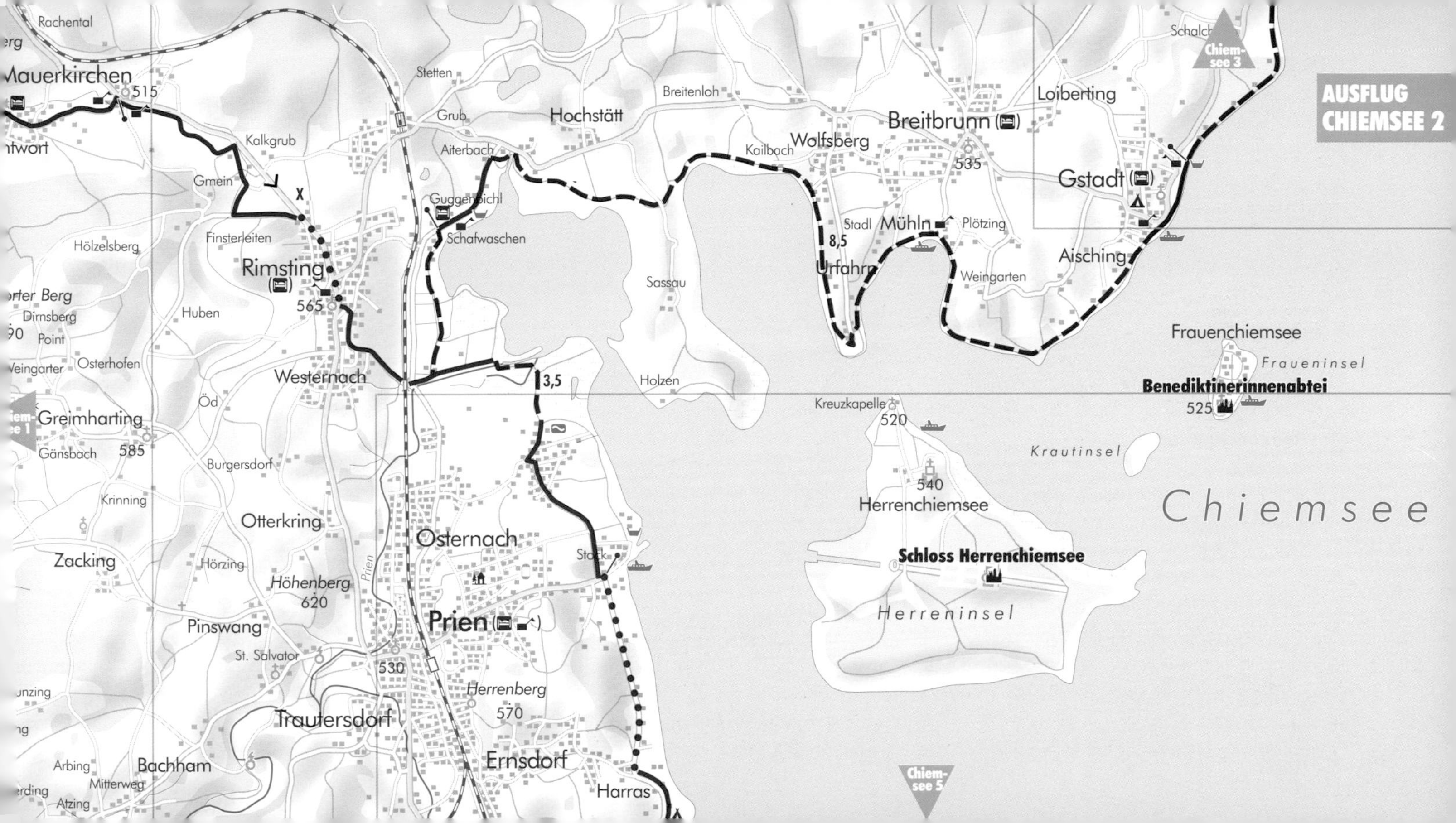

AUSFLUG CHIEMSEE 2
Chiem-see 3
Chiem-see 5
Rachental
Mauerkirchen
515
Stetten
Breitenloh
Hochstätt
Grub
Kalkgrub
Aiterbach
Kailbach
Wolfsberg
Breitbrunn
535
Loiberting
Schalch
Gstadt
Gmein
Guggenbichl
Schafwaschen
Finsterleiten
Hölzelsberg
Rimsting
565
Huben
Dirnsberg
Point
Osterhofen
Westernach
Öd
Greimharting
Gänsbach
585
Burgersdorf
Krinning
Otterkring
Zacking
Hörzing
Höhenberg
620
Pinswang
St. Salvator
530
Prien
Osternach
Stock
Trautersdorf
Herrenberg
570
Ernsdorf
Harras
Bachham
Arbing
Mitterweg
Atzing
Sassau
Holzen
3,5
Stadl
Mühln
Plötzing
8,5
Urfahrn
Weingarten
Aisching
Frauenchiemsee
Fraueninsel
Benediktinerinnenabtei
525
Kreuzkapelle
520
Krautinsel
540
Herrenchiemsee
Schloss Herrenchiemsee
Herreninsel
Chiemsee

*Dennoch ist das Umland des Sees heute noch von Feuchtgebieten geprägt. Die wichtigsten Zuflüsse sind die Tiroler Ache, ihr Mündungsgebiet im Süden steht unter Naturschutz, und die Prien aus dem Schauer Tal. Für den Abfluss sorgt im Norden die Alz. Der See erstreckt sich über 80 Quadratkilometer, seine größte Tiefe beträgt 74 Meter. Die Kolonisierung seiner Inseln begann im 7. und 8. Jahrhundert. Aber die eigentliche Entdeckung des Sees vollzogen die Künstler des frühen 19. Jahrhundert, die von München aus das Alpenvorland erforschten und damit auch den Fremdenverkehr begründeten.*

Die ersten Meter am nordwestlichen Zipfel des Sees legen Sie Richtung Gstadt zwischen Schilf und Bootsmasten zurück ~ die hellblauen Schilder des Chiemsee-Radweges werden Sie fortan begleiten ~ ein breiterer Feldweg kreuzt, aber Sie behalten die Richtung bei ~ 200 Meter danach biegen Sie in den mit „Chiemsee-Wanderweg" betitelten Radweg ein ~ Sie radeln an Bootshäfen, Strandbädern und Gasthäusern vorbei, der See hält sich noch eine Weile hinter Schilf verdeckt ~ an der Spitze der kleinen Halbinsel von **Urfahrn** sehen Sie dann bereits auf die Herreninsel hinüber.

**Tipp:** Eine Möglichkeit, mit dem Schiff die Insel aufzusuchen, haben Sie dann in Gstadt.

Schloss Herrenchiemsee

## Herrenchiemsee

*Der Name* **Herrenchiemsee** *geht wohl auf das Benediktinerkloster zurück, das hier seit dem 7. Jahrhundert bestand. Ähnlich zu anderen Klöstern im Mittelalter war die Herreninsel nicht nur Kulturträger, sondern auch wirtschaftliches und politisches Zentrum der Region. Die Mönche hatten durch Rodung und Schenkungen großen Grundbesitz am Festland erworben. Im Zuge der Säkularisation aller bayerischen Klöster und Stifte wurde auch Herrenchiemsee 1803 aufgehoben. Siebzig Jahre später erstand König Ludwig II. die Insel, um hier sein Schloss im Stil von Versailles zu errichten, und verhinderte dadurch eine völlige Abholzung des Eilands.*

*Das hochtrabende Werk konnte aber aufgrund von Geldmangel und dem plötzlichen Tode des Königs nicht vollendet werden. Die Gartenanlagen, die in der breiten Schneise nach Osten in Stufen absteigen sollten, blieben ebenso ein Torso wie der geplante Hafen an der Ostseite, von dem heute ein verlandeter Kanal zum Schloss führt. Die restliche Insel ist heute ein Naturpark mit reichem Waldbestand und einem Wildgehege.*

Am Spitz von Urfahrn schwenken Sie in scharfem Winkel nach links auf die Asphaltstraße ein und folgen nach 100 Metern dem geschotterten Radweg nach rechts ~ es eröffnet sich ein großartiges Seepanorama mit dem Kranz der Seeorte und den Ketten der Chiemgauer Berge ~ beim Wirtshaus in **Mühln** halten Sie sich rechts und bleiben am Ufer ~ im Strandbereich von Gstadt müssen Sie kurz vom Rad steigen und schieben ~ vom recht hübschen Ort Gstadt blickt man zur Fraueninsel hinüber.

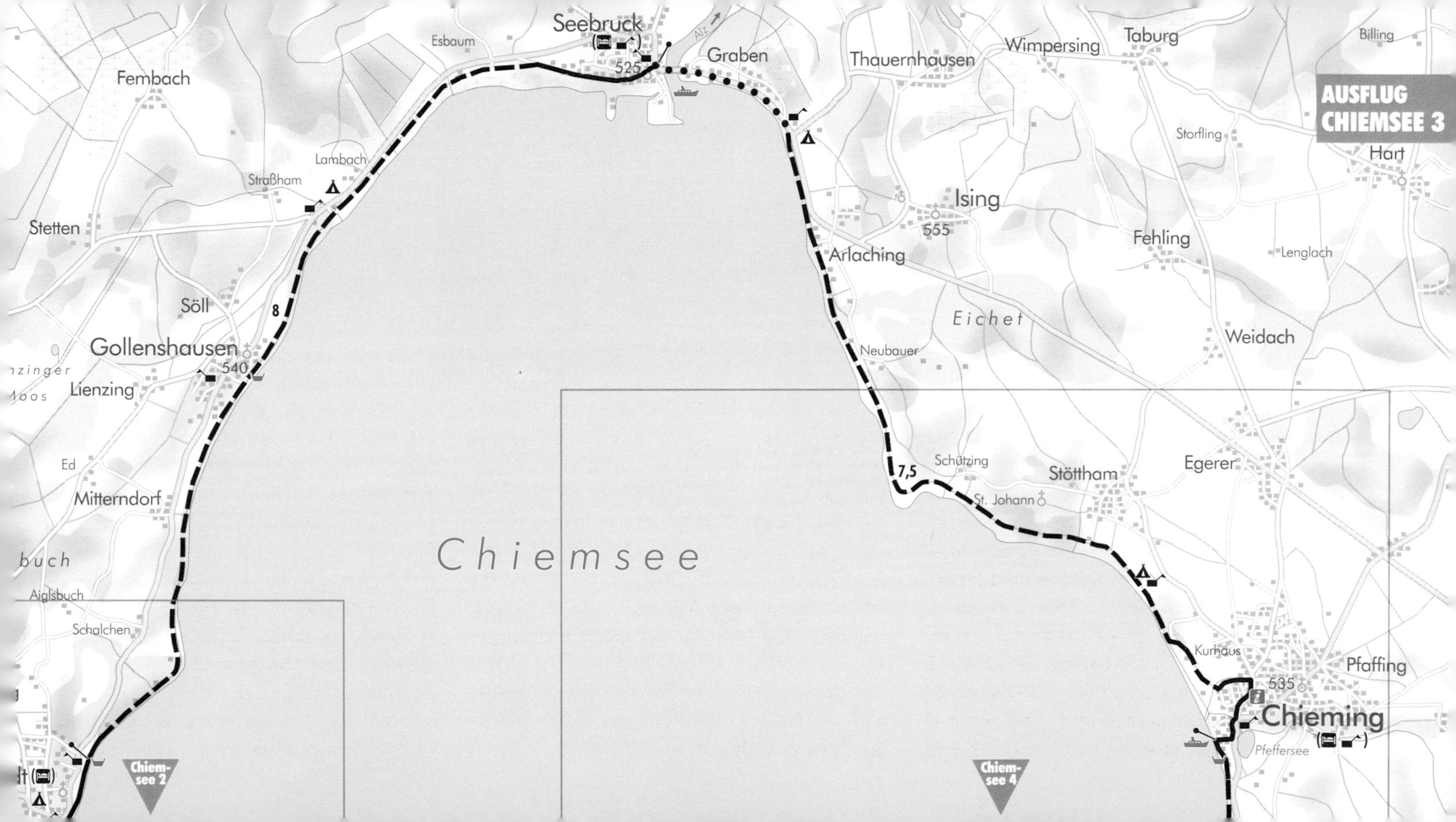

AUSFLUG CHIEMSEE 3
Seebruck
525
Esbaum
Graben
Alz
Thauernhausen
Wimpersing
Taburg
Billing
Fembach
Storfling
Hart
Lambach
Straßham
Ising
555
Stetten
Fehling
Lenglach
Arlaching
Söll
8
Eichet
Weidach
Gollenshausen
540
Neubauer
Lienzing
Ed
Schützing
7,5
Stöttham
Egerer
Mitterndorf
St. Johann
Chiemsee
Aiglsbuch
Schalchen
Kurhaus
Pfaffing
535
Chieming
Pfeffersee
Chiem-see 2
Chiem-see 4

## Gstadt

PLZ: 83257; Vorwahl: 08051

- **Chiemsee-Schifffahrt**, ✆ 6090. Abfahrten: Zur Fraueninsel ab 8.50 Uhr stündlich, zur Herreninsel über Fraueninsel u. a. um 7.20 Uhr, 8.15 Uhr, 10.20 Uhr und 10.50 Uhr.
- **Schloss Herrenchiemsee mit Ludwig II.-Museum**, ✆ 6887-0, ÖZ: April-Sept., Mo-So 9-17 Uhr. Unvollendete Kopie von Versailles auf der Herreninsel, erbaut von Ludwig II. Per Schiff erreichbar ab Prien/Stock und Gstadt.
- **Benediktinerinnenabtei**, Frauenwörth auf der Fraueninsel, ✆ 08054/9070, ÖZ: Pfingsten-Ende Sept., Mo-So 11-18 Uhr. Michaelskapelle mit byzantinischen Fresken.

## Frauenchiemsee

*Frauenchiemsee ist im ganzen eine Sehenswürdigkeit, die aus dem Dreiklang von Alpensee, Insel- und Fischerdorf sowie Kloster besteht. Die erste nachweisliche Äbtissin der Benediktinerinnen im 9. Jahrhundert war Irmingard, sie wurde 1929 seliggesprochen. Obwohl wesentlich kleiner als die Herreninsel, war die Fraueninsel immer schon stärker besiedelt. Für den Garten, Kräuter- und Gemüseanbau des Klosters wurde hauptsächlich die unbewohnte Krautinsel herangezogen.*

*Auch nach Auflösung des Klosters 1803 war es den Nonnen gestattet, auf der Insel zu bleiben, und 1838 ließ König Ludwig I. das Kloster sogar wiedererrichten. Seit dieser Zeit unterhalten die Benediktinerinnen eine Mädchenschule. Die Einsamkeit und Schönheit der Insel lockte in der Folge viele bekannte Künstler hierher, wie Ludwig Thoma oder Ludwig Steub. Vom architektonischen Ensemble der Klosteranlage sind das Marienmünster, eine romanische, dreischiffige Basilika; die Michaelskapelle mit ihren unter byzantinischem Einfluss entstandenen Fresken sowie die Torhalle berühmt.*

Nach dem Besuch in Gstadt hebt der Radweg vom Seeniveau ab und erklimmt eine Anhöhe ~ nach einem Kilometer vor einem Gasthaus rechts ab ~ wieder am Seeufer angekommen, nehmen Sie nicht den ersten Weg links, da es sich um einen Privatweg handelt, sondern den zweiten ~ der Radweg zieht direkt am See nach Nordosten weiter ~ die Bademöglichkeiten auf dem kieseligen Ufer sollten Sie dabei nicht ungenützt lassen.

In der Folge geht es am **Schalchenhof** und am Strand von **Gollenshausen** vorbei, bis sich der Radweg in **Lambach** dem Verlauf der Bundesstraße anschließt ~ kurz vor Seebruck weicht der Schotter dem Asphalt ~ bei der Einmündung in eine größere Straße fahren Sie geradeaus weiter.

## Seebruck

Vorwahl: 08667

- **Verkehrsamt Seebruck**, ✆ 7139
- **Römermuseum Bedaium**, Römerstr. 3. ÖZ: Di-Sa 10-12, 15-17 Uhr. Museum mit Ausgrabungen, Zeugnissen aus der Vor- und Frühgeschichte.

Nach der Pfarrkirche an der Bundesstraße rechts ~ Sie überqueren die Alz, die als

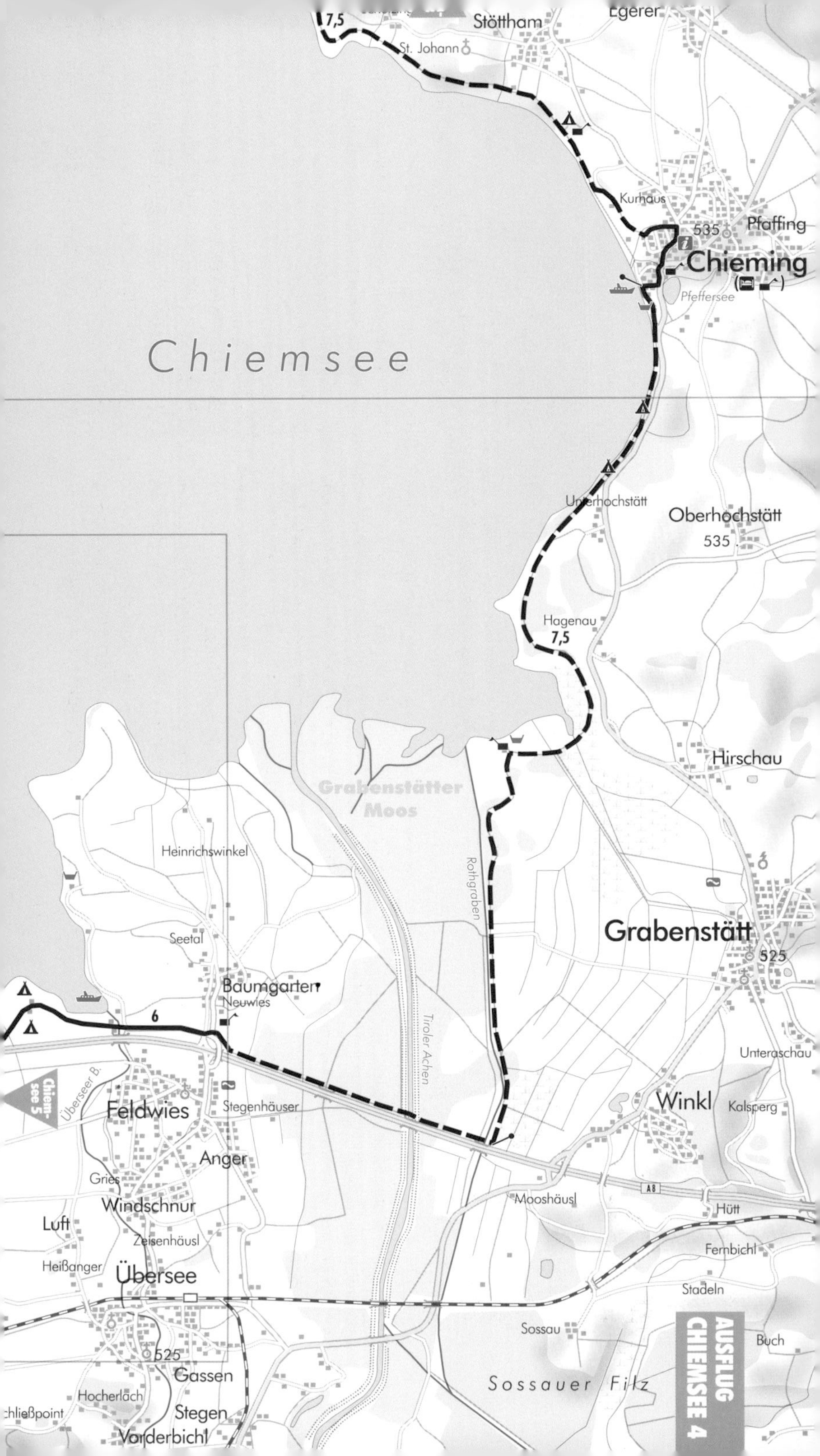

Stöttham
Egerer
7,5
St. Johann
Kurhaus
535
Pfaffing
Chieming
Pfeffersee
Chiemsee
Unterhochstätt
Oberhochstätt
535
Hagenau
7,5
Hirschau
Grabenstätter
Moos
Rothgraben
Heinrichswinkel
Seetal
Grabenstätt
525
Baumgarten
Neuwies
6
Tiroler Achen
Unteraschau
Überseer B.
Chiem-
see 5
Feldwies
Stegenhäuser
Winkl
Kalsperg
Anger
Mooshäusl
A8
Gries
Windschnur
Hütt
Luft
Zeisenhäusl
Fembichl
Heißanger
Übersee
Stadeln
Sossau
Buch
525
Gassen
Sossauer Filz
Hocherlach
Stegen
Vorderbichl
AUSFLUG
CHIEMSEE 4

einziger Fluss den See Richtung Inn verlässt → Sie fahren entlang eines ausgedehnten Erholungsgebietes mit großem Bootshafen, bis die Route unmittelbar vor der nächsten großen Kreuzung die Landstraße nach rechts verlässt → wieder am Ufer, geht es durch einen Park mit Badeplatz → Sie folgen über eine längere Strecke dem Uferradweg bis nach Chieming.

Dort umfahren Sie das **Kurhaus** und das **Spielkasino** linksherum → danach findet der Radweg auf einem Schotterweg seine Fortsetzung → am Rande von Chieming bei einem Gerinne nach links → im Ortsgebiet von Chieming nach der Querstraße weiter auf dem Radstreifen → bei einer größeren Kreuzung mit einem Gasthaus und Metzgerei geht es rechts versetzt am Radstreifen weiter → ein paar hundert Meter weiter können Sie zum Hafen abzweigen.

**Chieming**

PLZ: D-83339; Vorwahl: 08664

**Verkehrsamt** Chieming, ✆ 245.

**Chiemsee-Schifffahrt**, ✆ 08051/6090. Nach Prien am Chiemsee um 9.40 Uhr, 11.30 Uhr, 14.15 Uhr, 16.50 Uhr und 18.05 Uhr. Fahrradbeförderung beschränkt möglich. Eine Unterbrechung auf den Inseln aber nicht erlaubt.

**Schatzkammer** der Wallfahrtskirche Ising, ✆ 08667/690. Bilder, Skulpturen, religiöse Gegenstände aus der Sakristei. Besichtigung nach Vereinbarung.

✷ **Ballonfahrten** über dem Chiemgau: N. Schneider, Ortsteil Stöttham, ✆ 463; TS-Ballonfahrten, Chieming-Egerer, ✆ 8118; Hotel Gut Ising, ✆ 08667/790; Hotel Jonathan, Chieming-Hart, ✆ 08669/79090.

Ab Chieming geht die Route am Ufer Richtung Süden weiter → vorbei am **Strandbad** folgen Sie nach dem letzten Haus wieder dem geschotterten Uferradweg entlang der Hauptstraße → nach den **Campingplätzen** zweigt die Route von der Landstraße ab und bleibt am Ufer → nach der Siedlung **Hagenau** berührt der Radweg noch einmal kurz die Landstraße, um diese dann wieder rechts, Richtung **Grabenstätter Moos** zu verlassen.

*Viele geschützte Pflanzen- und Tierarten finden in den Streuwiesen und umliegenden Auwäldern des Naturschutzgebietes noch genügend Platz zum Leben. Daher bitte nichts pflükken! Ein „blaues Wunder" können Sie etwa ab Mitte bis Ende Mai bei der Blüte der Sibirischen Iris erleben. Von den Vögeln beleben unter anderen Kolbenenten, Graureiher, Eisvogel oder Mönchsgrasmücken die Gegend, aber auch Kormorane, Singschwäne und Seeadler finden hier zeitweise Unterschlupf.*

Nach dem Gasthof kehren Sie dem Ufer den Rücken und wenden sich gen Süden → 1,5 Kilometer weiter informiert eine Übersichtstafel über die Naturzone → ab hier gibt es auf der Südseite des Sees leider keine Möglichkeit, unbehelligt in Ufernähe weiterzufahren → so müssen Sie bis zur Autobahn vorfahren und sich dort nach rechts wenden → für eine Weile begleitet der Radweg die Autobahn → auf der Höhe von **Baumgarten** wird der nächsten Ausfahrt rechts auf einem Asphaltweg ausgewichen → nach 700 Metern überqueren Sie eine Straße, die zum Strandbad führt und fahren geradeaus auf dem Radweg weiter.

Vor einer **Sackgasse** fahren Sie einfach links auf der Straße weiter → nach den **Campingplätzen** stoßen Sie erneut auf die Autobahn und nehmen parallel zu ihr den Feldweg → bei einer Unterführung in 2 Kilometern wechseln Sie auf die andere Seite und halten sich weiterhin westwärts.

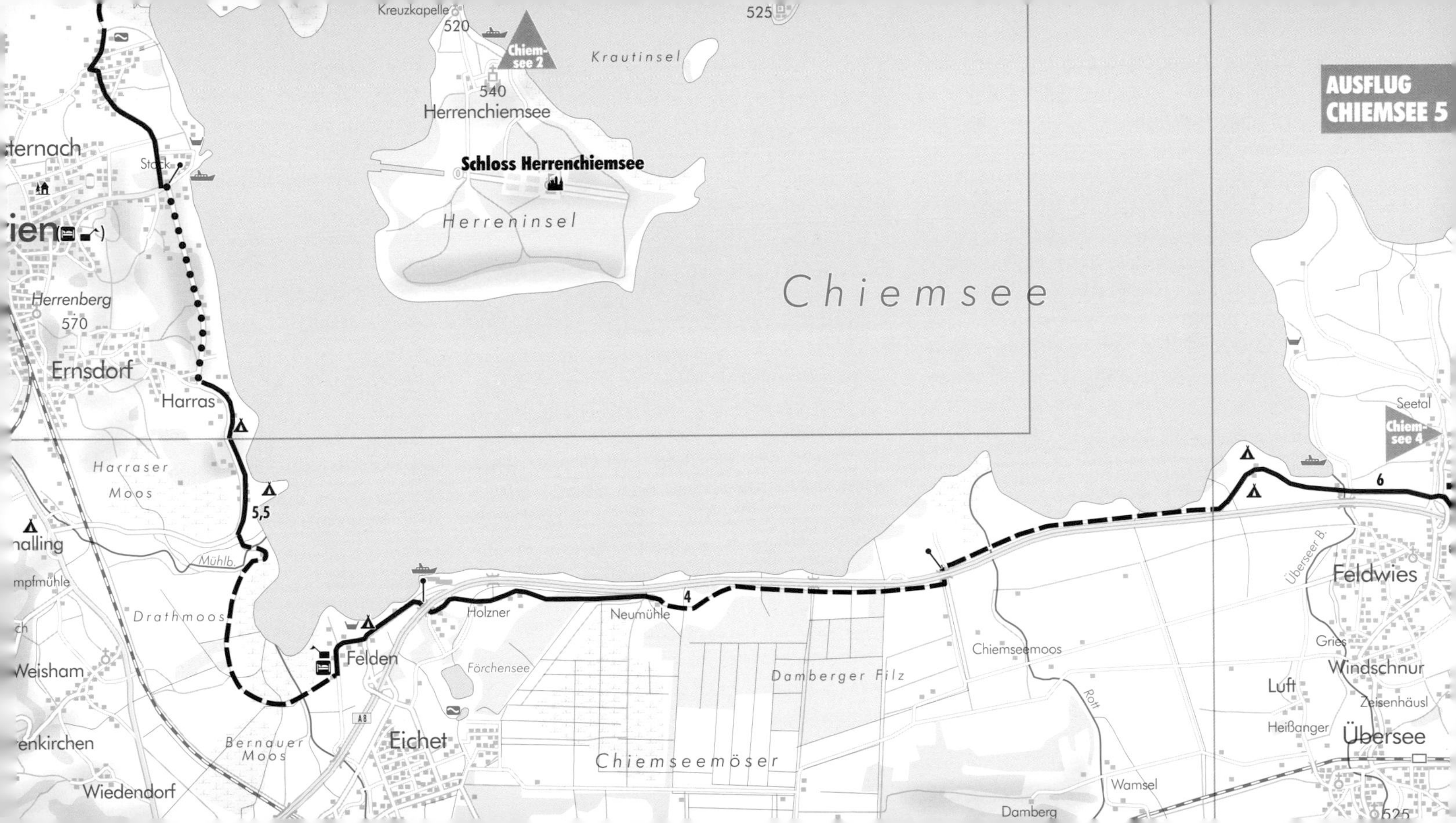

AUSFLUG CHIEMSEE 5
Kreuzkapelle
520
525
Chiem-see 2
Krautinsel
540
Herrenchiemsee
Schloss Herrenchiemsee
Herreninsel
Chiemsee
Stock
Herrenberg
570
Ernsdorf
Harras
Harraser Moos
5,5
Mühlb.
Drathmoos
Weisham
Wiedendorf
Bernauer Moos
Felden
Holzner
Neumühle
4
Förchensee
A8
Eichet
Chiemseemöser
Damberger Filz
Chiemseemoos
Rott
Wamsel
Damberg
Seetal
Chiem-see 4
6
Übersee B.
Feldwies
Gries
Windschnur
Luft
Zeisenhäusl
Heißanger
Übersee
525

Vom Weiler **Neumühle** weiter zu den Häusern von **Felden** ~ nach der Wegkreuzung beim großen Parkplatz unterqueren Sie die Autobahn und halten sich danach links ~ am **Campingplatz** vorbei ~ geradeaus durch die Ortschaft **Felden** ~ an der T-Kreuzung links ~ nach dem letzten Haus nach rechts ~ hinter einem Hotel beginnt das **Bernauer Moos** und daran schließt das **Drathmoos** an ~ an der Landstraße biegen Sie rechts ein.

Ein Radweg führt entlang der Straße Richtung Prien, der letzten Station dieser Chiemsee-Tour und gleichzeitig dem vielleicht bekanntesten Ort am See ~ in der Siedlung **Harras** wechseln Sie auf die Fahrbahn und fahren am **Krankenhaus** vorbei ~ beim **Seehotel** in Prien angelangt, geht es rechts zum Hafen und zum Erlebnisbad Prienavera, links hingegen in die Ortsmitte.

*Am Chiemsee*

**Prien am Chiemsee**

PLZ: D-83209; Vorwahl: 08051

**Kurverwaltung**, Alte Rathausstr. 11, ✆ 69050.

**Chiemsee-Schifffahrt**, ✆ 08051/6090, Chiemsee-Rundfahrt ab Prien/Stock um 8.15 Uhr, 9.55 Uhr, 12.40 Uhr, 15.20 Uhr und 16.50 Uhr (Große Rundfahrt nur im Sommer). Die Mitnahme von Fahrrädern ist nicht auf allen Schiffen und nur im begrenztem Umfang möglich. Eine Unterbrechung auf den Inseln mit Fahrrädern ist nicht gestattet. Ganzjähriger Schiffsverkehr.

Weiter nach **Rimsting** und wieder nach **Rosenheim** zurück, geht es, indem Sie gleich nach dem Seehotel die Hauptstraße nach rechts verlassen ~ etwa einen Kilometer weiter zweigen Sie dann rechts ab ~ den Schildern folgend geht es im Zickzack zum See hinunter ~ nach dem zweiten Steg links und nach einem dritten im spitzen Winkel wieder links ~ hinter einer **Telefonzelle** zweigen Sie rechts ab ~ der Weg mündet nach einem Linksbogen und einer Absperrung rechts in einen Feldweg.

Beim **Gastwirt Seehof** in **Rimsting** endet schließlich die Seerundfahrt ~ auf der Rückfahrt zum Inn fahren Sie am einfachsten hinter **Stephanskirchen** an der Landstraße entlang bis nach **Schlossberg**, ohne nach Westerndorf abzubiegen ~ beim großen Verkehrsknoten halten Sie sich halblinks in die **Salzburger Straße**, die bergab geradeaus zur **Innbrücke** in Rosenheim mit dem **Innmuseum** führt ~ damit gelangen Sie etwa 1,5 Kilometer flussabwärts zur Hauptroute zurück.

**Tipp:** Zwischen Rosenheim und Griesstätt gibt es wieder auf beiden Innufern beschilderte Radrouten: Während die Hauptroute am Westufer stets auf dem ruhigen Dammweg verbleibt, verlässt die Ostufer-Variante bald das Tal ins hügelige Umland. Beide Seiten sind als Inntal-Radweg ausgeschildert, ein Wechseln zwischen den zwei Routen ist vor Griesstätt mangels einer Brücke nicht möglich. Ab dort geht es dann vereint nach Wasserburg weiter.

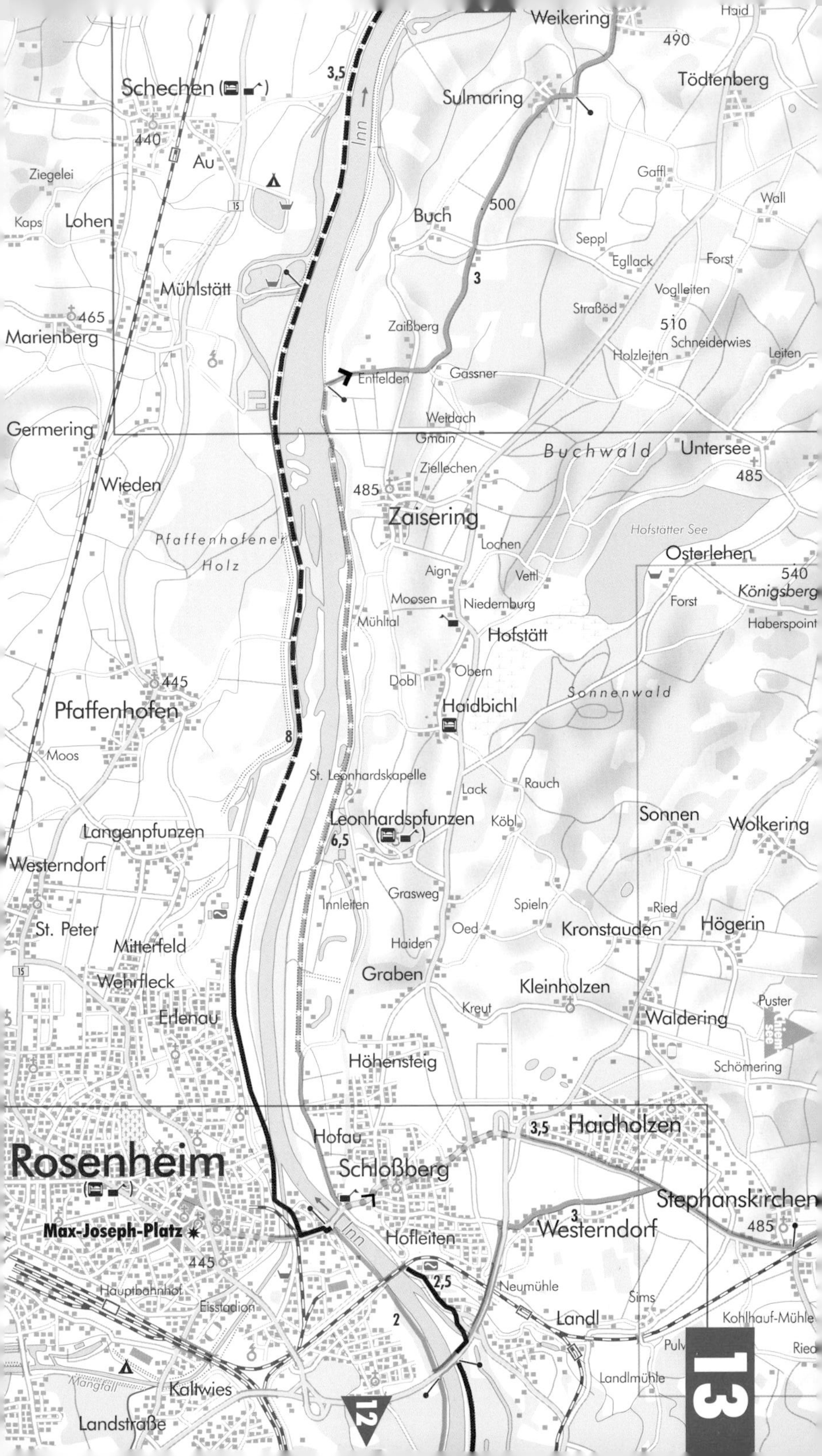

Weikering
Haid
490
Tödtenberg
Sulmaring
3,5
Inn
Schechen
440
Au
Ziegelei
Gaffl
Wall
500
Buch
Kaps
Lohen
15
Seppl
Egllack
Forst
3
Mühlstätt
Voglleiten
Straßöd
510
465
Zaißberg
Schneiderwies
Marienberg
Holzleiten
Leiten
Entfelden
Gassner
Weidach
Germering
Gmain
Buchwald
Untersee
Ziellechen
485
Wieden
Zaisering
Hofstätter See
Pfaffenhofener
Holz
Lochen
Osterlehen
Aign
Vettl
540
Königsberg
Forst
Moosen
Niedernburg
Mühltal
Hofstätt
Haberspoint
Obern
Dobl
445
Sonnenwald
Haidbichl
Pfaffenhofen
8
Moos
St. Leonhardskapelle
Lack
Rauch
Leonhardspfunzen
Köbl
Sonnen
Wolkering
Langenpfunzen
6,5
Westerndorf
Grasweg
Innleiten
Spieln
Ried
St. Peter
Oed
Kronstauden
Högerin
Mitterfeld
Haiden
Graben
Wehrfleck
Kleinholzen
Kreut
Puster
Erlenau
Waldering
Chiemsee
Höhensteig
Schömering
Haidholzen
Hofau
Rosenheim
Schloßberg
Stephanskirchen
Max-Joseph-Platz
Westerndorf
485
Hofleiten
445
Hauptbahnhof
2,5
Neumühle
Eisstadion
Sims
2
Landl
Kohlhauf-Mühle
Pulv
Ried
Mangfall
Landlmühle
Kaltwies
12
Landstraße
13

## Am Ostufer von Rosenheim nach Griesstätt 19 km

Die Variante am rechten Innufer beginnt dort, wo die **Salzburger Straße** vom Osten kommend die Rosenheimer Innbrücke erreicht ~ Sie radeln zunächst unterhalb vom Damm auf einer ruhigen Straße stadtauswärts, bis Sie nach den letzten Häusern des Ortsteils **Hofau** auf den Damm wechseln können ~ nach rund 6 Kilometern geht es leicht rechts versetzt weiter ~ nach weiteren 500 Metern verlassen Sie endgültig den Damm und bringen, bereits auf Asphalt, eine mittlere Steigung hinter sich ~ oben angelangt, treffen Sie auf eine Straßenkreuzung und fahren geradeaus ~ bei der nächsten Weggabelung links und weiter durch hohe Nadelwälder.

Nach der Ortschaft **Buch** macht sich eine offene Landschaft mit Wiesen, Feldern und frischer Landluft breit ~ die Route führt geradeaus nach Norden ~ nach Durchfahren von **Sulmaring** schwenken Sie nach links ~ es folgt ein Auf und Ab, und Sie nehmen bei **Weikering** die zweite Straße zur Linken ~ über **Eglham** erreicht die Route die Ortschaft Vogtareuth, die mit den wenigen Unterkünften dieser Gegend aufwartet.



### Vogtareuth

Nach dem Ort an der Weggabelung links ~ in der Siedlung **Sunkenroth** begegnen Sie wieder einmal einem der mächtigen Vierkanthöfe, die für diese Region so charakteristisch sind ~ gleich hinter dem roten Backsteinbau zweigen Sie links ab und setzen die Fahrt auf Schotter fort ~ der gemütliche Feldweg führt talwärts ~ nach Überqueren eines Gerinnes links ab ~ vom Talboden müssen Sie sich nun wieder emporarbeiten.

Sie fahren auf Griesstätt zu und biegen noch vor der höherrangigen Landstraße bei einem alleinstehenden Baum rechts ab ~ bald darauf halten Sie sich links und überqueren die Landstraße ~ nach einer Rechtskurve kommen Sie in Griesstätt an und schwenken am Ortsrand bei zwei Birken nach links ~ an der größeren Straße links ~ bei der nächsten Kreuzung schließen Sie sich wieder der Hauptroute an, indem Sie sich geradeaus halten ~ es geht nun direkt nach Wasserburg weiter.

## Am Westufer von Rosenheim nach Griestätt 20 km

Nachdem Sie bei der **Innbrücke** in **Rosenheim** den Uferweg verlassen haben, fahren Sie links entlang der breiten Innstraße bis zum Flüsschen **Mangfall** vor und biegen dort rechts ab. ~ der Inntal-Radweg überquert erst 150 Meter weiter über eine kleinere Brücke die Mangfall ~ drüben wählen Sie dann den mittleren Dammweg, den eine schöne Kastanienreihe säumt ~ es geht nun vorbei am Zusammenfluss der zwei Flüsse.

**Tipp:** Eine Beschreibung des Radweges im **Mangfalltal** finden Sie im ***bikeline*-Radtourenbuch Rund um München**.

Der Radweg zieht nördlich von Rosenheim lange auf dem Inndamm dahin, begleitet von einem breiten Überschwemmungsstreifen ~ nach einem Feuchtgebiet mit Restarmen und Auwald des Inn kommen Sie wieder in Blickkontakt mit dem Fluss.

**Tipp:** Zirka 7 km hinter Rosenheim können Sie zum **Mühlstätter Badesee, dem Dangl-Weiher,** abzweigen.

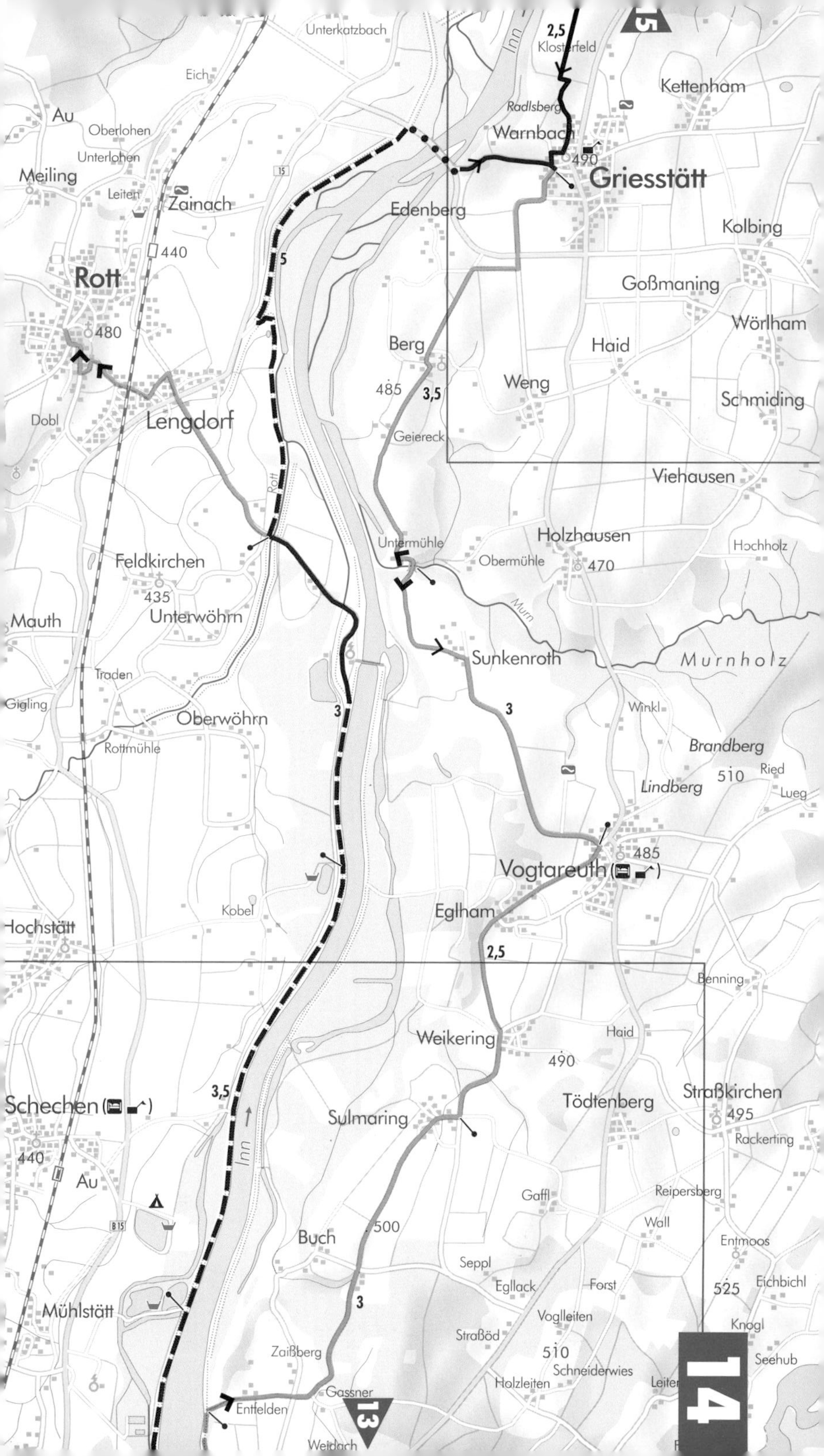
15
2,5
Klosterfeld
Unterkatzbach
Eich
Inn
Kettenham
Radlsberg
Warnbach
490
Griesstätt
Au
Oberlohen
Unterlohen
Meiling
Leiten
Zainach
15
Edenberg
Kolbing
440
5
Rott
480
Goßmaning
Wörlham
Berg
Haid
485
3,5
Weng
Schmiding
Dobl
Lengdorf
Geiereck
Viehausen
Rott
Untermühle
Holzhausen
Hochholz
Feldkirchen
Obermühle
470
435
Murn
Unterwöhrn
Mauth
Sunkenroth
Murnholz
Traden
3
3
Gigling
Winkl
Oberwöhrn
Rottmühle
Brandberg
Ried
510
Lindberg
Lueg
485
Vogtareuth
Kobel
Eglham
Hochstätt
2,5
Benning
Weikering
Haid
490
Straßkirchen
3,5
Tödtenberg
Schechen
Sulmaring
495
Rackerting
440
Inn
Au
Gaffl
Reipersberg
B15
Wall
500
Buch
Entmoos
Seppl
Egllack
Forst
525
Eichbichl
Mühlstätt
3
Voglleiten
Knogl
Straßöd
Zaißberg
510
Seehub
Schneiderwies
Holzleiten
Leiten
Gassner
Entfelden
13
Weidach
14

Nach weiteren 1,5 km am Damm passieren Sie den Abzweig nach Schechen ⇝ hier im Auwald finden Sie auch einen Campingplatz.

**Schechen**

Vorwahl: 08039; PLZ: D-83135

**Gemeindeverwaltung** Schechen, Rosenheimer Str. 13, ✆ 9067-0.

**Schloss Schechen**. Erbaut im 16. Jh., heute Rathaus.

Der Radweg verbleibt weiter am Damm und führt Richtung Norden nach Rott am Inn ⇝ 2 Kilometer nach dem Schechener Abzweig stoßen Sie erneut auf eine Abfahrt mit einer Tafel, die nach Schechen weist, tatsächlich führt aber die Straße vorbei am Waldsee zunächst nach **Hochstätt** ⇝ entlang des Inn erreichen Sie bald die Staustufe und das Elektrizitätswerk von Vogtareuth und folgen der links abbiegenden Asphaltstraße, die sich vom Fluss entfernt ⇝ Sie überqueren die Rott, die hier dem Inn zufließt, und sehen bereits auf das gleichnamige Städtchen.

Für einen Abstecher nach Rott radeln Sie nach dem Steg geradeaus weiter, überqueren die Hauptstraße und biegen nach den letzten Häusern der Ortschaft **Lengdorf** links ab ⇝ an der T-Kreuzung rechts ⇝ mit einem kräftigen Anstieg erreichen Sie den Hauptplatz von Rott.

**Rott am Inn**

PLZ: D-83543; Vorwahl: 08039

**Gemeindeverwaltung** Rott am Inn, Kaiserhof 3, ✆ 1077.

**Benediktinerkirche und Kaisergruft**. Ein Triumph des bayerischen Barock, nach einem Entwurf von Johann Michael Fischer 1759-63 erbaut. Zudem letzte Ruhestätte des ehemaligen bayerischen Ministerpräsidenten Franz-Josef-Strauß und Gattin.

*__Rott am Inn__ wurde im 11. Jahrhundert Sitz des Benediktinerordens. Der Klosterbesitz umfasste zeitweise 65 Güter, die bis zur unteren Donau reichten. Die alten Klosterbauten fielen im 19. Jahrhundert der Säkularisation zum Opfer. Was blieb, ist die Kirche. Die gänzlich erhaltene Innenausstattung der heutigen Pfarrkirche trägt die Handschrift der führenden Künstler der Zeit. Das Kuppelbild stammt von Matthäus Günter. Dieser Bau des berühmten oberbayerischen Barock lässt den Übergang vom Rokoko zum Klassizismus gut erkennen.*

*Das __Kloster Rott__ am Inn ist allerdings nur eines der vielen Klöster, die den Fluss bis zur Mündung in die Donau zieren und dem Land am Inn das Attribut „Kulturland" bescheren. Den nächsten bekannten Stiften begegnen Sie bei Altenhohenau und Attel.*

Sie setzen die Hauptroute fort, indem Sie gleich nach der Überquerung der Rott auf den Schotterweg rechts einbiegen ⇝ nach 1,5 Kilometern treffen Sie auf eine Weggabelung, bleiben aber am Damm ⇝ der Weg beschreibt einen Linksbogen und zweigt nach der nächsten Brücke wieder rechts ab ⇝ rechter Hand erstreckt sich das Mündungsgebiet der Rott ⇝ eine verkehrsreiche Straße quert, hier fahren Sie rechts Richtung Wasserburg und setzen auf der einzigen Brücke zwischen Rosenheim und Wasserburg über den Inn ⇝ drüben benützen Sie die erste Gelegenheit nach links und radeln auf der Landstraße Griesstätt entgegen.

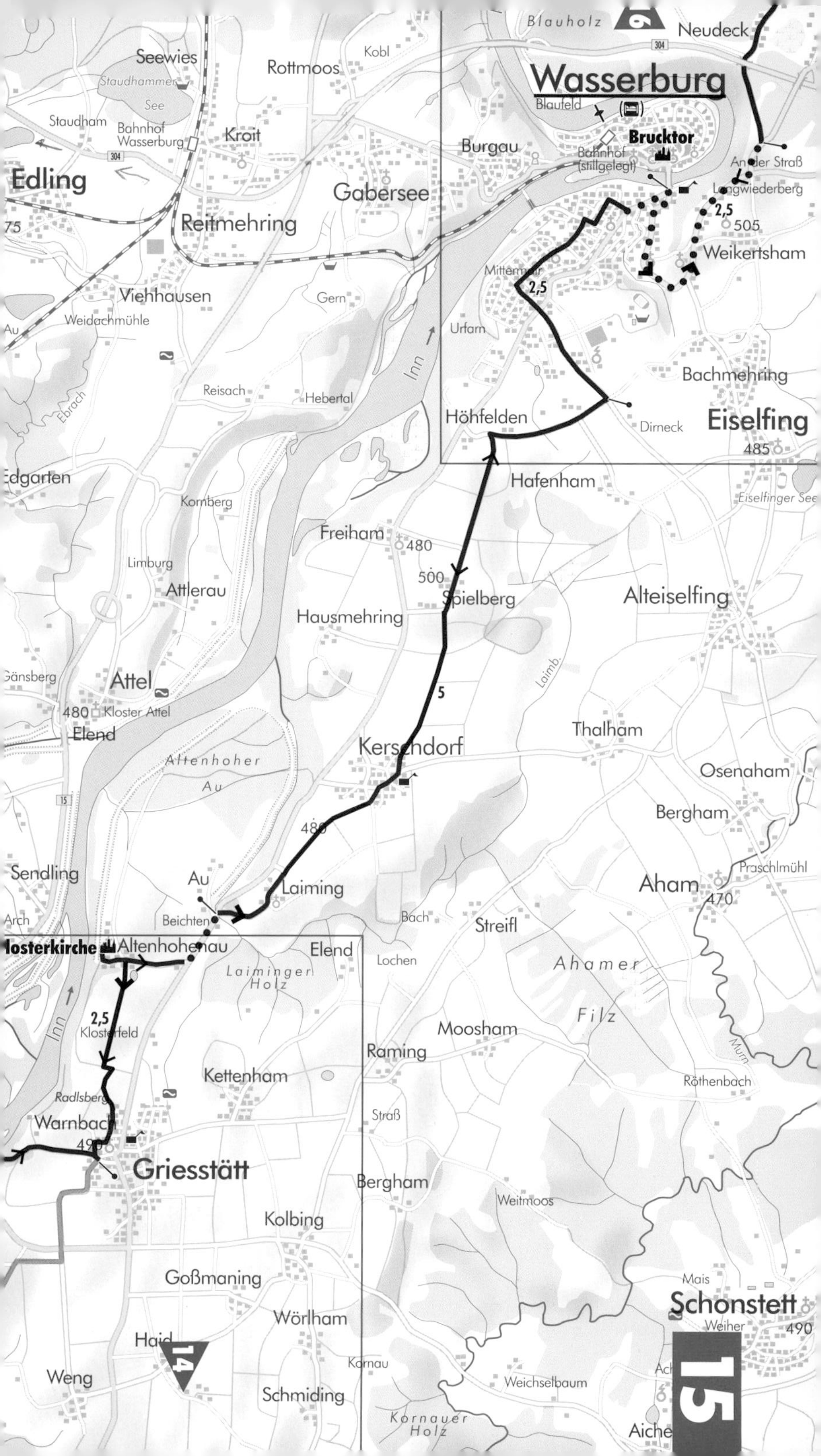
Wasserburg
Blauholz
Neudeck
Blaufeld
Bruckter
Bahnhof (stillgelegt)
An der Straß
Longwiederberg
2,5
505
Weikertsham
Mittermair
2,5
Urfarn
Bachmehring
Höhfelden
Dirneck
Eiselfing
485
Hafenham
Eiselfinger See
Burgau
Seewies
Staudhammer See
Staudham
Bahnhof Wasserburg
304
Kroit
Rottmoos
Kobl
Edling
Gabersee
Reitmehring
Viehhausen
Weidachmühle
Au
Gern
Inn
Reisach
Hebertal
Ebrach
Edgarten
Kornberg
Freiham
480
500
Spielberg
Alteiselfing
Limburg
Attlerau
Hausmehring
Laimb.
Gänsberg
Attel
480
Kloster Attel
Elend
5
Thalham
Kersdorf
Osenaham
Altenhoher Au
15
Bergham
480
Praschlmühl
Sendling
Au
Laiming
Aham
470
Arch
Beichten
Bach
Streifl
Klosterkirche
Altenhohenau
Elend
Lochen
Ahamer Filz
Laiminger Holz
2,5
Klosterfeld
Inn
Moosham
Raming
Murn
Kettenham
Röthenbach
Radlsberg
Warnbach
Straß
490
Griesstätt
Bergham
Weitmoos
Kolbing
Goßmaning
Mais
Schonstett
Weiher
490
Wörlham
Haid
14
Karnau
Weng
Schmiding
Weichselbaum
Kornauer Holz
Aiche
15

## Griesstätt

### Von Griesstätt nach Wasserburg 12,5 km

Am Rande des Ortes biegen Sie links in die **Hofmarkstraße** ein, hier trifft die Variante am rechten Flussufer von Rosenheim kommend ein ~ bei der nächsten Kreuzung geht es dem Asphalt folgend nach rechts ~ bei der **Friedhofsmauer** verläuft die Route links weiter, rechts geht es zur Ortsmitte.

**Tipp:** Nachdem auch die letzten größeren Erhebungen des Alpenvorlandes abgeflacht und einer Hügellandschaft gewichen sind, stehen Sie nun vor einem Routenstück, das etwas abseits des Inn nach Wasserburg führt. Nun bereichern einige leichte bis mittlere Anstiege die Tour.

Nach Ortsende von Griesstätt führt die Route etwas links versetzt aber weiter in nördlicher Richtung ~ bis nach **Altenhohenau** erfreut eine abschüssige Straße die Sinne ~ in der gleichnamigen Siedlung geht die Route bei der Querstraße nach rechts ab ~ zum Kloster der Dominikanerinnen hingegen müssen Sie nach links.

## Altenhohenau

*Die Nonnen im* **Kloster Altenhohenau**, *dem ersten dieses Ordens in Deutschland, erlebten nach der Gründung im 13. Jahrhundert so manche Unbill der Geschichte. Brand, Flucht vor dem heranrückenden schwedischen Heer auf Frauenchiemsee und die Schließung für mehr als hundert Jahre im Zuge der Verweltlichung sind traurige Höhepunkte im Leben des Klosters. Seine Kirche beherbergt einen Altar von Ignaz Günther und eine stoffgekleidete Schnitzfigur namens „Altenhohenauer Jesulein", früher als Gnadenbild verehrt. Sehenswert ist auch die Rokokoausstattung.*

An der Staatsstraße hinter Altenhohenau biegen Sie links auf den begleitenden Radweg ein ~ nach 400 Metern können Sie die Straße wieder nach rechts verlassen ~ bis zum Dorf **Laiming** heißt es wieder einmal eine Steigung zu überwinden ~ danach geht es geradeaus weiter.

*Von hier bietet sich ein imposanter Blick zurück auf Rott am Inn, auf Altenhohenau und rechts vorne, auf dem gegenüberliegenden Hochufer, auf die* **Benediktinerabtei von Attel**. *Sie liegt eindrucksvoll bei der Mündung der Attel und über der Flussniederung der Attler Au und gilt mit ihrer Pfarrkirche, die auf eine Michaelszelle vom Jahre 807 zurückgeht, als die älteste Kultstätte dieser Gegend. Das Kloster ist bis heute säkularisiert geblieben. In diesem Bereich fließt das Wasser des Inn nicht mehr so schnell, er ist sozusagen zum Flusssee geworden. Der Stau des Wasserburger Kraftwerkes reicht kilometerweit flussaufwärts, so ziehen die Wasser des Inn träge, manchmal breiter als die Donau.*

## Kerschdorf

An der T-Kreuzung in Kerschdorf links ~ nach 100 Metern an der Hauptstraße rechts und nach weiteren 200 Metern nach dem Gasthof wieder links ~ Sie verlassen den Ort in Richtung Norden auf dem **Kirchweg** ~ Sie fahren geradeaus und holen sich nach dem Weiler **Spielberg** auf einem Gefälle frischen Schwung ~ gleich darauf geht es aber wieder bergauf ~ oben an der Querstraße nach rechts und kurz über einen holprig unbefestigten Weg ~ wieder auf festem Belag, erreichen Sie eine größere Straße und biegen links ab.

Sie befinden sich bereits in der **Industriezone** von Wasserburg, die reizvolle Altstadt hält sich in der tiefen Flussschlinge noch verdeckt ~ in Wasserburg lässt Sie die Beschilderung leider etwas in Stich ~ Sie fahren unter der stark befahrenen Einfallstraße durch und zweigen bei der ersten Kreuzung rechts ab ~ in der **Dr.-Fritz-Huber-Straße** geht es nun bis zum **Klosterweg** vor, hier halten Sie sich rechts und darauffolgend bei der **Rosenheimer Straße** links ~ auf der Höhe der **Gimpelberggasse** schwenken Sie dann erneut nach rechts, da weiter geradeaus die Rosenheimer Straße Einbahn ist ~ am Hauptverkehrsweg der **Salzburger Straße** geht es schließlich linksherum zur **Innbrücke** und weiter in die absolut sehenswerte Altstadt.

Für die Weiterfahrt nach Gars am Inn müssen Sie nach dem Stadtbesuch leider auf der stark verkehrsbelasteten **Salzburger Straße** auf die Talkante hinauf.

**Tipp:** Wasserburg können Sie auch über einen zwar steilen, aber asphaltierten Wanderweg, statt auf der Salzburger Straße erreichen. Hinter der Innbrücke wählen Sie diesen Weg hoch zur herrlichen Aussicht auf dem Sie das Rad jedoch vermutlich schieben müssen.

### Wasserburg am Inn

PLZ: D-83512; Vorwahl: 08071

**Verkehrsbüro** Wasserburg, Salzsenderzeile, Rathaus, ✆ 10522.

**Feuerwehrmuseum**, Im Haag 3, ✆ 1050 od. 6400. ÖZ: nach Vereinbarung. Feuerwehrgeräte vom 17. Jh. bis zur Gegenwart.

**Wegmacher-Museum**, Herderstr. 5, ✆ 7473. ÖZ: Mo-Fr 8-11 Uhr und 13-15 Uhr, Ein-

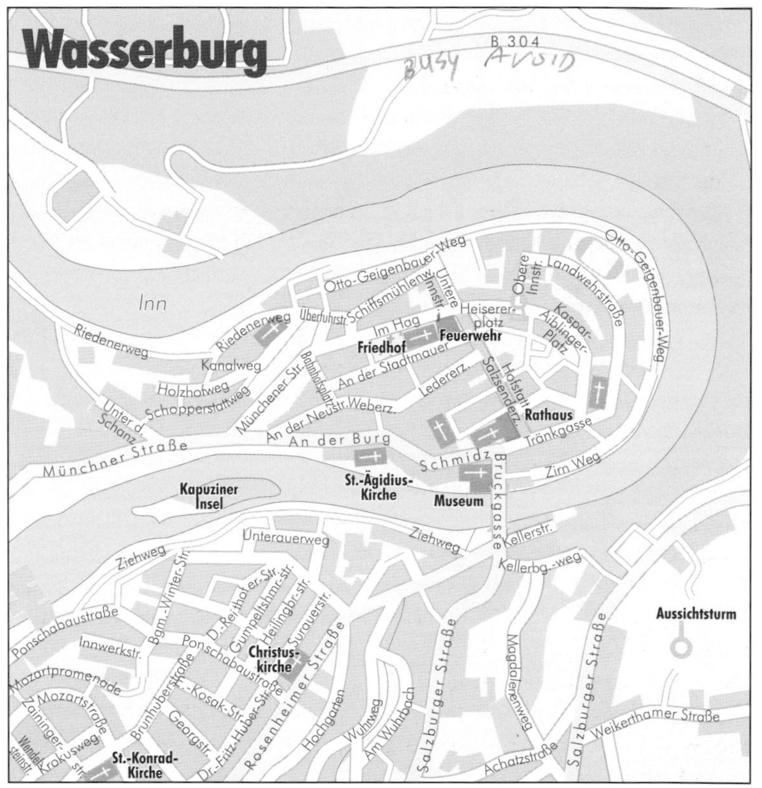

tritt frei. Alles zu Straße und Verkehr.

**Erstes Imaginäres Museum**, im ehemaligen Heiliggeist-Spital, ✆ 4358, ÖZ: Mai-Sept., Di-So 11-17 Uhr, Okt.-April, Di-So 13-17 Uhr. Im weltweit einmaligen Museum sind über 400 Nachbildungen berühmter Gemälde und Zeichnungen zu sehen.

**Museum Wasserburg,** Herreng. 15, ✆ 925290, ÖZ: Mai-Sept., Di -Fr 10-12 Uhr und 13-16 Uhr, Sa, So 11-15 Uhr, Okt.-April, Di-Fr 13-16 Uhr, Sa, So 10-12 Uhr. Beherbergt u. a. eine umfangreiche Handwerksabteilung, sakrale Plastik von der Spätgotik bis zum 19. Jh. sowie eine große Zahl alter Bauernmöbel.

**Kernhaus.** Gegenüber dem Rathaus. Aus dem 15. Jh. mit stuckierter Fassade von J. B. Zimmermann um 1738.

**Brucktor**. Eingang zur Altstadt. Dahinter versteckt sich das Heilig-Geist-Spital (1341) mit spätgotischer Kapelle.

**Altes Mauthaus**. Bruckgasse/Ecke Markt. Mit Baujahr im 14. Jh. gilt es als ältestes Haus der Stadt.


Gasthof Huberwirt
am Kellerberg
83512 Wasserburg, Salzburger Str. 25
Tel. 08071/7433 • Fax 50928
Zimmer DU/WC/TV
Radgarage
Direkt am Inntal-Radweg
5 Minuten in die Altstadt
Gutbürgerliche
bayrische Küche


**Rathaus**. Bestehend aus zwei Gebäuden aus dem 14. bzw. 15. Jh. Im Mittelalter vereinigte es noch Ratsstube, Brothaus und Tanzhaus. Geschnitzte Balkendecke der Ratsstube erhalten.

**Burg**. Errichtet 1531, heute Altersheim. Mit ihren Stufengiebeln bietet sie einen malerischen Anblick.

**Badria**, Alkorstr. 14, ✆ 8133. Bade–, Sport– und Freizeitzentrum.

*Das einmalige Stadtbild von* **Wasserburg** *ergibt sich zum einen aus der halbinselähnlichen Lage und die durch Platzmangel bedingte dichte Besiedelung. Die Stadt in der Flussschleife ist gewiss die schönste der Innstädte. Ihr natürlicher Ursprung reicht zurück in die Zeit, wo der Moränenwall des Inngletschersees brach und der so entstandene Fluss sich, den eiszeitlichen Schotter auswaschend, durchs Land wand. Trotz langsameren Flusslaufes, bedingt durch die Staustufen, hält die Abtragung am Prallhang gegenüber der Stadt heute weiter an. Dafür wächst der Schwemmlandteller, der die Stadt trägt.*

*So nahe am Fluss gelegen, wurde die lehmbraune Flut der Hochwässer oft zum Verhängnis für die Bewohner. Daran erinnert heute noch die „verlorene Zeil". Die fließende Straße brachte aber auch Wohlstand. Hier führte durch Jahrhunderte die Salzstraße von Reichenhall nach München. Bis vor 150 Jahren wurden die Schiffszüge innaufwärts von Pferden auf wechselndem Ufer geschleppt. So ein Schiffszug brauchte von Wien bis Wasserburg rund sechs Wochen. Der Bau der Burg, nach der die Stadt benannt ist, begann auf dem langgestreckten Hochrücken schon im frühen Mittelalter. Sie bot auch den Münchnern Schutz, wo sie im Dreißigjährigen Krieg vor den schwedischen Truppen flohen. Die Stadt war aber nicht nur im Salzhandel Münchner Innhafen, von hier aus zogen auch die Soldaten der bayrischen Herrscher gegen die Türken bei Wien ins Feld.*

*Die erkerbewehrten Häuser der Innfront mit ihren wehrhaften Zinnen und verblendeten Giebeln strahlen eine fast südländische Atmosphäre aus. Die italienische Architektur konnte hier nach dem Dreißigjährigen Krieges Fuß fassen. Wasserburg ist gleichzeitig ein schönes Beispiel für die Innstadtbauweise.*

# Von Wasserburg nach Braunau 97,5 km

In diesem Teil der Tour ändert der Inn seine Flussrichtung gegen Osten. Nach den beeindruckenden Mäanderschleifen des Flusses und dem Hügelland mit seinen großen Vierkanthöfen werden Sie mehr und mehr von der faszinierenden Welt der Flussnebenarme, der Tümpel und der Auwälder erfasst. Die Route sucht dabei charakteristische Innstädte wie Mühldorf, Kraiburg oder Neuötting auf. In Altötting begegnen Sie einer alten süddeutschen Wallfahrtsstätte oder in Burghausen der größten Burganlage Deutschlands. Bei der Salzach-Mündung beginnt mit ausgedehnten Feuchtbiotopen das „Naturreservat Unterer Inn".

Auf der Radroute gibt es bis Gars leider keinen ufernahen Weg, auch im weiteren Verlauf muss die Routenführung oft auf die Landstraße ausweichen. Aber hier können Sie stets zwischen mehreren Varianten wählen: Von Gars bis Mühldorf verläuft der Inn-Radweg auf beiden Seiten des Flusses, wobei einige neubeschilderte Strecken noch einiges zu wünschen übriglassen. Ab Mühldorf erschließen Ergänzungsrouten zum Inn-Radweg das südliche Umland über Altötting und Burghausen an der Salzach.

## Von Wasserburg nach Gars 17,5 km

**Tipp:** Bis Gars verläuft die Inntal-Route östlich und abseits des Flusses durch angenehmes Bauernland, aber mit einigen leichten bis mittelschweren Anstiegen versehen. Auf dem Westufer sind zwar Wege in Flussnähe vorhanden, müssten aber erst ausgebaut und markiert werden.

**Wasserburg** verlassen Sie also auf der ansteigenden und starkbefahrenen **Salzburger Straße**, die leider über keinen Radstreifen verfügt und zu der es in diesem Bereich auch keine Alternative gibt ~ die Radschilder zeigen bereits Mühldorf an ~ 2 Kilometer anstrengende Bergfahrt haben Sie vor sich, bevor Sie die herrliche Aussicht genießen können ~ oben erwartet Sie außer der Aussicht auch ein Radweg und ein Gasthof ~ an der nächsten Kreuzung biegen Sie dann Richtung Neudeck links ab.

Auf einer ruhigen Straße geht es bergab und unter der Bundesstraße durch ~ auf schmalen Landwegen und gut ausgeschildert führt die Route jetzt im Zick-Zack gen Norden ~ durch **Neudeck** gefahren, halten Sie sich an der T-Kreuzung links und rollen in den Wald hinein ~ weiter geht's nach **Würmerstham** ~ im Ort nach links ~ an der nächsten Weggabelung rechts nach **Troitsham** weiter ~ nächste Ziele sind **Bergham** und darauffolgend **Rieden**, das in einem Bachgraben liegt ~ dort halten Sie sich rechts und erradeln wieder die Anhöhe ~ an der Vorfahrtsstraße nach links.

Vor der Siedlung **Mernham** wechseln Sie dann rechts auf einen Schotterweg ~ der Anstieg wird stärker, hinzu kommt eine holprige Waldstrecke ~ hinter dem Wald geht es dann bereits asphaltiert nach links ~ an der Vorfahrtsstraße halten Sie sich erneut links und passieren die Streusiedlung Nemeden.

### Nemeden

Darauf folgt die Ortschaft **Schambach** und wenn der Wald wieder erreicht ist, zweigt die Route links von der Straße ab und wählt Richtung Gars einen Forstweg ~ dieser weist leider einige Schlaglöcher auf und ist bei Regen etwas aufgeweicht ~ dafür genießen Sie Natur pur, auch wenn es kurz steil bergauf geht.

Nach einem knappen Kilometer lichtet sich der Wald und die Route biegt links auf die stark abschüssige Landstraße ein.

**Tipp:** Wer es eilig hat und sich weitere Schotterstrecken ersparen will, hält sich hier einfach geradeaus und kürzt die Strecke bis Gars auf der breiten Straße ab. Wenn Sie hingegen noch etwas Zeit und breitere Reifen haben, erleben Sie dem Inntal-Radweg folgend einen der schönsten Talabschnitte!

### Hochleiten

Hochleiten passieren Sie nach dem Gefälle geradeaus und rollen auch an den Höfen von **Kasten** vorbei ~ nach einem Gehöft namens **Eder** geht es an der Weggabelung links nach Au im Wald ~ vor der Talkante knickt der Weg

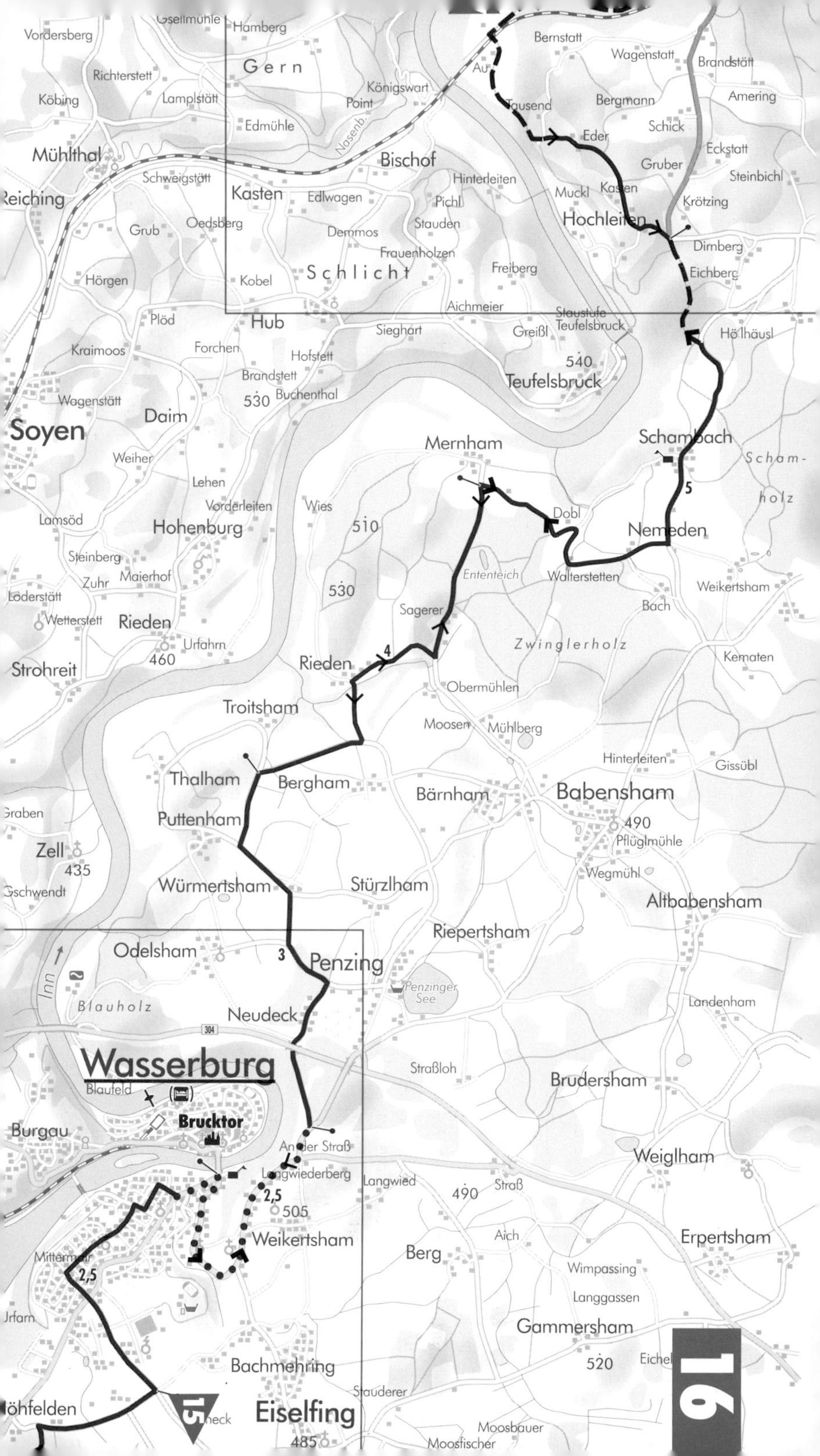

Vordersberg
Gern
Hamberg
Bernstatt
Wagenstatt
Brandstätt
Richterstett
Lamplstätt
Königswart
Point
Au
Tausend
Bergmann
Amering
Köbing
Edmühle
Eder
Schick
Eckstatt
Mühlthal
Bischof
Gruber
Steinbichl
Schweigstätt
Hinterleiten
Muckl
Kasten
Krötzing
Reiching
Kasten
Edlwagen
Pichl
Hochleiten
Grub
Oedsberg
Demmos
Stauden
Dimberg
Frauenholzen
Hörgen
Kobel
Schlicht
Freiberg
Eichberg
Aichmeier
Plöd
Hub
Sieghart
Greißl
Staustufe Teufelsbruck
Hölhäusl
Kraimoos
Forchen
Hofstett
540
Brandstett
Teufelsbruck
Wagenstätt
530
Buchenthal
Daim
Soyen
Mernham
Schambach
Weiher
Schamholz
Lehen
5
Vorderleiten
Wies
Lamsöd
Dobl
Hohenburg
510
Nemeden
Steinberg
Ententeich
Walterstetten
Zuhr
Maierhof
Weikertsham
Loderstätt
530
Wetterstett
Rieden
Sagerer
Bach
Urfahrn
Zwinglerholz
460
4
Kematen
Strohreit
Rieden
Obermühlen
Troitsham
Moosen
Mühlberg
Hinterleiten
Gissübl
Thalham
Bergham
Bärnham
Babensham
Graben
Puttenham
490
Pflüglmühle
Zell
435
Wegmühl
Würmertsham
Stürzlham
Gschwendt
Altbabensham
Riepertsham
Odelsham
3
Penzing
Inn
Penzinger See
Blauholz
Landenham
Neudeck
304
Wasserburg
Straßloh
Brudersham
Blaufeld
Brucktor
Burgau
An der Straß
Weiglham
Langwiederberg
Langwied
490
Straß
2,5
505
Weikertsham
Erpertsham
Mittermair
Aich
Berg
2,5
Wimpassing
Urfarn
Langgassen
Gammersham
Bachmehring
520
Eichel
Stauderer
Höhfelden
15
Eckeck
Eiselfing
Moosbauer
485
Moosfischer
16

nach rechts ab und führt auf Schotter weiter ~ am Rande von **Au** passieren Sie rechter Hand eine Schranke ~ danach unter der Bahn durch und rechts zum Innufer ~ unten geht es bis zum Abzweig nach Gars stets an der Bahn entlang.

Im Vordergrund erscheint die Innbrücke von Gars und ein deutlicher Anstieg bringt Sie wieder auf das Plateau zurück ~ am Ende des Sportplatzes von **Haiden** treffen Sie auf die Verbindungsstraße nach Gars, hier teilt sich der Inntal-Radweg wieder auf.

**Tipp:** Die **Hauptroute** bleibt bis Jettenbach auf dieser Flussseite, um dann von dort linksufrig **Mühldorf** zu erreichen. Die **Variante** führt alternativ dazu auf dem jeweils anderen Ufer und passiert Gars sowie Kraiburg. Beide Routen sind bis Mühldorf mit Inntal-Wegweisern ausgestattet. Gesonderte Radwege stehen in diesem Bereich kaum zur Verfügung, die Hauptroute führt dafür meist auf ruhigen Wegen mit weniger Steigung und eher in Flussnähe. Die Variante wählt häufig schwach bis mittelstark frequentierte Landstraßen aber auch schlecht befahrbare Forstwege.



## Variante am rechten Ufer nach Kraiburg — 28 km

Bei **Haiden** links auf die Straße eingebogen, geht es zunächst über den Inn nach Gars auf das linke Innufer ~ der Straße folgend erobern Sie die Anhöhe, auf der die Marktgemeinde liegt, und kommen rechter Hand zum Marktplatz ~ die Inn-Route geht bis zur großen Kreuzung weiter und biegt rechts Richtung Au ab.

### Gars am Inn

PLZ: D-83536; Vorwahl: 08073

- **Gemeindeverwaltung** Gars, Hauptstr. 3, ✆ 91850.
- **Klosterkirche Gars.** Neben der Münchner Theatinerkirche das bedeutendste barocke Sakralbauwerk Altbayerns.
- **Klosterkirche Au am Inn.** Spätbarocke Wandpfeilerkirche mit herrlichem Stuck und vielen Deckenfresken.
- **Peterskirche in Berg** bei Au. Errichtet 1624, eine der wenigen Rundkirchen Bayerns.

*Gars blickt auf eine lange christliche Mission zurück. Im 8. Jahrhundert gründeten Benediktinermönche die erste Zelle, die 400 Jahre später zum Augustiner-Chorherrenstift wurde. Sehenswert ist auch die Stiftskirche St. Maria. Gars steht auch für jene Stelle im Innverlauf, wo der Fluss nach langer Norddriftung deutlich gegen Osten schwenkt, jenem Rechtsdrall gehorchend, der auch bei anderen bayrischen Alpenflüssen zu beobachten ist.*

Gars verlassen Sie auf der Durchfahrtsstraße und rollen wieder auf Flussniveau hinunter ~ beim Weiler **Wörth** wieder leicht bergauf ~ rechts sind Sie schon bei der Zufahrt zum **Kloster Au** ~ dort erwartet Sie außer dem berühmten Kloster auch ein Bräustüberl mit Biergarten.

### Au am Inn

*Die Gründung von* ***Kloster Au*** *geht ursprünglich auf die Benediktiner zurück, später ging es in den Besitz der Augustiner-Chorherren über. Die Anlage dient heute als Kloster der Franziskanerinnen mit Förderschule für geistigbehinderte Kinder.*

Ab Au folgen Sie weiter der Landstraße, die einen Geländerücken überwindet und danach mit 10 Prozent Gefälle abfällt ~ nach der hügeligen Strecke biegen Sie rechts nach Fraham ab ~ eine gepflasterte Straße führt zunächst abschüssig durch den Wald ~ am Inndamm links ~ nach einer Birkenallee errei-

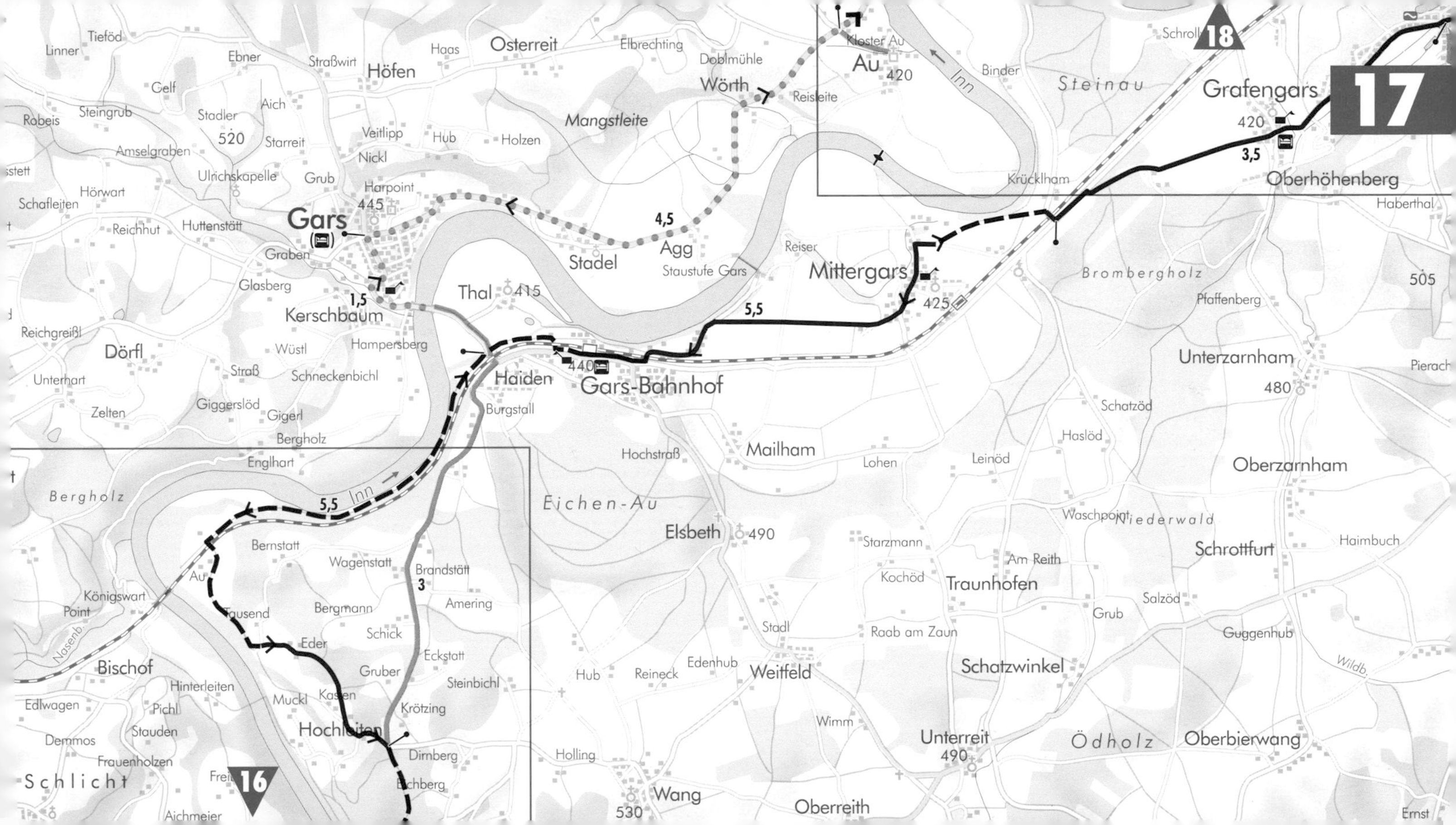
17
18
16
Gars
Gars-Bahnhof
Mittergars
Grafengars
Oberhöhenberg
Au
Kloster Au
Inn
Wörth
Agg
Stadel
Staustufe Gars
Thal
Haiden
Kerschbaum
Höfen
Osterreit
Mangstleite
Steinau
Bromberghol z
Eichen-Au
Elsbeth
Mailham
Unterzarnham
Oberzarnham
Traunhofen
Schatzwinkel
Weitfeld
Unterreit
Oberbierwang
Schrottfurt
Wang
Oberreith
Hochleiten
Bischof
Dörfl
Schlicht
Bergholz
Ödholz
Niederwald
4,5
5,5
1,5
3,5
3
445
415
440
425
420
505
480
490
530
520

chen Sie Fraham mit seinen typischen Hofformen mit Zwiebeltürmen.

### Fraham

Nach Fraham rollen Sie durch **Bergham** und unterqueren die Bahnbrücke ~ dahinter ist das Wehr des Innwerk-Kanals erreicht ~

**Tipp:** Sie stoßen hier auf die Hauptroute des Inntal-Radweges, der hier links abbiegt und dem Kanalverlauf bis Waldkraiburg folgt. Die Variante hingegen überquert den Kanal und verläuft bis zur Wehrbrücke von Jettenbach auf dem Schotterweg am Inn. Bis Kraiburg wartet nun die rechtsufrige Variante mit einer richtigen Waldstrecke auf, die eher nur für Leute mit Kondition zu empfehlen ist.

### Jettenbach

Nachdem Sie also beim Wehr von Jettenbach auf die andere Innseite gewechselt haben, biegen Sie bei der ersten Gelegenheit links ab und umfahren in Jettenbach den **Schlossberg** ~ nach der Zufahrt zum Schloss wählen Sie die **Grünthaler Straße** zur Linken und verlassen den Ort ~ bevor eine 11-prozentige Steigung einsetzt, zweigen Sie links

auf einen unbefestigten Weg ab ~ leider bleibt Ihnen auch hier ein kräftiger Anstieg nicht erspart. Bereits im Wald geht es nach 150 Metern links auf einen besseren Weg, der allerdings weiter ansteigt ~ an der nächsten Wegkreuzung dann links Richtung **„Wuhrmühle“** weiter ~ den Waldboden löst jetzt Split ab und kurze Aufstiege folgen.

Nach längerer Talfahrt endet der Wald und Sie rollen wieder durch ebenes Land ~ beim Abzweig zum Landgasthof **Wuhrmühle** wechseln Sie geradeaus auf die asphaltierte Straße ~ kurz vor Kraiburg kommen Sie noch durch das Dorf **Maximilian**.

**Tipp:** In Kraiburg ist die ausgeschilderte Durchfahrt derzeit etwas umständlich und vermeidet noch dazu die Hauptsehenswürdigkeit des Ortes, den Marktplatz.

Daher fahren Sie am besten auf der **Jettenbacher Straße** weiter, bis die **Bahnhofstraße**, die eigentliche Durchfahrtsstraße erreicht ist ~ hier geht der Anschluss zur Hauptroute am Nordufer nach links ab.

### Kraiburg am Inn

PLZ: D-84559; Vorwahl: 08638

**Gemeindeverwaltung**, Marktpl. 1, ☎ 98380

*Der Markt* **Kraiburg**, *mit seinen engen Gassen am Hang gelegen, zeigt mit seinem Stadtplatz wieder eindrucksvoll die Innstadtbauweise. Kennzeichen der Innstädte ist ihre rustikale Monumentalität. Die Plätze sind weit angelegt, um dem Handel auf den Märkten viel Platz zu lassen. Die Häuser selbst spiegeln das Selbstverständnis ihrer Erbauer wider: vorgebaute Erker als Präsentationsbühne bei Umzügen, dekorativ gerahmte Fenster und Portale, aufwendige Fassaden als Zeugnis des Reichtums ihrer Besitzer. Ab und zu lockert ein Adelshaus mit italienischer Grandezza die deutsch-österreichi-*

Rulading
Wolfgrub
Föhrenwinkel
19
430
2,5
Rausching
Innthal
18
Roßessing
Litzlkirchen
435
Waldkraiburg
Bahnhof Waldkraiburg-Kraiburg
400
2
Pürten
415
Wörth
Froschau
Guggenberg
Wiesengrund
Thann
Oedhub
460
Tödtenberg
Aschau
Ensfelden
Georgen
Guttenburg
Reichdobel
Hart
Stockham
Holzhausen
St. Erasmus
400
Niederndorf
Ensdorf
Malseneck
415
Hörmannsberg
Waldwinkel
Lindach
Moos
Kemating
435
Asbach
4,5
2
405
Hochreit
Gangall
565
Moos
Au
Bruckhäusln
Fisslkling
Wimpasing
Kronberg
435
Troibach
415
Kraiburg
Grünberg
Winterberg
Klugham
Maximilian
Marktplatz
Schützenau
Wegen
Bergham
400
2,5
460
Westerberg
Untermödling
Innwerkkanal
Berg
Straß
3
Gassen
Mitterpleining
Haag
Reiching
Untereinöd
Reit
Lohen
Trospeding
Urfahrn
Fraham
Hausing
Gundelprechting
Gries
Rudlfing
Almeding
2
3
405
Wanklb.
Käuseln
Jettenbach
Schmieding
Gumpersberg
Stumpfer
Heuwinkel
Zannlehen
Wuhrmühle
Pietenberg
Reith
Lacken
Schrollwinkl
Winklham
Kolbing
475
Bäckerlehen
Binder
Inn
2,5
Rückl
Brandach
Steinau
Grafengars
515
Unterhöhenberg
Linderer
Bucher
Butting
420
Gänsberg
Wiestreit
Lanzing
17
3,5
Brand
Oberhöhenberg
Winkl
Vorrach

*sche Bodenständigkeit und Biederlichkeit auf.*

*Laubengänge, Bogenöffnungen und flache Giebeln verraten die* **Innstadtbauweise***, eine Bauepoche, die im 17. und 18. Jahrhundert aus Italien kam und zwischen Rosenheim und Passau immer wieder am Inn zu sehen ist. Der italienische Einschlag zeigt sich malerisch in den erkerbewehrten Bürgerhäusern, ihren wehrhaften Zinnen und den verblendeten pastellfarbenen Giebeln. Erker mit geschwungenen Dächern und trompetenartigen unteren Abschlüssen, Laubengänge und bemalte Stuckdekorationen geben dem massigen Baukern eine heitere süddeutsche Note.*

## Von Gars nach Mühldorf 29 km

Die nächste Station auf der Hauptroute ist Jettenbach in 9 Kilometern ~ Sie schwenken bei **Haiden** am rechten Innufer kurz Richtung Gars auf die Landstraße ein, um gleich wieder rechts auf einen Radweg abzuzweigen ~ bei der Kreuzung nach Gars-Bahnhof geradeaus Richtung Jettenbach und noch einmal über die Bahn ~ die Straße führt sanft bergab und nach dem **Sportplatz** rechts auf eine Nebenstraße ~ geradeaus gefahren, erreichen Sie **Mittergars** ~ am anderen Ende des Ortes geht es nach rechts und etwas bergauf ~ Sie lassen eine Sackgasse rechts liegen und bekommen bald einen Ausblick auf das gegenüberliegende Innufer, mit dem **Kloster Au**.

Sie verlassen die Flussschlinge von Au und überqueren die Bahn ~ danach nach links ~ vor dem Wald halten Sie sich rechts und fahren auf Jettenbach zu, dessen Schloss mit einem Zwiebelturm in der Ferne bereits sichtbar ist.

*Zum Adelssitz gesellen sich aber auch die Schornsteine einer Brauerei und bilden so ein interessantes Ortsensemble.*

### Jettenbach

*Bei* **Jettenbach** *begann nach dem Ersten Weltkrieg der Ausbau einer Reihe größerer Flusskraftwerke in Bayern. Das bedeutete auf dieser Strekke gleichzeitig das Ende der Innschifffahrt, da die Wehre keine Schleusen haben.*

In Jettenbach senkt sich die Straße zum Fluss hin und umrundet das Schloss.

**Tipp:** Wenn Sie die Reise hier schon auf der Variante nach Kraiburg fortsetzen wollen, biegen Sie noch vor dem Inn rechts in die **Grünthaler Straße** ab. Diese Strecke ist zwar kürzer, aber auch wesentlich beschwerlicher und führt teilweise riskant nahe am Abhang entlang. Sie können also eventuell besser von St. Erasmus den Abstecher nach Kraiburg unternehmen.

Für den Besuch der Schlossanlage halten Sie sich 100 Meter weiter links ~ die **Hauptroute** folgt in Jettenbach der Hauptstraße und trifft nach Ortsende auf eine Querstraße ~ hier rechts und über den Inn auf einem Wehr ~ am linken Innufer zunächst nach links.

*Sie stoßen bald auf den* **Innwerkkanal***, der einen Teil des Innwassers auf geradem Weg 15 Kilometer flussabwärts zum Kraftwerk Töging führt. Errichtet in den 20er Jahren, trug dieser künstliche Fluss zum Aufbau der deutschen Aluminiumindustrie bei. Durch die Umleitung in einen Kanal war auch das Problem der Hochwässer umgangen worden.*

Kurz vor dem Kanal halten Sie sich links, überqueren ein weiteres Wehr und biegen danach rechts ab ~ entlang des Kanaldammes erreichen Sie nach fast 2 Kilometern die Siedlung **Moos**. Danach überqueren Sie eine Straße

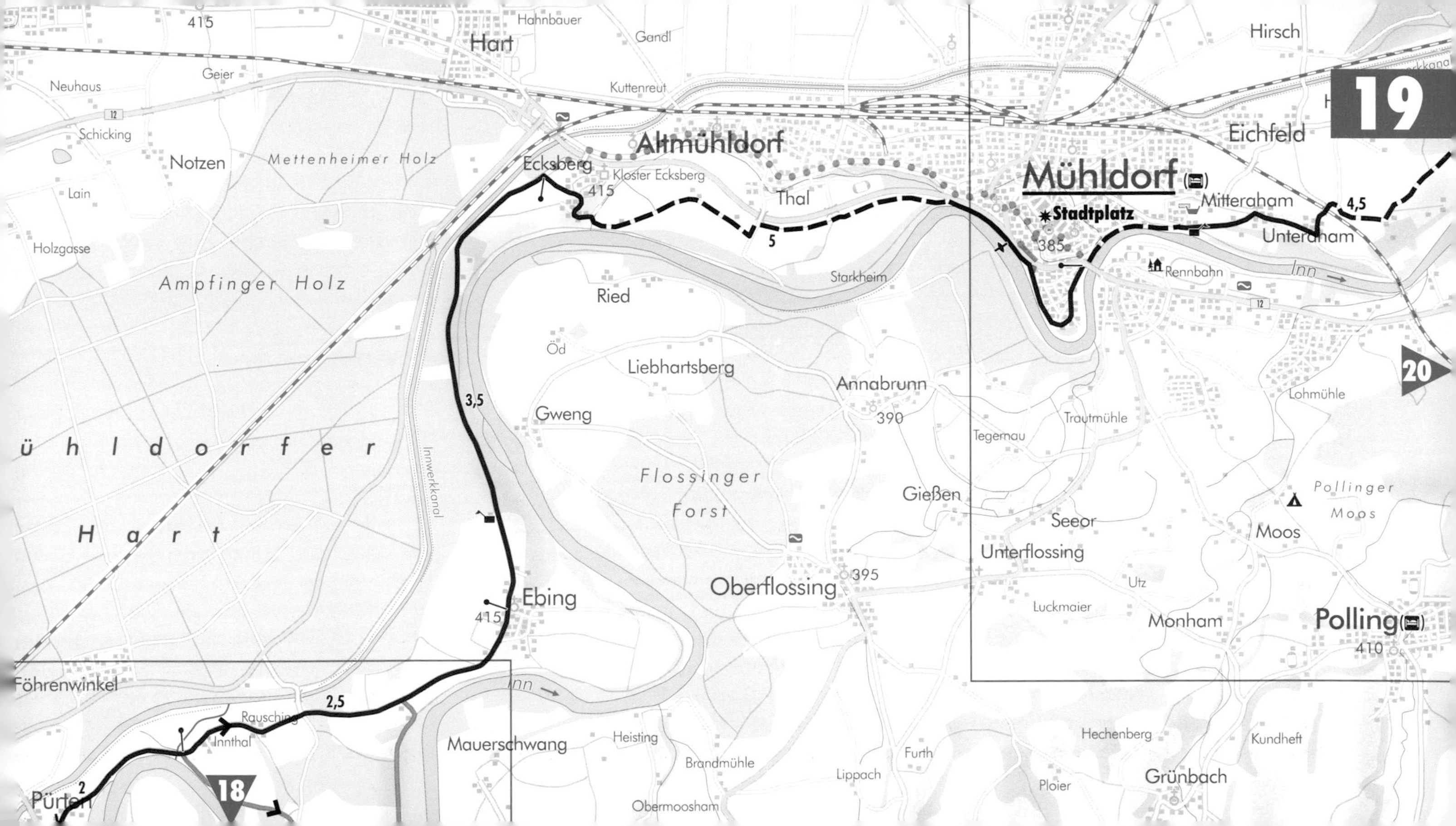
19
20
18
Hart
Hahnbauer
Gandl
Hirsch
415
Neuhaus
Geier
Kuttenreut
Schicking
Notzen
Altmühldorf
Eichfeld
Mettenheimer Holz
Ecksberg
Kloster Ecksberg
415
Mühldorf
Lain
Thal
Mitteraham
Stadtplatz
4,5
Unterham
Holzgasse
5
385
Ampfinger Holz
Starkheim
Rennbahn
Inn
Ried
Öd
Liebhartsberg
Annabrunn
Lohmühle
3,5
Gweng
390
Trautmühle
Tegernau
ühldorfer
Innwerkkanal
Flossinger
Forst
Gießen
Pollinger
Moos
Hart
Seeor
Moos
Unterflossing
395
Ebing
Oberflossing
Utz
415
Luckmaier
Monham
Polling
410
Föhrenwinkel
Inn
2,5
Rausching
Innthal
Mauerschwang
Heisting
Hechenberg
Kundheft
Brandmühle
Furth
Lippach
Grünbach
Ploier
2
Pürten
Obermoosham

und fahren wieder neben dem Damm weiter ~ nach dem Dörflein **Hart** geht es rechts über den Kanal ~ gleich nach der Brücke zweigt die Route links ab.

**Tipp:** Bevor Sie weiterfahren, empfiehlt es sich, einen kurzen Abstecher in die sehenswerte **Innstadt Kraiburg** zu unternehmen.

Hierzu biegen Sie nach der Kanalbrücke rechts und nach 200 m gleich wieder links ab ~ Sie durchfahren eine Wohnsiedlung ~ bei der Vorfahrtsstraße geht es dann rechts über den Inn nach Kraiburg. Die Ortsbeschreibung finden Sie im Textteil der Variante auf S. 82.

**Kraiburg**

PLZ: D-84559; Vorwahl: 08638

**Gemeindeverwaltung**, Marktpl. 1, ✆ 98380

Weiter auf der Hauptroute erreichen Sie entlang des Innwerkkanals **Pürten** mit seiner einst vielbesuchten **Wallfahrtskirche** ~ im Dorf biegen Sie links auf die Hauptstraße ein und wenn Sie einen Besuch in der einstigen „Emigrantenstadt", heute modernen Industriestadt im Grünen, **Waldkraiburg** abstatten wollen, fahren Sie einfach geradeaus weiter ~ die Inntal-Route verlässt hingegen Pürten

*Die Ebene des Innlaufs bei Mühldorf*

nach dem Dorfgasthaus nach rechts.

**Waldkraiburg**

Vorwahl: 08638; PLZ: D-84478

**Verkehrsamt**, Braunauer Str. 10, ✆ 959335.

**Stadtmuseum** im Haus der Kultur, Braunauer Str. 10, ✆ 959305, ÖZ: Mo-Fr 12-18 Uhr, Sa/So/Fei 14-17 Uhr. Thema: Stadtgeschichte, Glassammlung mit vorwiegend Böhmischem Glas

**Pürtener Pfarrkirche/ ehem. Wallfahrtskirche,** im Ortsteil Pürten, neben Innwehrkanal. Hochbarocker Altar mit spätgotischem Gnadenbild (um 1425). Eine der bedeutendsten bayerischen Dorfkirchen mit einer Fülle an Kunstwerken.

*Der mit seinen 25.000 Einwohnern größte Ort zwischen Rosenheim und Passau entstand nach dem Zweiten Weltkrieg als die erste Gemeinde von Heimatvertriebenen. Straßennamen erzählen heute noch von ihrer Herkunft in Schlesien oder im Sudetenland. Am 1. Mai 1876 wurde der Bahnhof „Kraiburg" mitten im Staatswald „Mühldorfer Hart" eröffnet. In den Jahren 1937-1940 wurde in diesem Wald eines der größten Pulverfertigungsbetriebe des Deutschen Reiches errichtet, das bis Kriegsende produzierte. Ab 1946 siedelten sich hauptsächlich heimatvertriebene Sudetendeutsche im Gelände der ehemaligen Fabrik. Am 1. April 1950 entstand daraus die erste Vertriebenen-Gemeinde der BRD. Bereits 1960 wurde sie dann zur Stadt erhoben.*

Die Route verlässt die Hauptstraße hinter dem **Gasthaus Pürten** nach rechts ~ Sie treffen erneut auf den Inn und folgen der Landstraße ~ die nächste Ortschaft **Rausching**, auf einer älteren Flussterrasse gelegen, wird Ihnen dank der 16prozentigen Steigung eine Weile in Erinnerung bleiben ~ die Straße mündet danach in eine andere, Sie fahren in gleicher Richtung nach Ebing weiter.

## Ebing

*Da das Ortsbild von **Ebing** unter Denkmalschutz steht, lohnt es sich, hier kurz Umschau zu halten.*

Hinter Ebing kommen Sie zu einem Gasthaus am Waldrand.

*In der Nähe wurde das Skelett eines Mastodons gefunden, der als eine Art Vorfahre des Elefanten vor etwa 12 Millionen Jahren lebte.*

Sie fahren nun durch dichten Wald und zweigen noch vor der B 12 rechts Richtung **Ecksberg** ab ~ im Dorf umkreisen Sie einen großen Gutshof, der zum örtlichen Kloster gehört, danach geht es mit einer Linkskurve talwärts ~ an der Kreuzung rechts und auf dem Schotterweg zum Fluss ~ dort halten Sie sich links ~ Sie passieren einen weiteren Weiler und biegen noch vor der Kreuzung mit einer anderen Straße links auf einen Feldweg ein ~ vor der Bundesstraße nach rechts und parallel zu dieser erreichen Sie Mühldorf ~ ab den ersten Häusern können Sie auf dem Bürgersteig weiterfahren ~ die Inntal-Route folgt in Mühldorf konsequent der Flussbiegung und erreicht - abzweigend von der

In Mühldorf am Inn

Hauptstraße - auf der **Innstraße** die Brücke.

**Tipp:** Für die Besichtigung der Altstadt biegen Sie am besten von der **Berliner Straße** nach rechts in die **Innstraße** ab ~ dort sofort auf die linke Straßenseite wechseln und durch die Unterführung die **Berliner Straße** unterqueren ~ danach links halten ~ wieder auf der **Berliner Straße** ~ dann rechts ab in die **Konrad-Adenauerstraße**. Auf dieser gelangen Sie zum Zentrum.

## Mühldorf am Inn

PLZ: D-84453; Vorwahl: 08631

**Fremdenverkehrsbüro**, Stadtpl. 36, ✆ 612226.

**Kreisheimatmuseum**, Tuchmacherstr. 7, ✆ 2351. Im „Lodronhaus" Exponate aus der Urgeschichte und Volkskunst sowie einer Dokumentation zur NS- und Nachkriegszeit.

**Mühldorfer Jagdmuseum**, Stadtpl. 82, ✆ 612226. ÖZ: Mi 14.00-18.00 Uhr. Ein Museum zum Schmunzeln.

**Rathaus** mit Renaissance-Sitzungssaal und der sogenannten „Hexenkammer", unverändert seit dem letzten Mühldorfer Hexenprozess 1750.

**St. Nikolauskirche.** Prächtige barocke Innenausstattung.

**St.Laurentius-Kirche**, Altmühldorf. Im Presbyterium eine wertvolle Kreuzigungstafel von 1410/20.

*Typisch für das Ortsbild von **Mühldorf** ist der langgezogene Stadtplatz, umgeben von schönen Bürgerhäusern, die teilweise noch aus dem 15. und 16. Jahrhundert stammen. Ihre Blendfassaden und die beeindruckende Zahl der Laubengänge repräsentieren auch hier den Baustil der Inn- und Salzachstädte. Der Stadtname geht freilich auf die zahlreichen Wassermühlen zurück. Anders aber als viele Innstädte konnte Mühldorf nach dem Niedergang der Innschifffahrt von einer neuen Technologie profitieren. Die Stadt wurde zu einem wichtigen Verkehrsknotenpunkt der Bahn und zur Nachschubader der deutschen Wehrmacht im Zweiten Weltkrieg.*

**Von Mühldorf nach Neuötting** **17,5 km**

Den **Stadtplatz** können Sie dann am anderen Ende über das **Altöttingertor** wieder verlassen ~ wenn Sie dann vor der Innbrücke nach links schwenken, schließen Sie an die Inntal-Route an ~ sie kommt, in Verlängerung der **Innstraße** und führt nördlich des Inn über Töging nach Neuötting weiter.

Töging

Die nächste größere Station ist Töging ~ bald folgt ein geschotterter Uferweg, vorbei an Stromschnellen ~ nach einem Kilometer endet der Radweg beim Parkplatz des Freibades, ein Terrassencafé lädt hier zur Rast ein ~ weiter geht es rechts auf der Landstraße, weg vom Fluss ~ Sie fahren jetzt nach **Aham** und biegen dort rechts ab ~ in **Unteraham** geht es dann nach links und über die Bahn ~ danach zweigt die Route rechts ab und lässt den nächsten Weiler rechts auf einem Feldweg hinter sich.

Nach einem Waldstück stoßen Sie auf eine Landstraße ~ Sie wechseln auf den Begleitradweg ~ schon vor dem Ortsschild von Töging erscheinen im Vordergrund das Kraftwerk und der riesige Industriepark Inntal.

*Der Industriepark hat sich aus einer ursprünglichen Aluminiumhütte entwickelt. Das zur Dekkung des Strombedarfs für die örtliche Aluminiumindustrie erbaute Kanalkraftwerk, im Volksmund auch „Wasserschloss" genannt, ist ein bemerkenswertes Industriebauwerk, auf das Sie von der Kanalbrücke aus einen optimalen Blick haben.*

**Tipp:** Sie können nun entweder am Innwerkkanal entlang und um den Ortskern von Töging herumfahren, oder auf einer kürzeren Strecke direkt durch die Ortsmitte von Töging.

## Durch Töging

Geradeaus zur Kanalbrücke hinauf ~ nach einem Blick auf das „Wasserschloss" den Kanalberg wieder hinunter und in das Stadtzentrum von Töging.

**Töging**

Auf Höhe des Bahnhofs durch die Bahnunterführung auf dem Begleitradweg entlang ~ auf Höhe des Ortsteiles Dorfen geht dieser wieder in die Hauptroute des Inntal-Radweges über.

Wenn Sie die ausgeschilderte Hauptroute wählen, dann überqueren Sie noch vor dem Kanalberg die Straße nach rechts ~ dem Radweg folgen und in den zweiten Feldweg links ~ nach einem langgezogenen Rechtsbogen fahren Sie quer über eine Ortsstraße und gelangen über einen abschüssigen Weg zum Unterwasserkanal ~ Sie begleiten den Kanal für etwa 2,5 Kilometer, bis Sie kurz vor dessen Einmündung in den Inn die letzte Brücke nach Norden überqueren.

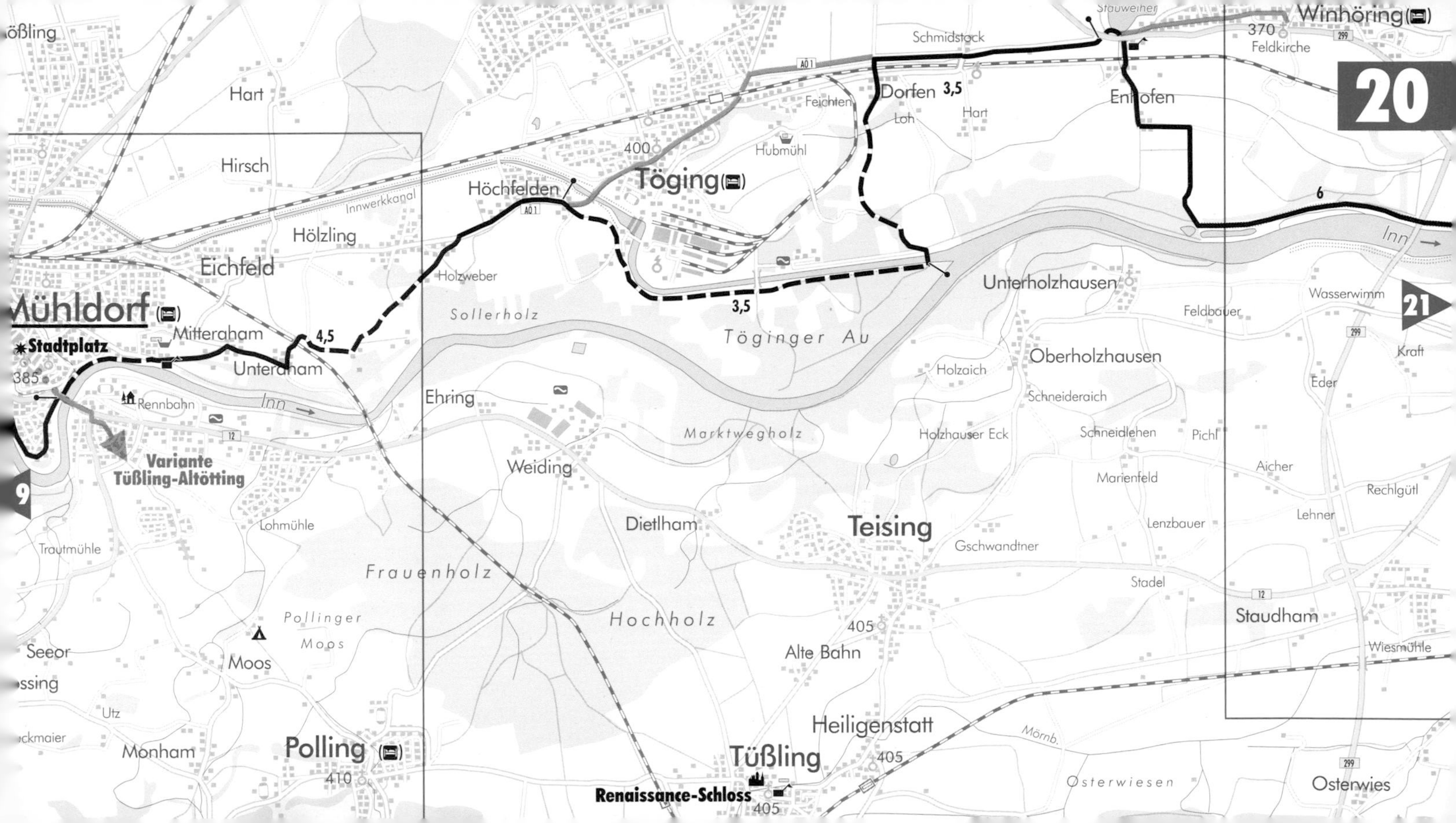

20
21
9
Mühldorf
Stadtplatz
385
Mitteraham
Unteraham
4,5
Rennbahn
Inn
Variante
Tüßling-Altötting
Eichfeld
Hölzling
Hirsch
Hart
Innwerkkanal
Höchfelden
Holzweber
Sollerholz
Töging
400
Hubmühl
Feichten
Dorfen
3,5
Loh
Hart
Schmidstock
Stauweiher
Winhöring
370
Feldkirche
Enhofen
6
Inn
3,5
Töginger Au
Unterholzhausen
Wasserwimm
Feldbauer
Kraft
Oberholzhausen
Holzaich
Schneideraich
Eder
Ehring
Weiding
Marktwegholz
Holzhauser Eck
Schneidlehen
Pichl
Aicher
Marienfeld
Rechlgütl
Lehner
Lenzbauer
Dietlham
Teising
Gschwandtner
Lohmühle
Trautmühle
Frauenholz
Stadel
Staudham
Hochholz
Pollinger
Moos
405
Alte Bahn
Wiesmühle
Seeor
Moos
Utz
Heiligenstatt
Mörnb.
Monham
Polling
410
Tüßling
405
Osterwiesen
Osterwies
Renaissance-Schloss
405

Nach Überquerung des **Innwerkkanals** radeln Sie auf einem gewalzten Weg durch Auwald und Felder ~ an der Weggabelung vor einer Hochspannungsleitung nach rechts.

**Tipp:** An dieser Stelle nach links erreichen Sie sogleich das Schwimmbad Hubmühle.

Durch die Höfe von **Dorfen** bis zur Landstraße ~ dort die Bahnlinie überqueren und dann rechts auf dem Begleitradweg bis zur **B 299** ~ der Bundesstraße weichen Sie darauf unterhalb aus ~ beim Stauweiher unmittelbar nach dem Auslasskanal rechts ab.

**Winhöring**

PLZ: 84540; Vorwahl: 08671

Gemeindeverwaltung, Obere Hofmark 7, ✆ 99870

Die Route geht dann kurz vor **Winhöring**, nach Überqueren eines Baches, innwärts weiter ~ in der Siedlung von **Enhofen** folgen Sie dem Asphaltband und schwenken bei den letzten Gehöften nach links ~ nach 400 Metern rechts ab und zum Inndamm ~ der Radweg folgt seinem Verlauf und weicht vor Neuötting der Isenmündung über eine Straßenbrücke aus ~ wieder am Inn erreichen Sie schließlich die Brücke von Neuötting.

*Der Kapellplatz in Altötting, Ziel zahlreicher Pilgerfahrten*

**Tipp:** Die **Hauptroute** bleibt dem linken Innufer treu und erreicht nach 15 Kilometern **Marktl**. Vor der Weiterfahrt sollten Sie vielleicht noch einen kurzen Abstecher nach Neuötting bzw. Altötting unternehmen. Beide Städte sind auf eine andere Art sehenswert.

Zwischen Innbrücke und Altötting helfen Ihnen leider keine Wegweiser ~ die einfachste Route ist jene am **Mörnbach** entlang ~ wenn Sie am Südufer in Neuötting ankommen, halten Sie sich zunächst geradeaus in die **Bahnhofstraße**, um nach 200 m rechter Hand in die Nebenfahrbahn zu wechseln ~ nachdem eine Brücke unterquert ist, können Sie links in die Neuöttinger Altstadt abzweigen.

**Neuötting**

PLZ: D-84524; Vorwahl: 08671

**Gemeindeverwaltung** Neuötting, Ludwigstr. 60, ✆ 99800.

**Pfarrkirche St. Nikolaus.** Beeindruckendes Zeugnis bayerischer Backsteingotik mit 78 m hohem Turm, 1623 in heutiger Form fertiggestellt.

**Stadtmuseum**, Ludwigstr. 12, ✆ 2130. ÖZ: Di-So 14-18 Uhr. Dauerausstellung zur Stadtgeschichte, begehbarer Dachstuhl (16. Jh.), ständig wechselnde Sonderausstellungen.

*Neuötting ist nicht, wie der Name vielleicht vermuten lässt, eine Industriesiedlung sondern eine traditionsreiche Innstadt. Bestimmend waren für ihre Entstehung waren Handel und Verkehr am Fluss. Zuletzt hatte man im vorigen Jahrhundert Hoffnungen in die Personenschifffahrt gesetzt. Auf halber Strecke zwischen Passau und Rosenheim, war die Stadt wichtiger Anlegeplatz der Liniendampfer. Mit der Errichtung der Eisenbahnlinie in den 70er Jahren des vorigen Jahrhunderts verlor die Dampfschifffahrt auf dem Inn an Bedeutung, und später wurde durch den Bau der Innkraftwerke*

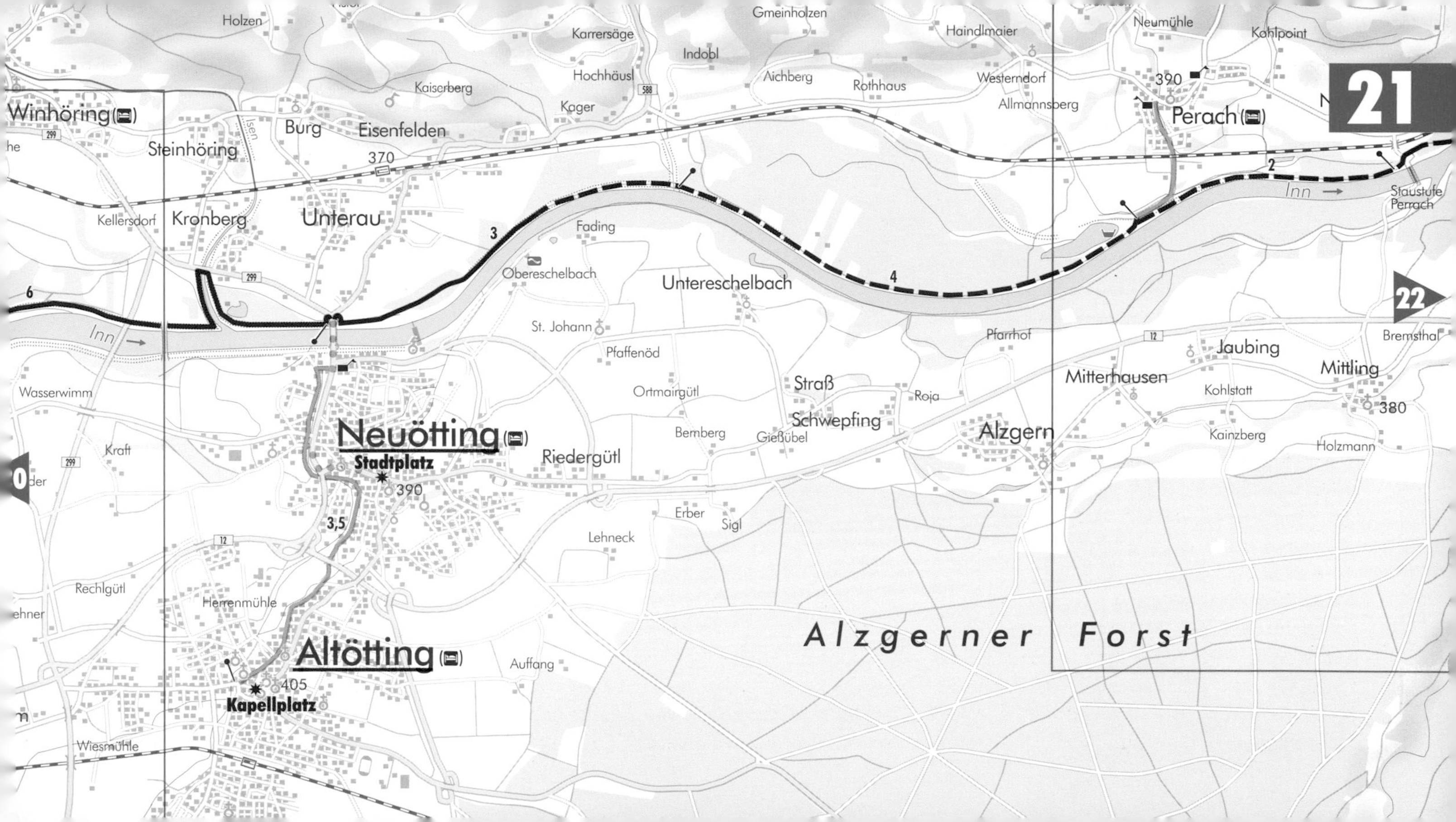

21
22
Holzen
Gmeinholzen
Karrersäge
Indobl
Haindlmaier
Neumühle
Kohlpoint
Hochhäusl
Aichberg
Rothhaus
Westerndorf
390
Kaiserberg
Kager
Allmannsberg
Perach
Winhöring
Burg
Eisenfelden
Steinhöring
Isen
370
2
Inn
Staustufe Perach
Kellersdorf
Kronberg
Unterau
Fading
3
Obereschelbach
Untereschelbach
4
6
St. Johann
Pfarrhof
Bremsthal
Pfaffenöd
Jaubing
Mittling
Wasserwimm
Ortmairgütl
Straß
Roja
Mitterhausen
Kohlstatt
380
Schwepfing
Neuötting
Bemberg
Gießübel
Alzgern
Kainzberg
Holzmann
Kraft
Riedergütl
Stadtplatz
390
3,5
Erber
Sigl
Lehneck
Rechlgütl
Herrenmühle
Altötting
Auffang
405
Kapellplatz
Wiesmühle
Alzgerner Forst

*jedweder Schiffsverkehr gänzlich verdrängt. Der Stadtplatz von Neuötting wird durch zwei aus dem Spätmittelalter stammende Tore abgegrenzt und besticht mit vorbildlich renovierten Bürgerhäusern.*

Richtung Altötting geht es in der **Möhrenbachstraße** weiter, die bald auf die andere Bachseite wechselt ~ am Ende dieser Straße fahren Sie links in die **Herrenmühlstraße**, die entlang des Mühlbachs zum **Kapellplatz** in Altötting führt.

*Altötting*

### Altötting

PLZ: D-84503; Vorwahl: 08671

**Verkehrsbüro** Altötting, Kapellpl. 2a, ✆ 8068.

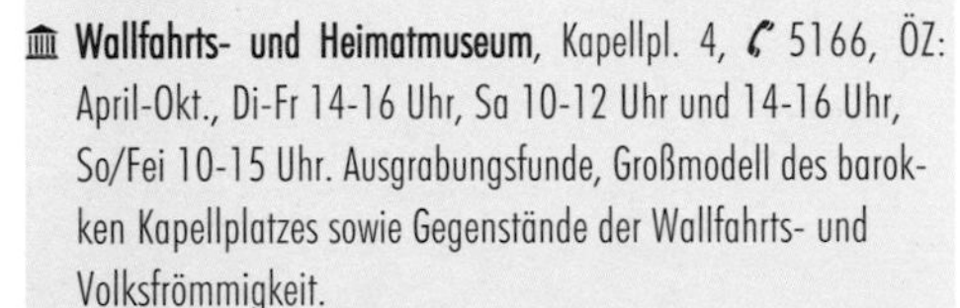

**Wallfahrts- und Heimatmuseum**, Kapellpl. 4, ✆ 5166, ÖZ: April-Okt., Di-Fr 14-16 Uhr, Sa 10-12 Uhr und 14-16 Uhr, So/Fei 10-15 Uhr. Ausgrabungsfunde, Großmodell des barocken Kapellplatzes sowie Gegenstände der Wallfahrts- und Volksfrömmigkeit.

**Schatzkammer**, Kapellplatz an der Stiftskirche, ✆ 5166. ÖZ: April-Okt., Mo-So 10-12 Uhr und 14-16 Uhr. Wertvolle Weihegaben aus mehreren Jahrhunderten und das weltberühmte Goldene Rössl, Meisterwerk der französischen Goldschmiedekunst von 1392.

**Gnadenkapelle**. Am Kapellplatz von einem Bogengang aus dem 16. Jh. umzogen.

**Stiftspfarrkirche St. Philipp und Jakob**. Ursprünglich ein romanischer Bau, im 16. Jh. umgebaut.

✱ **Schau von Reinhold Zellner** im Marienwerk „Neues Haus", Kapellplatz. ÖZ: Di nach Ostern-Okt. Mo-So 9-12 Uhr und 13-16 Uhr. 22 Raumbilder mit über 5.000 plastischen Figuren schildern die Geschichte der Altöttinger Wallfahrt.

✱ **Panorama Kreuzigung Christi**, Gebhard-Fugel-Weg. ÖZ: April-Sept.Mo-Fr 9-17 Uhr, Sa, So/Fei 9-18 Uhr, Okt. Mo-So 9-16 Uhr. Das Rundgemälde auf 1.200 m², geschaffen 1903, ist in Ausmaß und Thematik einzigartig in Europa.

*Abseits des Inn gelegen, verdankt* ***Altötting*** *seine Bedeutung den Pilgerzügen. Als ältester und wichtigster Wallfahrtsort Bayerns wird es gern mit Lourdes oder Tschenstochau verglichen. Tatsache ist, dass jährlich rund eine Million Pilger, vorwiegend aus Süddeutschland, die Madonna mit dem Kind aufsuchen. Pilgerzüge bringen und brachten aber nicht nur Berühmtheit, sondern auch Einnahmen; das wird auch durch die vielen Souvenir- und Devotionaliengeschäfte rund um die heilige Stätte deutlich. Baulich ist die Gnadenkapelle ebenfalls interessant: Sie geht auf eine Taufkapelle aus dem 8. Jahrhundert zurück und ist damit eine der ältesten Zentralbauten Deutschlands. Umgeben von mehreren Kirchen und Klöstern zeigt sich der Kapellplatz weit und prächtig im Tageslicht. Und in den nächtlichen Prozessionen im Kerzenschein wird er zu einer einzigen, beeindruckenden religiösen Bühne.*

### *Von Neuötting nach Marktl* — *13.5 km*

Die **Hauptroute** setzt am Nordufer bei der Innbrücke vor **Neuötting** wieder an, um über 15 Kilometer ruhigen Weges nach **Marktl** weiterzuführen ~ am Dammradweg geht es bis zum **Kraftwerk Aubach**, dem in einem Linksbogen großräumig ausgewichen wird ~ nach

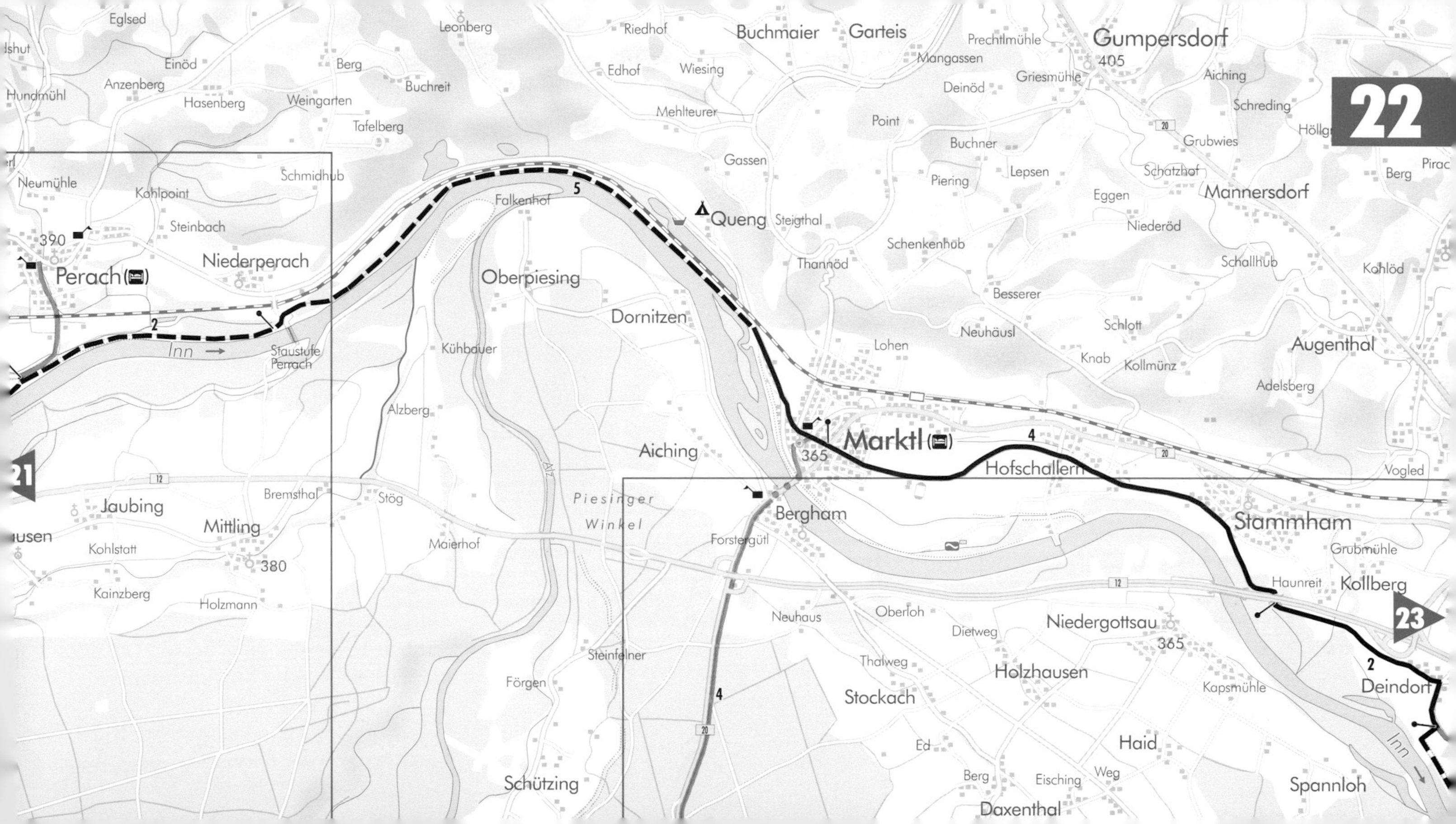
22
Eglsed
Leonberg
Riedhof
Buchmaier
Garteis
Prechtlmühle
Gumpersdorf
405
Einöd
Berg
Edhof
Wiesing
Mangassen
Griesmühle
Aiching
Hundmühl
Anzenberg
Hasenberg
Weingarten
Buchreit
Deinöd
Schreding
Tafelberg
Mehlteurer
Point
Buchner
Grubwies
Gassen
Lepsen
Schatzhof
Berg
Neumühle
Schmidhub
Kohlpoint
Piering
Eggen
Mannersdorf
Falkenhof
5
Queng
Steigthal
Niederöd
Steinbach
390
Schenkenhub
Perach
Niederperach
Oberpiesing
Thannöd
Schallhub
Kohlöd
Besserer
Dornitzen
Schlott
Neuhäusl
2
Lohen
Knab
Kollmünz
Augenthal
Inn
Staustufe Perach
Kühbauer
Adelsberg
Alzberg
Marktl
4
365
Aiching
Hofschallern
20
12
Vogled
21
Bremsthal
Stög
Piesinger Winkel
Alz
Jaubing
Bergham
Stammham
Mittling
Forstergütl
Grubmühle
Maierhof
Kohlstatt
380
Haunreit
Kollberg
Kainzberg
Neuhaus
Oberloh
Holzmann
Dietweg
Niedergottsau
23
Steinfelner
Thalweg
Holzhausen
Förgen
Stockach
Kapsmühle
Deindorf
Ed
Haid
Berg
Eisching
Weg
Schützing
Spannloh
Daxenthal

dem Kraftwerk auf einem schmalen, stellenweise holprigen Weg direkt am Ufer weiter ~ kilometerweit folgen Sie dem Fluss, bis linker Hand der schön gelegene **Badeteich Perach** auftaucht.

Hier stoßen Sie auf eine Querstraße bei einer Informationstafel für Radwanderwege und halten sich rechts Richtung Simbach ~ die Straße wendet sich dann landeinwärts auf **Perach** zu, die Route aber folgt weiter dem Flussverlauf ~ bei der Staustufe von Perach besteht eine steile, aber befahrbare Rampe, die sich hinaufmüssen ~ vor der Bahnbrücke führt ein breiter Kiesweg nach rechts weg rund 400 Meter entlang der Bahn weiter ~ schließlich fahren Sie wieder in Tuchfühlung mit dem Fluss.

### Perach

*Das **Kraftwerk Perach** gilt als Vorbild für eine naturschonende Bauweise. Auf hochwassersichere Eindämmung wurde verzichtet, so wird die Flut, wie das früher auch der Fall war, über die Seitenarme im Auwald abgeführt. Überlaufdämme, die sich daher kaum über das Niveau des Wasserspiegels erheben, sorgen dafür, dass das Wasser in die Au austreten kann. Die Hochwässer waren ja die Voraussetzung für die Vielfalt, für den Artenreichtum und für die Produktivität der Seitengerinne.*

*Zur Linken, wo sich die Höhenrücken nahe an den Fluss heranschieben, befindet sich das Natur- und Vogelschutzgebiet **Dachlwand**.*

Kurz vor Marktl geht es steil bergauf zur Landstraße, wo Sie nach links zu einem **Badesee** abzweigen können ~ bei der ersten Kreuzung zu Ortsbeginn können Sie links in die Ortsmitte fahren oder rechts die Route fortsetzen.

*Burghausen aus luftiger Höhe*

### Marktl

PLZ: D-84533; Vorwahl: 08678

i Verkehrsamt, Marktpl. 1, ✆ 988800 od. bei der ARAL-Tankstelle

🏛 **Heimatmuseum**, Marktplatz, ✆ 1594 od. 1793.

**Marktler Badesee**

**Tipp:** Bei der Innbrücke in Marktl haben Sie Gelegenheit, einen Ausflug in die Salzachstadt Burghausen zu starten. Die Strecke ist, wenn auch nicht einheitlich, ausgeschildert. Wenn Sie anschließend gleich nach Braunau weiterradeln wollen, müssen Sie mit etwas Verkehr rechnen. Auf den Zusammenfluss von Inn und Salzach haben Sie von hier jedenfalls die bessere Aussicht. Der Inn-Radweg bietet hingegen bis Braunau unspektakuläres und schnelles Vorankommen.

## Über Burghausen nach Braunau 34 km

**Über den Daxenthaler Forst erreichen Sie Burghausen an der Salzach, in dem die längste Burg Europas steht. An der Inn-Salzach-Mündung vorbei geht es dann am südlichen Innufer nach Braunau.**

Nach Passieren der Innbrücke in **Marktl** führt Sie ein Radweg entlang der **B 20** durch den **Daxenthaler Forst** nach Süden ~ bei der

Ausflug
Burghausen
Salzach
23
Inn-Salzach-Blick
389
386
5,5
Hub
Neuhofen
360
350
Mühltal
395
Überackern
.355
400
Gelbes Kreuz
.400
Kammern
Unterer
Weilhartsforst
Berg
Kreuzlinden
.400
Ottenschwand
Brunnth
Haus
430
Bruck im Holz
Weilhar
5,5
6,5
410
Aufhausen
Sengthal
380
Unterer Weilhard Forst
400
Schmieding
Grünes Kreuz
401
Ginshöring
Weißer Schacher
Seehof
Burghausen
413
Rotes Kreuz
403
Bierberg
Holz
430
Weng
Augerltaferl
Endt
Bruck
412
Berndorf
1
Jägertaferl .415
.440
urghausen
3
442
Grünhilling
Wöhrsee
365
Duttendorf
.445
Kasdorf
Unterkriebach
Weidenthal
Ruderstallgassen
Ach
.420
Spieglern
Barsdorf
.420
Reith

*Imposant überragt die Burg die Altstadt von Burghausen*

**Raffinerie** Burghausen führt der Radweg unter der Bundesstraße hindurch und verläuft nun entlang der Betriebsbahn ~ nach dem **Alzkanal** trifft der Radweg bei der **Franz-Alexander-Straße** auf die starkbefahrene **Öttinger Straße**, wo er sich stadteinwärts fortsetzt ~ rund 400 Meter nach einer Kirche halten Sie sich links und passieren die **Marktler Straße** und den **Platz der Deutschen Einheit** ~ danach nach rechts in die **Burgstraße** und erreichen so die Nordspitze der Burganlage, in der Radfahren gestattet ist ~ von hier können Sie die Burgbegehung beginnen ~ die Straße links von der Burgzufahrt führt direkt in einer steilen Talfahrt hinunter zum prächtigen Stadtplatz und zur Salzach.

## Burghausen

PLZ: D-84489; Vorwahl: 08677

- **Tourist-Information**, Stadtpl. 112, ✆ 9676931 od. -32
- **Stadtmuseum**, Südliche Burgspitze, ✆ 65198, ÖZ: 15. März-30. April 10-16.30 Uhr, Mai-Sept. 9-18.30 Uhr, Okt. 10-16.30 Uhr. U.a. Zeugnisse der bürgerlichen und bäuerlichen Wohnkultur, ein Modell von Burg und Stadt des Jahres 1574 und eine Vogelschau gehören zum Bestand.
- **Staatliche Sammlungen** in der Hauptburg mit Aussichtsplattform, ✆ 4659. ÖZ: April-Sept., Mo-So 9-18 Uhr, jeden Do bis 20 Uhr, Okt.-März, Di-So 10-16 Uhr. Ehemalige herzogliche Wohnräume, ausgestattet mit Mobiliar des 15. und 16. Jhs. Malerei der Spätgotik aus dem bayerischen Raum.
- **Fotomuseum** am Burgeingang, ✆ 4734, ÖZ: April-Okt., Mi-So 10-18 Uhr. Geschichte und Entwicklung der Fotografie mit großer Apparatesammlung, Arbeiten zeigenössischer Künstler, Sonderausstellungen.
- **Burg Burghausen**. Führungen: ✆ 9676931 od. -32, auch Stadtführungen.
- **Kirche Marienberg** im Ortsteil Raitenhaslach, ✆ 2133. Ehemalige Wallfahrtskirche und hervorragendes Zeugnis des Rokoko.
- **Klosterkirche Raitenhaslach**
- **Alte Brücke** beim Grenzübergang. Aussichtskanzel mit „dem schönsten Blick" auf die Stadt.
- **Landschaftsschutzgebiet Wöhrsee.** Unterhalb der Burg mit ausgebauten Spazierwegen, Baden und Kahnfahren möglich.
- **Folterturm**, Burg, ✆ 64190, ÖZ: April-Pfingsten, Mo-So 10-17 Uhr, Pfingsten-Okt., Mo-So 9-18 Uhr, Nov.-März Sa, So/Fei 11-16 Uhr.
- **Plättenfahrten** auf der Salzach. Nachbildungen der mittelalterlichen Salzkähne. Für Einzelpersonen Ende Mai-Mitte Sept. jeden So., für Gruppen Mai-Okt., Mo-So. Fahrtzeit zirka 1,5 Std. Auskunft und Reservierung bei der Tourist-Information.

*In **Burghausen** begegnen Sie dem Grenzfluss, der Salzach. Sie ist, vor ihrer Mündung in den Inn, am Ende ihres Weges angelangt und umfließt hier noch einmal eine prächtige Altstadt. Von Burghausen schrieb Adalbert Stifter: „Die Stadt sieht nicht anders aus, als wäre sie aus einem altdeutschen Gemälde herausgeschnitten und hierher gestellt worden." Dies gilt heute natürlich nur mehr für die Altstadt, die sich eng an den Burgberg anschmiegt. Die* *längste Wehranlage Europas erstreckt sich über 1034 Meter. Auch wenn die sechsteilige Burg nun einmal die Hauptattraktion darstellt, sollten Sie bei einem Rundgang dem Stadtplatz, einer fein ausgewogenen Architektur mit altbayrischem Flair, ebenfalls Augenmerk schenken.*

*Die Stadt erhielt im 14. Jahrhundert von Kaiser Ludwig, dem Bayern, das Privileg, an der Salzach als alleiniger Umladeplatz für Salz zu dienen. Damit war der Grundstein für den Reichtum der mittelalterlichen Stadt gelegt, der sich noch heute im prächtigen Bild der Altstadt widerspiegelt. Als der Salzhandel dann zum Staatsmonopol erklärt wurde, verlor die Stadt an Bedeutung. Durch die wirtschaftliche Abseitsstellung blieb jedoch ihr mittelalterliches Stadtbild bis in unsere Zeit erhalten.*

*In der Altstadt Burghausens*

**Tipp:** Bevor Sie Burghausen verlassen, lohnt es sich, einen kurzen Abstecher ins reizvolle **Salzachtal** zu unternehmen. Beim **Kreuzenfels**, einen Kilometer nördlich, können Sie ein faszinierendes, cañonähnliches Tal erleben, wo Vogelscharen ihre Brutplätze in die senkrecht aufsteigenden Felsen bauen.

**Tipp:** Für die Rückkehr zum Inn können Sie unter zwei Varianten wählen: Entweder Sie folgen der Ausflugsroute zurück bis **Marktl**, hierzu müssen Sie vom Stadtplatz aus auf der **Ludwigsbergstraße** wieder aus dem Tal empor. Oder Sie setzen in Burghausen über die **Alte Brücke** auf die österreichische Seite hinüber und fahren an der Salzach bzw. nach der Mündung südlich des Inn direkt nach Braunau, in die nächste Innstadt, weiter. Die Beschreibung der Radroute an der Salzach flussaufwärts Richtung Salzburg finden Sie im ***bikeline*-Radtourenbuch Tauern-Radweg**.

Auf dem Weg nach Braunau passieren Sie die Grenze und nehmen dann die Mühen eines Anstiegs auf sich ~ Sie können dabei entweder den Windungen der Straße folgen oder Sie schneiden den Weg ab, indem Sie in der ersten Kurve abzweigen und den direkten und daher noch viel steileren, aber ruhigeren Weg nehmen.

Oben angelangt an der Kreuzung nach links ~ die Ortschaft **Duttendorf** streifen Sie nur ~ nach etwa einem Kilometer folgen Sie dem Wegweiser zum „**Wenghofstüberl**" nach links ~ nach der Ortschaft **Weng** beginnt wieder ein Radweg, der durch den Wald leicht bergab führt ~ am Waldrand schwenkt der Weg nach links.

## Überackern

Vor Ihnen liegt nun **Überackern**, ein kleines Bauerndorf ~ nach der kurvigen Fahrt zwischen den Gehöften stoßen Sie auf eine Querstraße, der Sie nach rechts folgen ~ nach der Ortschaft folgt ein kurzer Anstieg ~ auf der Anhöhe treffen Sie erneut auf die größere Straße und folgen ihr nach links durch den **Weilhartsforst**.

Nach rund 4 Kilometern auf der etwas stärker frequentierten Straße kommen Sie zum Aussichtsplatz.

*Von dort bietet sich ein herrlicher Blick auf die* ***Inn-Salzach-Mündung****, die sich als riesige Wasserfläche ausnimmt. Auch von hier aus ist deutlich zu erkennen, wie unterschiedlich die Färbung der beiden Gewässer ist.*

1,5 Kilometer nach dem Aussichtspunkt verlassen Sie wieder die Straße nach links und gelangen bald direkt ans Innufer ~ dieser Uferabschnitt wird Riviera genannt, so manche kleine „Jacht" liegt hier vor Anker ~ nun sind es noch 8 Kilometer bis Braunau auf dem geschotterten Innradweg ~ abgesehen vom Kraftwerk **Ranshofen**, das Sie auf einem kurzen Weg umfahren müssen, gibt es keine Hindernisse mehr.

Wöhrsee

Der Dammweg führt direkt an die Stadt Braunau heran ~ entlang der **Stadtmauer** kommen Sie zum **Bräuhaus**, das gleich hinter der Brücke liegt, und biegen rechts ab ~ durch das Tor kommen Sie zu einem **Parkplatz** hinauf ~ fahren Sie noch einige Meter geradeaus, bis Sie die **Linzer Straße** erreichen, dort halten Sie sich rechts ~ so gelangen Sie schließlich auf den **Stadtplatz**, einen zum Inn hin offenen Platz, auf dem jedes Bauwerk in einer anderen Farbe getüncht ist.

### Von Marktl nach Simbach/Braunau 20 km

Die **Hauptroute** setzt sich geradeaus durch den Ort fort ~ vorbei am Sportplatz ~ kurz darauf streifen Sie Hofschallern ~ geradeaus weiter Richtung Stammham ~ dort rechts halten Richtung Deindorf, **B 12** ~ aus dem Ort heraus bis zu B 12 ~ bei der **B 12** fahren Sie dann linksherum, landeinwärts ~ nach ein paar hundert Metern wechseln Sie auf die andere Seite der Bundesstraße ~ Sie fahren über zwei Gerinne und gelangen entlang einer mächtigen Böschung nach **Deindorf** ~ im Ort rechts Richtung **Seibersdorf** ab ~ nach Ortsende wieder zum Inn auf den unbefestigten Dammweg.

**Tipp:** Wer hingegen genug vom Damm hat, kann die Strecke bis Bergham auch auf der Landstraße zurücklegen. Dabei passieren Sie **Seibersdorf**. Auch vom Damm führt eine Abfahrt dorthin. Am Dammweg kommen Sie vor Bergham zu jener Flussstelle, wo der Inn die Salzach vom Süden kommend aufnimmt.

*Die Salzach entspringt ebenfalls alpinen Gegenden und berührt die Städte Salzburg, Laufen und Burghausen. Beim* ***Zusammenfluss von Inn und Salzach*** *bildete sich ein ausgedehntes Feuchtgebiet mit Inseln und Wasserläufen. Zahlreiche Enten, Möwen, Flussschwalben, Fischreihern und Schwänen bevölkern die Gegend. Das – bedingt durch die Staustufe Simbach-Braunau - fast stehende Gewässer mit großem Reichtum an Fischen und Algen liefert ihnen genug Nahrung. So beginnt schon hier das große Wasservogelparadies Unterer Inn.*

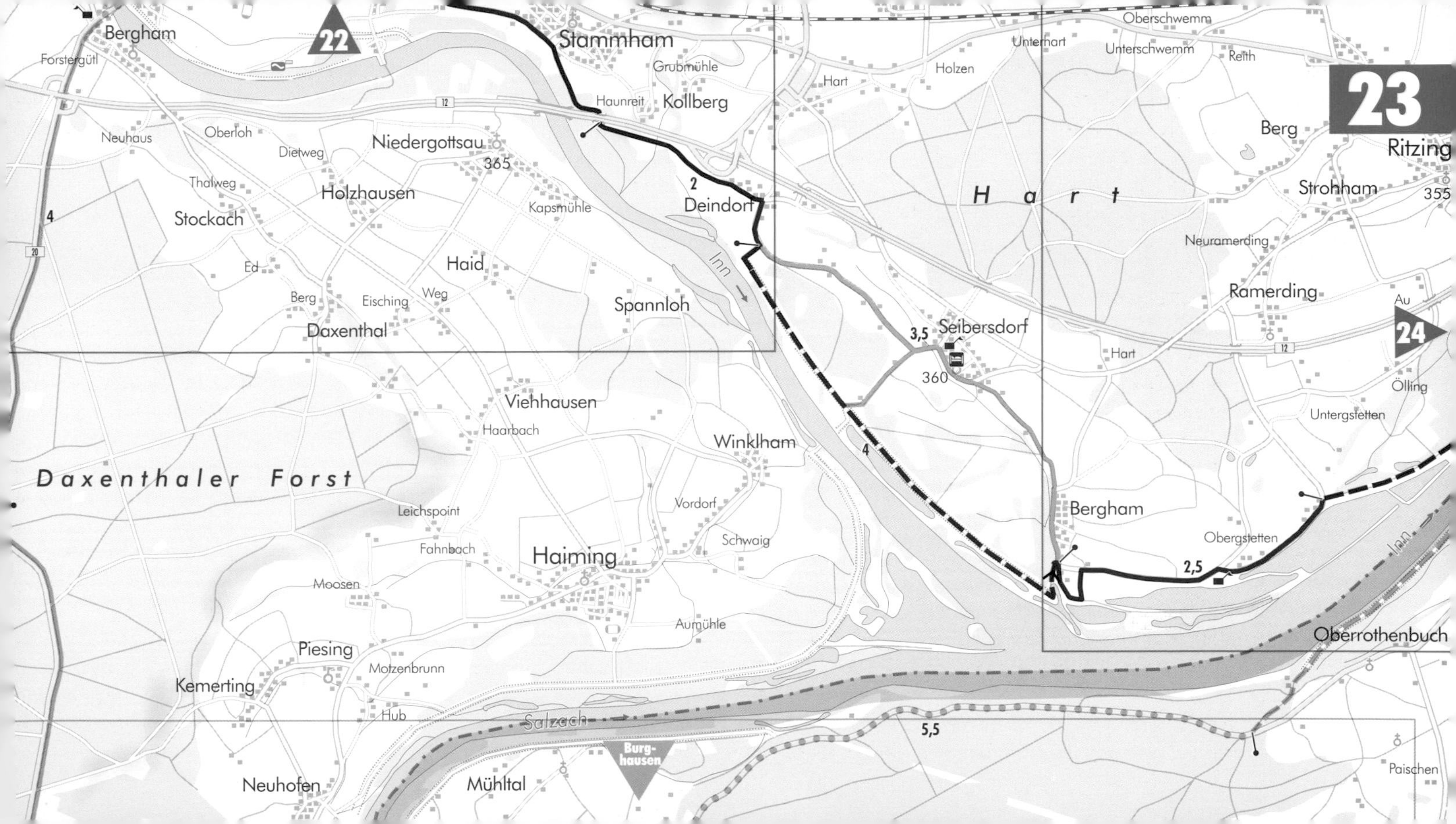

22
23
24
Bergham
Forstergütl
Stammham
Grubmühle
Haunreit
Kollberg
Oberschwemm
Unterhart
Unterschwemm
Reith
Holzen
Hart
Berg
Ritzing
Strohham
355
Neuhaus
Oberloh
Dietweg
Niedergottsau
365
Thalweg
Holzhausen
Kapsmühle
Deindorf
2
H a r t
Stockach
4
20
12
Neuramerding
Ed
Haid
Inn
Ramerding
Au
Berg
Eisching
Weg
Spannloh
Daxenthal
3,5
Seibersdorf
360
Hart
Ölling
Untergstetten
Viehhausen
Haarbach
Winklham
Daxenthaler Forst
Leichspoint
Vordorf
Bergham
Obergstetten
Fahnbach
Schwaig
2,5
Haiming
Moosen
Aumühle
Oberrothenbuch
Piesing
Motzenbrunn
Kemerting
Hub
Salzach
5,5
Burg-hausen
Paischen
Neuhofen
Mühltal

*Blick auf die Inn-Salzach-Mündung vom Süden*

## Bergham

Vor **Bergham** verlassen Sie den Dammweg links ab und passieren eine kleine Brücke ~ danach geht es linksherum über einen Anstieg in den Ort ~ dort in einem spitzen Winkel nach rechts, dem Schild „Waldsee" folgend ~ nach zirka 300 Metern verlassen Sie die Vorfahrtsstraße und fahren geradeaus auf einem Feldweg weiter ~ am Aussichtsturm vorbei ~ danach links ab ~ zurück an der Vorfahrtsstraße nach rechts einbiegen ~ hinter **Untergstetten** wechseln Sie wieder auf den Dammradweg.

Das **Kraftwerk Simbach-Braunau** umfahren Sie linksherum und kommen zum **Kirchdorfer Waldsee**. Dort folgen Sie der Straße landeinwärts und fahren bis zur Unterführung der B 12 ~ davor nach rechts in eine Kiesstraße ~ der Beschilderung Inntalradweg folgend passieren Sie die Unterführung der B 340 und radeln an einem Fabrikgelände vorbei ~ Sie kommen später zur Bundesbahn, deren Verlauf Sie folgen, ohne sie zu überquerenweiter zum Damm hin, wo Sie bald den ehemaligen Grenzübergang bei der Innbrücke erreichen ~ links geht es ins Zentrum von Simbach.

## Simbach

PLZ: D-84359; Vorwahl: 08571

- **Stadtverwaltung**, Innstr. 14, ✆ 6060
- **Rathaus**, im Jugendstil 1908-10 erbautes herausragendes Baudenkmal.

*Am Ende des 18. Jahrhunderts wurde das Innviertel an Österreich abgetreten, da begann der wirtschaftliche Aufschwung der Grenzstadt* **Simbach**. *Die Bahnlinie München-Simbach-Braunau förderte die Entwicklung so entscheidend, dass Simbach sogar die „Eisenbahnerstadt" genannt wurde. Ab der Jahrhundertwende wandelte sich Simbach nach und nach von einer rein bäuerlichen Gemeinde zum begehrten Standort für Industrie und Gewerbe. Im Ortskern dominiert ein Baustil: der Jugendstil.*

Nach Passieren der Grenzbrücke gelangen Sie geradeaus auf den großen Stadtplatz von Braunau.

## Braunau am Inn

PLZ: A-5280; Vorwahl: 07722

- **Tourismusverband**, Stadtpl. 2, ✆ 62644.
- **Bezirksmuseum**, Altstadt 10, ✆ 808227, ÖZ: Mo-Sa. In zwei Häusern untergebracht, in der Herzogsburg und im Glockengießerhaus. In diesem wurde von 1385 bis zum Ende des vorigen Jahrhunderts gearbeitet. Die Einrichtung blieb im Original erhalten und gilt als Seltenheit im deutschsprachigen Raum.
- **Pfarrkirche St. Stephan**. Spätgotische Hallenkirche mit dem dritthöchsten Turm Österreichs (99 m), Grundsteinlegung 1439. Jede Zunft ließ dabei ihren eigenen Altar errichten. Bei der darauffolgenden Barockisierung konnten allerdings nur reiche Zechen die aufwendige Neugestaltung mittragen. Die Bäcker waren damals nicht in der Lage, genügend Geld für den neuen Altar aufzubringen. Damit ist der vollständig im gotischen Stil erhaltene Bäckeraltar nunmehr das Juwel unter den Seitenaltären.

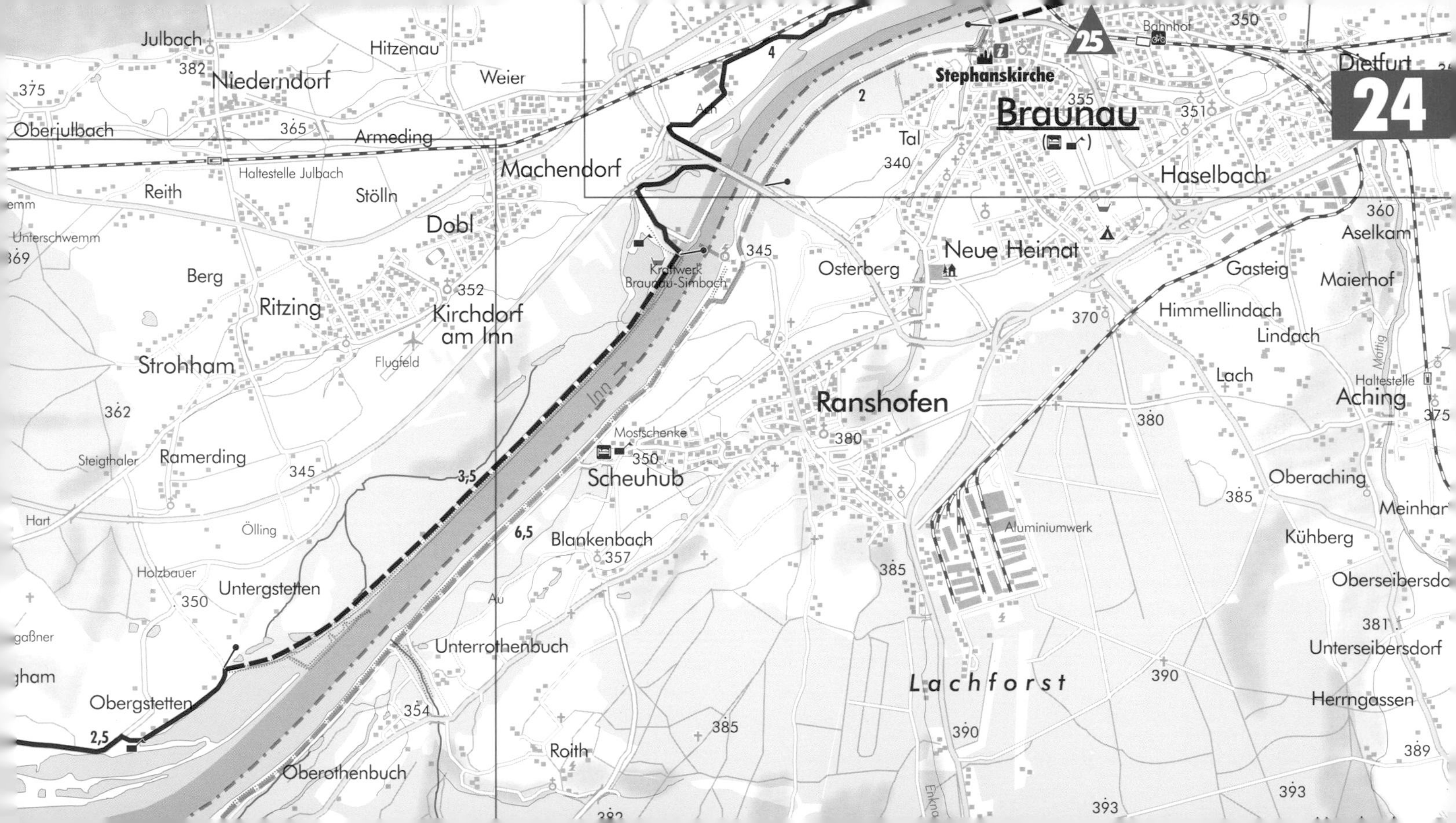
24
25
Julbach
Hitzenau
382
Niederndorf
Weier
375
Oberjulbach
365
Armeding
Haltestelle Julbach
Machendorf
Reith
Stölln
Dobl
Unterschwemm
369
Berg
Ritzing
352
Kirchdorf am Inn
Flugfeld
Strohham
362
Steigthaler
Ramerding
345
Hart
Ölling
Holzbauer
Untergstetten
350
Obergstetten
2,5
3,5
6,5
Inn
Au
Unterrothenbuch
354
Oberothenbuch
Roith
385
Ach
4
2
Stephanskirche
Bahnhof
350
Dietfurt
Braunau
355
351
Tal
340
Haselbach
Kraftwerk Braunau-Simbach
345
Osterberg
Neue Heimat
360
Aselkam
Gasteig
Maierhof
370
Himmellindach
Lindach
Lach
Haltestelle
Aching
375
Ranshofen
380
380
Mostschenke
350
Scheuhub
Blankenbach
357
385
Aluminiumwerk
Oberaching
385
Kühberg
Oberseibersdo
381
Unterseibersdorf
Lachforst
390
390
Herrngassen
389
393
393
Mattig

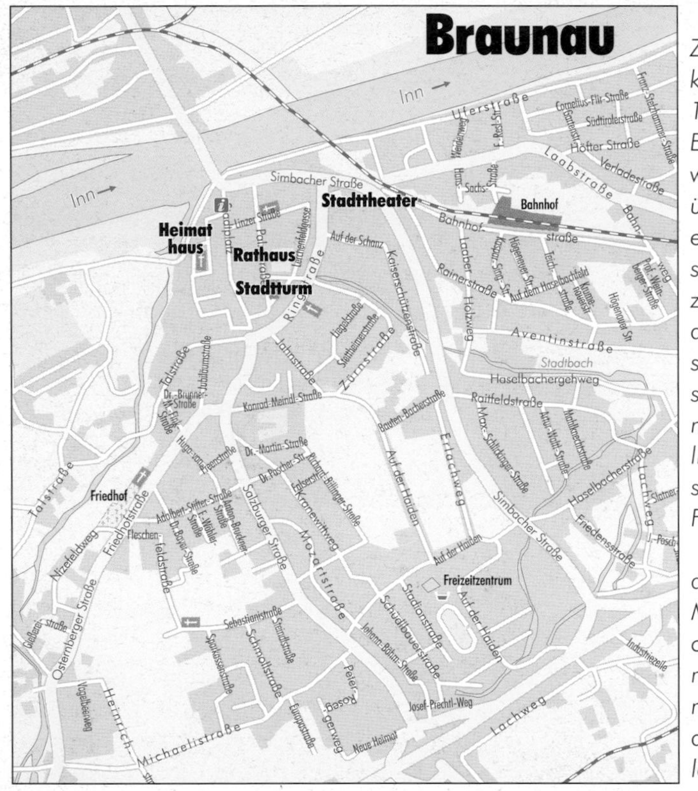


*Braunau* liegt auf dem Zwickel zwischen Inn und Enknach „an der braunen Au". 1260, gleichzeitig mit dem Erlangen des Stadtrechtes, wurde auch die erste Brücke über den Inn errichtet. Vom einstmals reichen Zunftwesen, vom Salzhandel und zahlreichen Privilegien künden noch heute Bürgerhäuser am architektonisch geschlossenen Stadtplatz. Beinahe jedes Bauwerk wurde liebevoll und stilgerecht restauriert, wobei die alten Fassaden erhalten blieben.

Braunau gehört, wenn auch in einem anderen Maße als etwa Mauthausen oder Dachau, zu den Orten mit historisch belasteten Namen. Hier steht bekanntlich das Geburtshaus Adolf Hitlers. Diese an sich nicht besonders wichtige Tatsache hat jedoch einen ziemlich großen Stellenwert für die Stadt erlangt. Zumindest im Hinblick darauf, womit der Name Braunau im In- und Ausland in Verbindung gebracht wird. Auch eine Folge der häufigen Überbetonung der Person Hitlers in Betrachtungen über den Zweiten Weltkrieg und den Nationalsozialismus. Heute gibt es Bemühungen in Braunau (z. B. die jährlichen „Zeitgeschichtetage"), wie auch in anderen Orten in Mittel- und Osteuropa, von diesem einseitigen Bild in der Öffentlichkeit wegzukommen.

# Von Braunau nach Passau

## 64 km



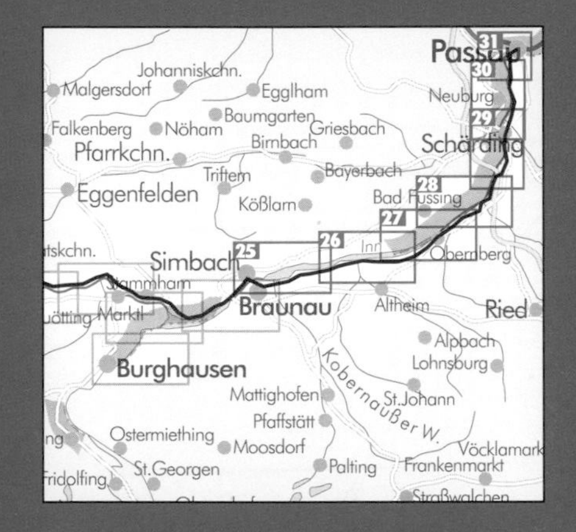


Der letzte Abschnitt des Inn-Radweges führt durch eine wahre Naturattraktion: das Europareservat Unterer Inn. Die Feuchtgebiete entlang der Stauseen sind als Brut-, Durchzugs- und Überwinterungsplatz für Wasservögel von besonderer Bedeutung. Der Auwald beherbergt hier neben dem Artenspektrum von Büschen sogar Orchideen und die Wildform des Hopfens. Aber auch Kulturbegeisterte kommen nicht zu kurz, da die Reihe reizvoller Innstädte wie Obernberg oder Schärding sich weiter fortsetzt. Vor der „Dreiflüssestadt" Passau bietet die Vornberger Flussenge durch das harte Gestein der Böhmischen Masse unvergessliches Reisebilder. Und der Inn wird zwischen dem österreichischen Innviertel und Bayern wieder zum Grenzfluss.

Bis Passau können Sie zwischen zwei ausgeschilderten Ufervarianten wählen. Jene auf bayrischer Seite verläuft unspektakulärer und ist schneller, lediglich in der Vornberger Enge wird es durch die Mountainbike-Strecke spannender. Die Hauptroute am rechten Ufer bietet mehr Höhepunkte, dafür aber führt sie gelegentlich auch entlang der Bundesstraße.

**Tipp:** Ab Braunau gibt es wieder zwei Varianten, beide verlaufen abwechselnd am Flussdamm direkt oder auf kleinen Landstraßen. Auf der österreichischen Seite müssen Sie hie und da ein paar Kilometer auf der Bundesstraße in Kauf nehmen. Beide Routen sind als **Inntal-Radweg** gekennzeichnet. Zwischen beiden Ufern können Sie bei Frauenstein, Obernberg und Schärding wechseln. Der Streckenverlauf ist auf bayrischer Seite etwas ländlicher geprägt, die reizvolle Vornbacher Enge vor Passau ist hier am ehesten für das Mountainbike geeignet.

## Am Deutschen Ufer von Braunau nach Bad Füssing 26,5 km

Für alle, die sich wieder nach **Bayern** begeben wollen, beginnt die Route in Simbach am Ende der Innbrücke ~ kurz nach der Bahnunterführung des Dammweges verlassen Sie diesen nach links ~ neben dem Damm verläuft der Weg durch die Aulandschaft und nähert sich der Bundesstraße ~ nach einem kurzen Anstieg rechts auf dem gepflasterten Weg weiter ~ 400 m danach haben Sie wieder den Damm erreicht ~ dahinter erstrecken sich die weitverzweigten Nebenarme des Inn.

**Tipp:** Laut Hinweisen von Tourismusverbänden soll im Winter 98/99 der Damm erhöht und in diesem Zuge ein Radweg angelegt worden sein.

Nachdem Sie auf einer kleinen Brücke den Prienbach gequert haben, umfahren Sie das Bad Mühlauer Bucht ~ 1,3 km weiter verlassen Sie das Hochufer und folgen der Vorfahrtsstraße in Richtung Ering zum **Eglsee** ~ wieder am Ufer, gelangen Sie kurz nach einer Kapelle zum Aussichtsturm von Eglsee.

*Der **Vogelbeobachtungsturm** bietet die Gelegenheit, das weltbekannte Vogelparadies und -schutzgebiet rund um die **Hagenauer Bucht** kennenzulernen.*

**Tipp:** In den Sommermonaten empfiehlt es sich ab Egelsee auf der Straße nach Ering weiterzufahren und den Dammweg für die Weiterfahrt eher zu meiden, da Sie hier leicht in Konflikt mit Vogelbeobachtern kommen können.

Über **Auggenthal** und **Grießer** gelangen Sie problemlos in die beschauliche Ortschaft Ering ~ an der Einmündung der **Grießer Straße** in die **Simbacher Straße** rechts einbiegen ~ von der Simbacher Straße rechter Hand weiter auf der **Passauer Straße** in den Ortskern von Ering.

Wenn Sie sich doch für den Dammweg entschieden haben fahren Sie gleich nach dem Turm auf dem Radweg auf einem Damm zum Inn hinaus ~ an der **Staustufe Ering**, knapp vor dem Kraftwerk verlassen Sie den Damm wieder ~ das **Kraftwerk** bietet zwischen 6.30 und 20 Uhr die Möglichkeit zum Wechsel auf die Hauptroute nach Frauenstein auf österreichischer Seite ~ auf der bayerischen Variante fahren Sie links durch die Kastanienallee auf Ering zu ~ direkt am Weg befindet sich das Infozentrum zum Europareservat Unterer Inn.

### Ering

PLZ: D-94140; Vorwahl: 08573

i **Gemeindeverwaltung**, Schlossring 18, ✆ 96090.

**Kirche Maria Himmelfahrt**, gotischer Bau aus der Zeit um 1400

**Schloss Esterhazy**, außerordentlich reiche Rokokoausstattung von 1772 im Inneren.

✱ **Infozentrum zum Europareservat Unterer Inn**, Innwerkstr. 15. ✆ 1360, ÖZ: Di-Mi 14-17 Uhr, Do-Sa 10-12 Uhr und

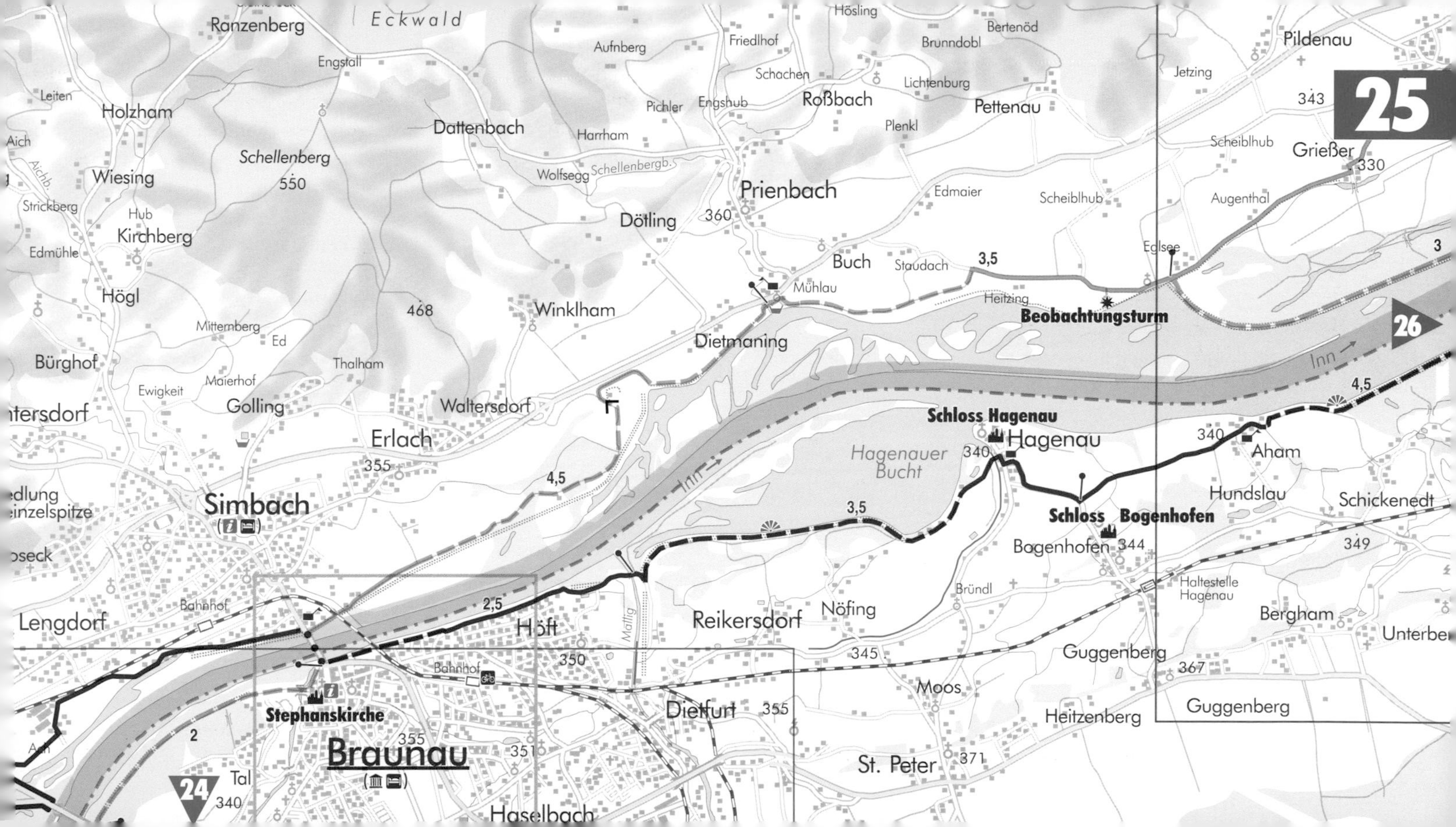

25
26
24
Ranzenberg
Eckwald
Hösling
Bertenöd
Pildenau
Friedlhof
Brunndobl
Aufnberg
Engstall
Schachen
Jetzing
Lichtenburg
Leiten
Holzham
Pichler
Engshub
Roßbach
Pettenau
343
Dattenbach
Harrham
Plenkl
Aich
Scheiblhub
Grießer
Schellenberg
Wolfsegg
Schellenbergb.
330
Wiesing
550
Prienbach
Edmaier
Scheiblhub
Augenthal
Strickberg
Hub
Kirchberg
Dötling
360
Edmühle
Eglsee
Buch
Staudach
3,5
Mühlau
Högl
Heitzing
Beobachtungsturm
468
Winklham
Mitternberg
Ed
Dietmaning
Bürghof
Thalham
Inn
Maierhof
Ewigkeit
4,5
Golling
Waltersdorf
Schloss Hagenau
Hagenau
340
Aham
Erlach
Hagenauer Bucht
340
355
4,5
Hundslau
Simbach
3,5
Schloss Bogenhofen
Schickenedt
Bogenhofen
344
349
Bründl
Haltestelle Hagenau
Bahnhof
Nöfing
2,5
Reikersdorf
Bergham
Lengdorf
Höft
Unterbe
Mattig
345
Guggenberg
350
Bahnhof
367
Moos
Dietfurt
355
Guggenberg
Stephanskirche
Heitzenberg
2
355
Braunau
351
St. Peter
371
Tal
340
Haselbach

*Europareservat „Unterer Inn"*

14-17 Uhr, So 10-17 Uhr. Informationen zur Ökologie und Technik im internationalen Vogelschutzgebiet von der Salzachmündung bis Passau.

Von Ering fahren Sie auf der Straße Richtung Malching weiter ~ Sie bleiben knapp 2 Kilometer auf dieser Straße, die Kirche von Malching immer im Blickfeld ~ vor dem **Straßreitbauer-Hof** rechts ~ der Fahrweg bringt Sie über **Asperl** und Urfar nach Biberg. Am Ortsende von **Urfar** ist das Café „Christiane" ein beliebter Treffpunkt für müde Radler. In **Biberg** finden sich noch einige sehenswerte Backsteinbauten mit Holzaufbau.

### Biberg

Nach der Ortschaft beim Trafohäuschen rechts nach **Aufhausen** ~ dort wenden Sie sich nach links und radeln weiter nach Aigen.

### Aigen

**Tipp:** Von **Aigen** nach Egglfing stehen Ihnen nun zwei Routenführungen zur Wahl: der **Vogelkundeweg**, den Sie über Irching erreichen, und der Weg unmittelbar am **Flussdamm**. Beide Wege treffen sich hinter Egglfing bei der Innbrücke am Damm.

Um den **Vogelkundeweg** zu nehmen, folgen Sie in Aigen dem Verlauf der Ortsdurchfahrt ~ vorbei an der Kirche mit dem Zwiebelturm, an herrlichen Tuffsteinbauten und am Gasthof verlassen Sie Aigen in Richtung Irching ~ in **Irching** beim Feuerwehrhaus zum Inn abbiegen ~ beim Auwald beginnt der Vogelkundeweg ~ auf einem unbefestigten Weg erreichen Sie nach 1,6 Kilometern eine Weggabelung, an der Sie in den asphaltierten Weg nach rechts einbiegen ~ dann queren Sie die Zufahrtsstraße zum Kraftwerk Egglfing-Obernberg ~ gleich danach nach rechts auf der **Heidwiesstraße** weiter ~ durch eine Wohnsiedlung am Ortsrand von **Egglfing** kommen zum Gasthof „Zur Innbrücke". Dort geht's rechts wieder zum Inn.

Wollen Sie den **Dammweg** schon von Aigen aus erreichen, folgen Sie gleich in der Ortseinfahrt dem großen Schild mit der Aufschrift „INN" ~ über eine Treppe gelangen Sie dann auf den Dammradweg ~ nach 4 schnellen Kilometern ist flussabwärts die **Staustufe Egglfing-Obernberg** erreicht ~ diese Flusssperre ist mit dem Rad nicht befahrbar ~ weiter geht's am Damm vorbei an Egglfing und zur Grenzbrücke.

### Egglfing

**Tipp:** Bei der Brücke zwischen Egglfing und Obernberg bietet sich die Möglichkeit, einen Abstecher nach Österreich in die sehenswerte Stadt **Obernberg** zu machen. Ebenso empfehlenswert ist der Besuch in Bad Füssing, einem der größten Kurorte des süddeutschen Raumes.

## Nach Bad Füssing

Der Radweg parallel zur Kreisstraße führt über 3 Kilometer bequem über Safferstetten ins Zentrum von Bad Füssing.

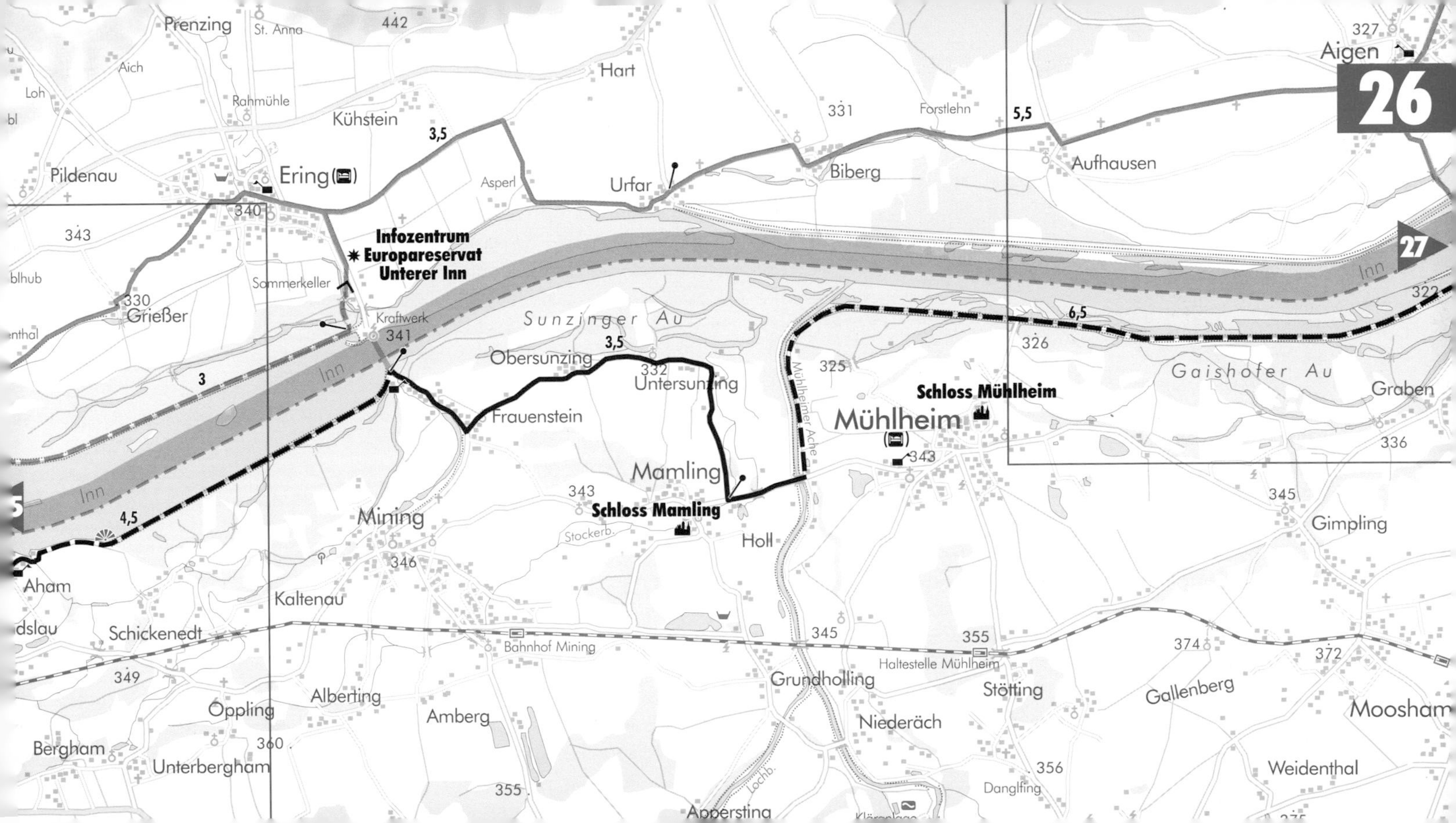
26
27
Prenzing
St. Anna
442
Aich
Loh
Rahmühle
Kühstein
Hart
331
Forstlehn
5,5
327
Aigen
3,5
Pildenau
Ering
Asperl
Urfar
Biberg
Aufhausen
340
343
Infozentrum
Europareservat
Unterer Inn
Sommerkeller
330
Grießer
Kraftwerk
341
Sunzinger Au
Inn
322
6,5
326
3,5
Obersunzing
332
Untersunzing
325
Mühlheimer Ache
Gaishofer Au
Graben
3
Schloss Mühlheim
Frauenstein
Mühlheim
343
336
Mamling
343
Schloss Mamling
345
Gimpling
4,5
Mining
Stockerb.
Holl
346
Aham
Kaltenau
Schickenedt
Bahnhof Mining
345
355
Haltestelle Mühlheim
374
372
349
Grundholling
Stötting
Gallenberg
Oppling
Alberting
Amberg
Niederäch
Moosham
Bergham
360
Unterbergham
356
Weidenthal
355
Danglfing
Lochb.
Appersting

### Bad Füssing

PLZ: D-94072; Vorwahl: 08531

- **Kurverwaltung**, Rathausstr. 8, ✆ 975580.
- **Bauernhausmuseum**, Am Kurpark. ÖZ: Di-So 15-18 Uhr. Im 400 Jahre alten Bauernhaus werden Sammlungen aus dem bäuerlichen Bereich gezeigt.
- **Bernsteinmuseum**, Heilig-Geist-Str. 2 (Am Freizeitpark), ÖZ: Di-Fr 14-17 Uhr, Sa 10-13 Uhr.
- **Puppenmuseum**, Safferstettnerstr. 44.
- **Thermalbad**, Kurallee 23, ✆ 9446. ÖZ: Mo, Di, Do 7-18 Uhr, Mi, Fr, Sa 7-21Uhr.

*Bad Füssing ist eine Kuriosität unter den Kurbädern Europas. Erst vor 60 Jahren wurden die 56°C heißen, schwefelhaltigen Quellen entdeckt, die aus 1000 m Tiefe emporsteigen. Binnen kürzester Zeit boomte der Kurbetrieb, aus dem verschlafenen Weiler wurde ein geplantes, vielseitiges Erholungszentrum. Selbstvertsändlich können Sie hier einen Erholungstag einlegen – mit Besuch von Therme oder Sauna, zur Verabreichung von Kur- oder Heilpackungen oder zur Massage.*

Schloss Hagenau

### Am österreichischen Ufer von Braunau nach Obernberg — 26,5 km

Wenn Sie sich für die **Hauptroute** am **rechten Innufer** entschieden haben, verlassen Sie den Stadtplatz von Braunau über die **Linzer Straße** ⟿ an der ersten Kreuzung biegen Sie nach links ein und fahren über den Parkplatz der **Musikschule** hinunter zum Wassertor ⟿ unter der Stadtmauer hindurch gelangen Sie ans Innufer und zum Radweg.

Rechtsherum geht es entlang der **Stadtmauer** bald unbefestigt und unmittelbar am Fluss entlang weiter ⟿ 500 m nach der **Eisenbahnbrücke** verlassen Sie das Ufer und fahren nun auf Dammniveau weiter ⟿ an Einfamilienhäusern und Gärten vorbei in Richtung **Sportplatz** ⟿ wieder auf dem Radweg, geht's auf einer **Holzbrücke** über die Mattig ⟿ hier informiert eine Tafel über den „Naturerlebnisweg".

*Hier ist der Damm zu beiden Seiten von Jungwald gesäumt, der sich an manchen Stellen lichtet und den Blick auf Wasser, Schilf und Vogelwelt freigibt. Eine Aussichtskanzel über dem linken Dammabhang lädt zu einem Zwischenstopp ein. Hier und da erläutern Informationstafeln die Flora und Fauna. Später weitet sich der aufgestaute Inn seeartig zur* ***Hagenauer Bucht****.*

Ab der Schranke am Hagenauer Ortsbeginn führt die kleine Straße in Kurven zum **Schloss Hagenau**.

*Die neuzeitlichen Mauern verbergen ein Renaissanceschloss, in dessen Mitte ein Wohnturm aus dem Hochmittelalter erhalten blieb.*

### Hagenau

Die Route geht bei der Hauptstraße nach rechts weiter und läuft bereits nach 50 Metern bei der Informationstafel der Gemeinde wieder nach links ⟿ am **Gasthof** vorbei verlassen Sie die Ortschaft Hagenau und folgen unter Birnbäumen der Landstraße nach Bogenhofen ⟿ etwa nach einem halben Kilometer nach links ab ~ die nächste Ortschaft heißt **Aham** ~ der Bauernhof zur Rechten bietet Gelegenheit für eine deftige Mostjause ~ nach einem Bogen durch die Ortschaft beginnt am Ufer wieder der Radweg ~ auf dem Dammrücken zur **Staustufe Ering-Frauenstein** ~ davor treffen Sie auf ein Gasthaus, das im noch erhaltenen Teil der **Burg Frauenstein** untergebracht ist.

### Frauenstein

*Im 12. Jahrhundert errichteten die Grafen von Pogen auf einer halbinselförmigen Felsnase auf den Resten keltischer oder römischer Mauern eine* **Burg**. *Nach dem Verkauf der Burg um 1400 an die Frauenhofener erhielt das Bauwerk seinen heutigen Namen. Der größte Teil der Burg ist durch den Bau der Staustufe im Wasser verschwunden.*

Mit dem Rad kann man zwischen 6.30 und 20 Uhr über das Kraftwerk ans andere Ufer wechseln ~ die **Hauptroute** hingegen folgt der Straße um den Gastgarten herum ~ in der Siedlung **Frauenstein** müssen Sie beim **Brunnen** in Richtung Ober- und Untersunzing links abbiegen ~ nach einigen Kilometern stoßen Sie an eine größere Straße, in die Sie links einbiegen und nach der zweiten Brücke über die Mühlheimer Ache gleich wieder innwärts verlassen.

**Tipp:** Geradeaus geht es zum nahen **Badesee** von Mühlheim.

Die Route folgt nach der Abzweigung dem Verlauf der Mühlheimer Ache ~ durch dichte Auvegetation erreichen Sie den Radweg am Damm ~ kurz vor dem Weiler „Ufer" führt eine kleine Brücke über ein einmündendes Gewässer ~ danach geleitet Sie ein Güterweg nach **Kirchdorf**. Bei der nächsten Querstraße fahren Sie links und passieren eine Jausenstation und ein Gasthof ~ in der Rechtskurve links ab, der Weg nähert sich wieder dem Fluss an.

Innstausee

**Tipp:** Ein Stück weiter lädt das Schild „Schlosstaverne - Most" zu einem kleinen Ausflug nach Katzenberg ein.

***Schloss Katzenberg*** *liegt auf dem Hang, umgeben von mächtigen Kastanienbäumen. Das Schloss ist ein Bau des 17. Jahrhunderts, der an drei Seiten mit dreigeschossigen Hofarkaden ausgestattet ist.*

Die Radroute führt geradeaus weiter und verlässt die Straße nach 600 Metern, genau nach den **Fischteichen**, zum Inn hin.

### Europareservat Unterer Inn

*Mitten auf dem breiten Fluss liegt eine Insel, die von tausenden Vögeln bevölkert ist, die „Vogelinsel". Die Insel gehört zum* ***Europareservat Unterer Inn****, das als „Natur aus zweiter Hand" bezeichnet werden kann. Denn als um die Mitte des 20. Jahrhunderts die ersten Flusskraftwerke am Inn gebaut wurden, wurde zwar das alte Landschaftsbild zerstört, doch gleichzeitig bildete sich eine neu Fluss- und Insellandschaft, die in Mitteleuropa ihresgleichen sucht. Durch die Verringerung der Strömungsgeschwindigkeit und die aufgestauten Wasser-*

*mengen entstanden Auen, in denen sich neben Binsen auch Silberweiden und zahlreiche andere Baumarten ausbreiten konnten.*

*Im Mosaik stiller Gewässer zwischen den grünen Inninseln tummeln sich unbehelligt Enten und eine Vielzahl anderer Wasservögel. In den Altarmen, im Schutz des Schilfes und der Auriesen, brüten, rasten und überwintern fast 280, zum Teil sehr selten gewordene Vogelarten. Zur Zeit der Vogelzüge wird dieses Gebiet von einer viertel Million Wasservögeln aufgesucht, die aus den Wattgebieten, aus Nordsibirien und vom Balkan kommen.*

*Wer mit einem Fernglas und vor allem mit ein wenig Muße und Geduld das Auengebiet durchstreift, der wird so manche seltene Vögel, wie schneeweiße Seidenreiher, Kormorane, Milane oder Weißflügelseeschwalben, in den Tümpeln und Altarmen beobachten können. Auch der vom Aussterben bedrohte Seeadler kommt in den Brut- und Rastgebieten der Innauen noch vereinzelt vor.*

*Die Uferauen des Unteren Inn sowie die zahlreichen Schwemminseln weisen nicht nur für Wasservögel, sondern auch für Biber geradezu ideale Lebensbedingungen auf, so dass sich entlang der Staubereiche des Flusses zahlreiche Familien dieser Nager ihre Burgen bauten. Um die Funktion der Stauseen am Unteren Inn als Brut- und Rastplatz der Wasservögel von internationaler Bedeutung zu erhalten, wurde das Flussgebiet von Braunau/Simbach bis Egglfing/Obernberg zum Naturschutzgebiet erklärt. Der Dschungel Mitteleuropas ist der am meisten bedrohte Waldtypus unserer Breiten. Mehr als die Hälfte der Innauen ist bereits zerstört worden.*

*Einer der „Stars" im Naturschutzgebiet, die Trauerseeschwalbe*

Durch ein schattiges Wäldchen setzt sich der Radweg am Damm fort ⁓ kurz nach dem Passieren eines kleinen **Bootshafens** erreichen Sie das **Sportzentrum** von Obernberg ⁓ beim Beginn der Asphaltstraße auf der Höhe des Kraftwerks ruht am linken Wegesrand ein riesiges ausgedientes Turbinenlaufrad ⁓ etwa 500 Meter nach dem **Schwimmbad** zweigt rechts der Weg ab, dem die Radroute folgt.

**Tipp:** An der Vorfahrtsstraße vor Obernberg besteht die Möglichkeit, linksherum auf das andere Innufer zu fahren.

Die **Hauptroute** überquert die Zubringerstraße zur Grenzstation und erklimmt schräg den Hang, um über den sehenswerten **Marktplatz** in Obernberg weiterzuführen ⁓ wenn in einem spitzen Winkel die nächste Straße quert, liegt auf der dem Fluss zugewandten Seite die „Köpfstätte"; dieser Platz bietet eine herrliche Aussicht auf den Inn und nach Bayern hinüber ⁓ der Weg zum Marktplatz führt aber geradeaus weiter durch das Rathaustor.

**Obernberg am Inn**

PLZ: A-4982; Vorwahl: 07758

i Tourismusverband, ✆ 3600.

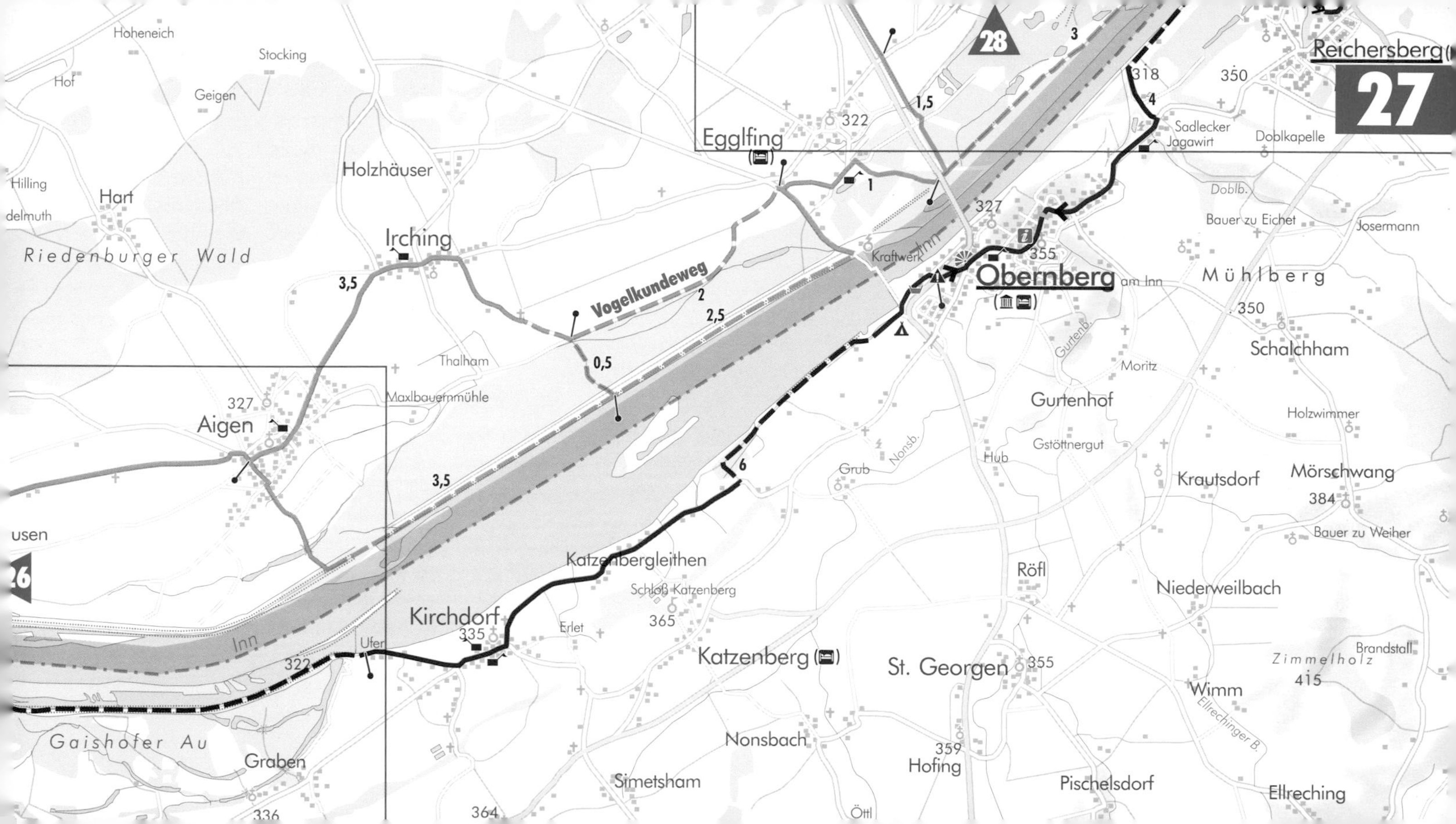

Hoheneich
Stocking
Hof
Geigen
Egglfing
322
1,5
28
3
Reichersberg
318
350
27
4
Sadlecker
Jagawirt
Doblkapelle
Holzhäuser
1
Hilling
Hart
delmuth
Doblb.
327
Bauer zu Eichet
Josermann
Irching
Riedenburger Wald
Kraftwerk
Inn
355
Obernberg am Inn
Mühlberg
3,5
Vogelkundeweg
2
2,5
350
Schalchham
Thalham
0,5
Gurtenb.
Moritz
327
Maxlbauernmühle
Gurtenhof
Holzwimmer
Aigen
Gstöttnergut
Hub
Nonsb.
3,5
6
Grub
Krautsdorf
Mörschwang
384
usen
Bauer zu Weiher
Katzenbergleithen
Röfl
Schloß Katzenberg
Niederweilbach
Kirchdorf
335
Erlet
365
Inn
Ufer
322
Brandstall
Katzenberg
St. Georgen
355
Zimmelholz
415
Wimm
Ellrechinger B.
Gaishofer Au
Graben
Nonsbach
359
Hofing
Simetsham
Pischelsdorf
Ellreching
336
364
Öttl

*Innstaustufe bei Obernberg*

**Heimatmuseum** im Gurtentor, ✆ 2255. ÖZ: Mai-Okt., Do-So 14-16 Uhr. Neben bäuerlichen Gebrauchs- und Wohngegenständen (Kastenbett) wird auch die Landwirtschaft früherer Zeiten dokumentiert.

*Der Marktplatz von* **Obernberg** *ist einer der schönsten Barockplätze Österreichs. Die kunstvoll gestalteten Schiffsmeisterhäuser lassen den einstigen Wohlstand der Salzschiffer erahnen. Unter den von Johann Baptist Modler kunstvoll mit Stuckornamenten verzierten Häusern sollten Sie sich die Apotheke mit der Marienstatue, das Wörndle-Haus und das Schiffsmeisterhaus keinesfalls entgehen lassen. Durch die Bezirksgerichtsgasse kommt man über den noch erhaltenen Burggraben zur Burg, die heute, wie der Name der Gasse bereits nahelegt, das Bezirksgericht beherbergt. Der Burggraben ist größtenteils erhalten geblieben, man kann dort gemütliche Spaziergänge unternehmen. Die ursprünglich aus dem 12. Jahrhundert stammende Anlage wurde im 16. Jahrhundert zum Schloss erweitert.*

## Am deutschen Ufer von Bad Füssing nach Passau 38,5 *km*

Auf dem weiteren Dammradweg steht Ihnen nun durchgehendes Radfahrvergnügen bis zur 15 Kilometer entfernten **Staustufe Schärding-Neuhaus** bevor ~ der Fluss und das österreichische Ufer mit dem **Stift Reichersberg** oder dem ehemaligen **Kloster Suben** bilden eine ansprechende Kulisse ~ Wissenswertes über den Fischbestand bieten die aufgestellten Informationstafeln entlang des Weges ~ auf der Höhe von **Würding** und **Gögging** laden Verbindungswege ein, in den Ortschaften Rast zu machen.

Beim **Kraftwerk Schärding-Neuhaus** verlassen Sie den Dammweg und folgen der breiten Zufahrtsstraße landeinwärts ~ nach 2 Kilometern mündet von links kommend der **Rottal-Radweg** ein (Näheres dazu im ***bikeline*-Radtourenbuch Niederbayern**) ~ eine überdachte Holzbrücke führt Sie nach rechts über die Rott ~ nach 600 m geht´s rechts ab, der Beschilderung folgend, auf einen kleinen Pfad, der zum Ufer und kurz darauf links herum zur Innbrücke führt ~ an der Brücke, am Ortsrand von Neuhaus, geradeaus stadteinwärts.

**Tipp:** Es sei denn, Sie wollen vor der Weiterfahrt **Schärding** besichtigen oder bis Passau auf die österreichische Innseite wechseln. In diesem Fall biegen Sie nach der Grenzbrücke links ab, so gelangen Sie zum Wassertor oder geradeaus und damit zum Hauptplatz von Schärding. Die Weiterfahrt auf bayrischer Seite durch die Vornbacher Enge sei nur jenen zu empfehlen, die mit breiteren Reifen ausgerüstet ein Stück engen und holprigen Weg nicht scheuen.

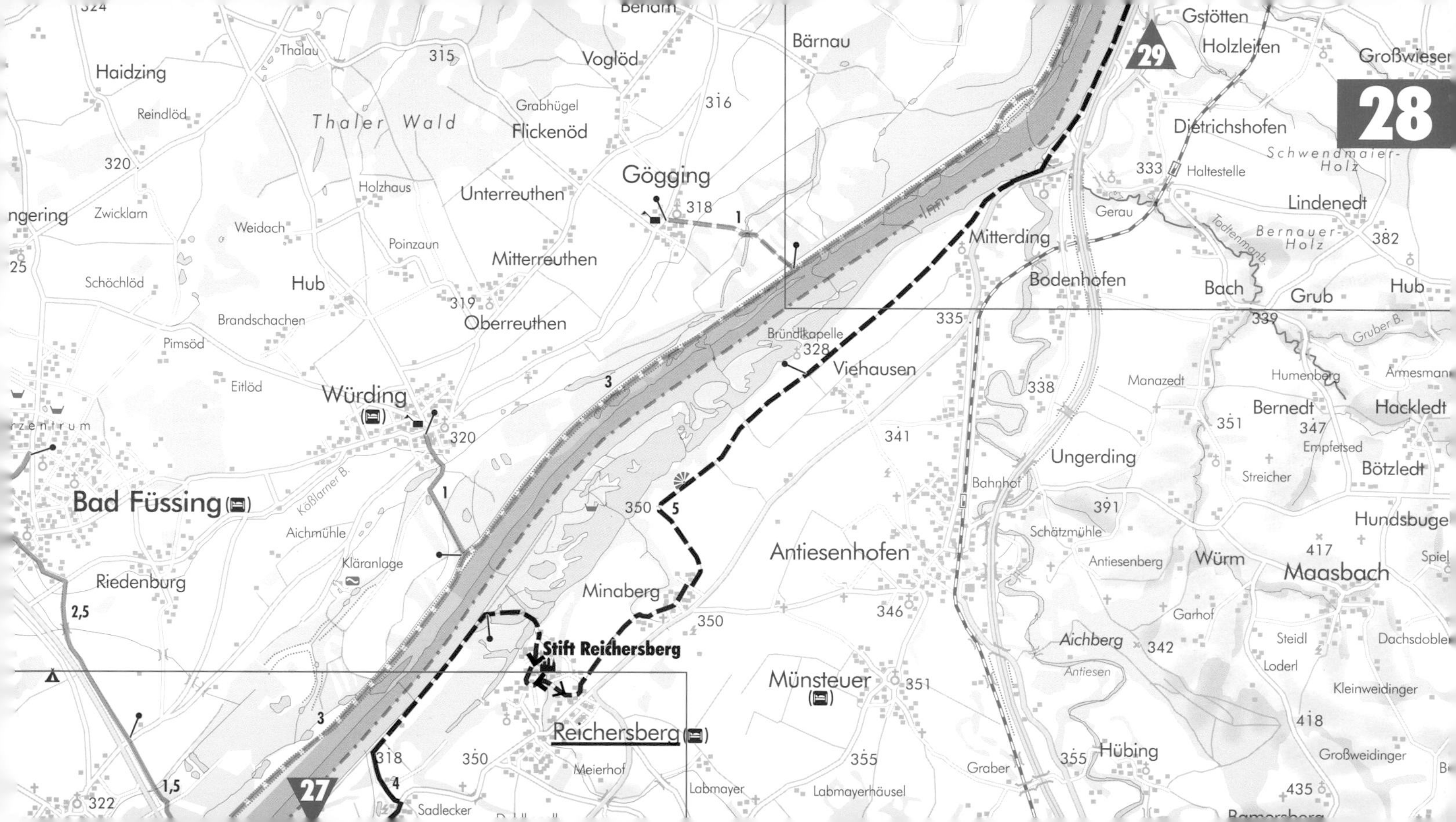
28
29
27
Haidzing
Thalau
Thaler Wald
Voglöd
Grabhügel
Flickenöd
Gögging
Bärnau
Gstötten
Holzleiten
Großwieser
Dietrichshofen
Schwendmaier-Holz
Haltestelle
Lindenedt
Bernauer-Holz
Todtenmanb.
Gerau
Mitterding
Bodenhofen
Bach
Grub
Hub
Reindlöd
Holzhaus
Unterreuthen
Zwicklarn
Weidach
Poinzaun
Mitterreuthen
Schöchlöd
Hub
Brandschachen
Oberreuthen
Pimsöd
Eitlöd
Würding
Inn
Bründlkapelle
Viehausen
Manazedt
Humenberg
Arnesman
Bernedt
Hackledt
Empfetsed
Bötzledt
Streicher
Ungerding
Bahnhof
Schätzmühle
Hundsbuge
Gruber B.
Bad Füssing
Kößlarner B.
Aichmühle
Kläranlage
Riedenburg
Minaberg
Antiesenhofen
Antiesenberg
Würm
Maasbach
Spiel
Garhof
Aichberg
Steidl
Dachsdoble
Antiesen
Loderl
Stift Reichersberg
Münsteuer
Kleinweidinger
Reichersberg
Meierhof
Labmayer
Labmayerhäusel
Graber
Hübing
Großweidinger
Sadlecker
324
315
316
320
318
319
320
25
333
382
335
339
328
338
341
351
347
391
350
417
346
342
350
351
418
318
350
355
355
435
322
1
3
1
5
2,5
3
4
1,5

*Am Marktplatz von Obernberg*

## Neuhaus am Inn

PLZ: D-94152; Vorwahl: 08503

ℹ **Touristinformation im Rathaus**, Klosterstr. 1, ✆ 91110.

✱ **Schloss Neuhaus**, 1320 als Festungssperre errichtetes fünftürmiges Wasserschloss. Heute ist nur die Klosterkirche zu besichtigen.

Vor der Innbrücke auf bayrischem Ufer links abgebogen, radeln Sie durch Neuhaus und am Schloss vorbei ~ der Fahrweg schlängelt sich danach durch den Auwald und führt unter der **B 512** hindurch ~ an der Weggabelung hinter der **Kläranlage** rechts ~ in **Niederschärding** rechts und an der Weggabelung auf dem Weg in Richtung Vornbach ~ hinterm **Sportplatz** folgen Sie dem Straßenverlauf bis zur Vorfahrtsstraße und dort nach rechts ~ in der **Klostertaverne** können Sie, falls nötig, eine Pause einlegen.

## Vornbach

**Benediktinerabtei Mariä Himmelfahrt und Schloss**, im Barockstil errichteter Kirchenbau aus dem Jahr 1637. 1803 wurde das Kloster in ein Schloss umgewandelt. Besonders wertvoll ist die historische Ausstattung in Form getäfelter Renaissance- und Barockstuben mit reich kassettierten Decken und gepressten Ledertapeten, bunten Keramiköfen und kostbarem Mobiliar.

Im Anschluss daran vertrauen Sie sich beim Schloss dem roten Wegweiser des Radweges 41 an ~ ein Schild des Wandervereins Passau weist Sie bald darauf in den Wald hinein ~ die landschaftlich reizvolle Strecke durch die Vornbacher Enge verläuft auf den ersten Kilometern auf einem schmalen, holprigen Waldweg ~ unter Umständen müssen Sie Ihr Rad ein Stück schieben ~ für Mountainbiker ist der Weg allerdings ein wahres Paradies.

An den Weggabelungen, die Ihnen begegnen, halten Sie sich immer rechts ~ schließlich kommen Sie hinunter zum Inn ~ auf der gegenüberliegenden Seite ist die Burg **Wernstein** zu sehen ~ an der Kreuzung bei der **Kläranlage** links in Serpentinen rund 100 Höhenmeter steil hinauf nach Neuburg am Inn ~ an der Einmündung des Weges von Neuburg ist das Radschild mit der Aufschrift „Passau 8 Kilometer" nicht zu übersehen.

## Neuburg am Inn

PLZ: D-94127; Vorwahl: 08502

ℹ **Gemeindeverwaltung**, Raiffeisenstr. 6, ✆ 900811

**Schloss Neuburg**, Burganlage aus dem 11. Jh.

Nun bleiben Sie immer auf dem **Promenadenweg**, landschaftlich eine der reizvollsten Strecken entlang des Inn, am Fuß des **Neuburger Waldes** ~ 400 Meter hinter der Abzweigung zum **Forstdiensthaus** halten Sie sich an der Kreuzung rechts ~ in Höhe des Innstauwerks **Ingling** mündet der Weg auf einen großen Parkplatz ~ nach dem **Passauer Ruderverein** umfahren Sie die Innstaustufe und können bald wieder zum Inn abzweigen ~ auf dem Uferweg erreichen Sie dann **Passau** ~ beim Innsteg mündet die Variante vom österreichischen Ufer ein und es geht auf der Promenade in die Innenstadt weiter.

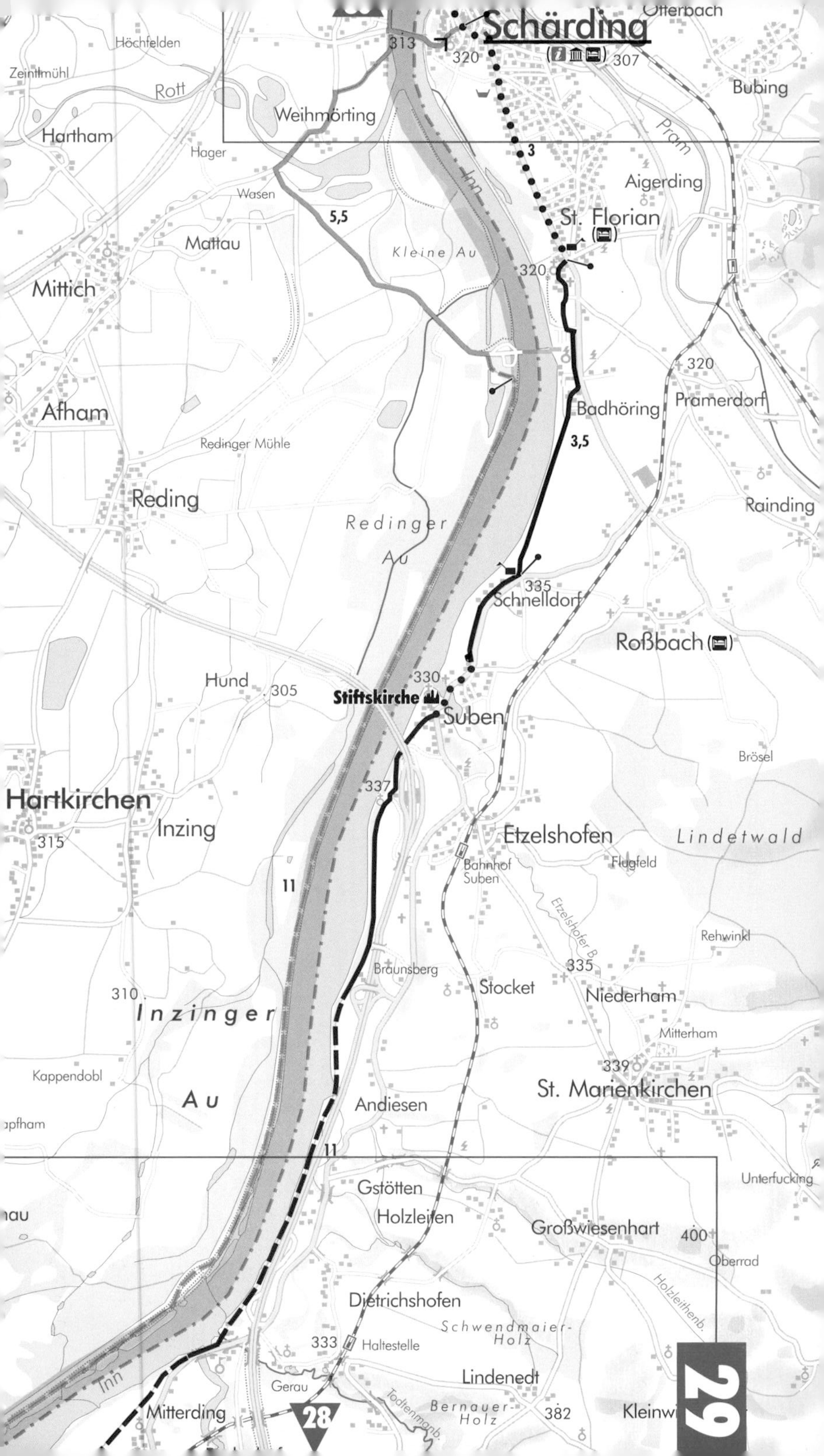

Schärding
Otterbach
313
320
307
Höchfelden
Zeintlmühl
Rott
Weihmörting
Bubing
Hartham
Hager
3
Pram
Aigerding
Wasen
5,5
Mattau
St. Florian
Inn
Kleine Au
320
Mittich
320
Afham
Badhöring
Pramerdorf
3,5
Redinger Mühle
Reding
Rainding
Redinger Au
335
Schnelldorf
Roßbach
Hund
305
330
Stiftskirche
Suben
Brösel
337
Hartkirchen
315
Inzing
Etzelshofen
Lindetwald
Bahnhof Suben
Flugfeld
11
Etzelshofer B.
Rehwinkl
Braunsberg
335
310
Stocket
Niederham
Inzinger Au
Mitterham
339
Kappendobl
St. Marienkirchen
Andiesen
11
Unterfucking
Gstötten
Holzleiten
Großwiesenhart
400
Oberrad
Holzleithenb.
Dietrichshofen
Schwendmaier-Holz
333
Haltestelle
Lindenedt
Gerau
Todtenmanb.
Mitterding
28
Bernauer-Holz
382
29

### Am österreichischen Ufer von Obernberg nach Passau 37,5 km

Durch das altehrwürdige **Gurtentor**, in dem das **Heimatmuseum** untergebracht ist, verlassen Sie Obernberg auf der anderen Seite wieder ~ an der Ortsgrenze rollen Sie entlang der **B 142** über den Gurtenbach ~ unmittelbar nach einer zweiten Brücke verlassen Sie die Straße nach links ~ am Innufer schwenkt der für eine längere Strecke unbefestigte Weg nach rechts ein und geht in Richtung Reichersberg weiter ~ auf einem Holzsteg geht's dann über die bezaubernde Bucht am Fuße des Stifts von **Reichersberg** ~ die Inn-Route führt unterhalb am Stift vorbei und schwenkt unmittelbar vor der Bundesstraße nach links ~ die Klosteranlage mit dem Gastgarten hingegen erreichen Sie, indem Sie den Parkplatz für die Innauen-Besucher überqueren und dann der schmalen Straße den Berg hinauf rechtsherum folgen ~ auf der anderen Seite treffen Sie dann vor der B 142 auf die Hauptroute.

Das Kloster und Schloss Reichersberg

**Reichersberg**

PLZ: A-4981; Vorwahl: 07758

**Tourismusverband** Reichersberg, ✆ 2315.

**Stiftsmuseum Reichersberg**, ✆ 2313. Bietet einen Einblick in das Leben einer geistlichen Gemeinschaft.

**Stift Reichersberg**, ✆ 2313, Stiftsführungen: Ostern bis Allerheiligen, Mo-So 15 Uhr, ansonsten So und Mi 15 Uhr. Gruppen nach Voranmeldung, auch Sonderausstellungen und Konzerte. Erbaut nach Plänen der Brüder Carlone.

*Das heutige Erscheinungsbild des* ***Augustiner-Chorherrenstifts*** *geht auf das Jahr 1624 zurück. Damals machte ein Brand den Neubau notwendig. Die Lage auf der Hochterrasse über dem Fluss verleitete zur Bezeichnung „Turmbekrönte Gottesburg am Inn". Die letzten „Burgherren" von Reichersberg holten 1084 Ordensbrüder des heiligen Augustinus auf die Burg. Der äußere der beiden Höfe beeindruckt vor allem durch die doppelgeschoßigen Bogengänge. Im gesamten Ensemble treten der Bayerische Saal und der Festsaal wegen der aufwendigen Gestaltung hervor. Auch im auslaufenden 20. Jahrhundert ist das Stift das geistig-kulturelle Zentrum der Region. Es etablierte sich unter anderem ein Zentrum der Erwachsenenbildung. Kirche und Festsaal bilden den Rahmen für zahlreiche Sonderausstellungen und Konzerte.*

Weiter geht die Route nun an der Ostseite des Stifts ~ knapp bevor Sie die Durchfahrtsstraße erreichen, biegen Sie links ab ~ von alten Bäumen gesäumt, läuft der Güterweg zwischen den Feldern auf **Minaberg** zu ~ im Dörflein links ab, um nach den letzten Häusern wieder dem Inn entgegenzufahren ~ mit guter Aussicht geht es am Fluss weiter ~ im Hintergrund sind bereits die dunkelgrünen Hügel des Sauwaldes zu sehen, ein Ausläufer der böhmischen Masse ~ die schmale Straße, die auf der Höhe von **Viehhausen** von rechts auf den Radweg trifft, markiert den Weg zur **Bründlkapelle** ~ über eine kurze Treppe zum Inn hinunter ist die Kapelle zu Fuß erreichbar.

Nach weiteren 2 Kilometern teilt sich der

*Im Innviertel*

Radweg eine Brücke mit der Bundesstraße, und Sie setzen über die **Antiesen**, die nach ihrem windungsreichen Lauf hier in den Inn mündet ~ gleich nach der Brücke nach links ab ~ wieder zurück am Ufer werden Sie für einige Kilometer unfreiwillig von einer Autobahn „begleitet" ~ der von der Autobahn überspannte Holzleitenbach wird überquert ~ der Weg führt dann nach dem **Gasthof „Zur Tausendjährigen Linde"** unter der Autobahnbrücke hindurch nach Suben ~ am **Friedhof** entlang gelangen Sie zur Hauptstraße und halten sich links ~ wen die Kräfte verlassen haben und auf die Bahn „umsatteln" möchte, findet rechts in **Etzelshofen** den ersten Bahnhof seit Braunau.

## Suben

**Gemeindeamt**, Nr. 50, ✆ 07711/ 2255.

**Ehemaliges Augustiner-Chorherrenstift**, mächtiger Gebäudekomplex, heute ein Gefangenenhaus, die Rokoko-Stiftskirche ist öffentlich zugänglich.

*Die unübersehbare Männerstrafanstalt von* ***Suben*** *wurde 1040 als Augustiner-Chorherrenstift gegründet. Nach der Aufhebung als Ordenshaus im Zuge der Säkularisierung im 18. Jahrhundert diente es zunächst als Frauenstrafanstalt und wurde dann 1865 seiner heutigen Bestimmung übergeben.*

Am Gefangenenhaus vorbei verlassen Sie Suben auf der Durchfahrtsstraße ~ bei

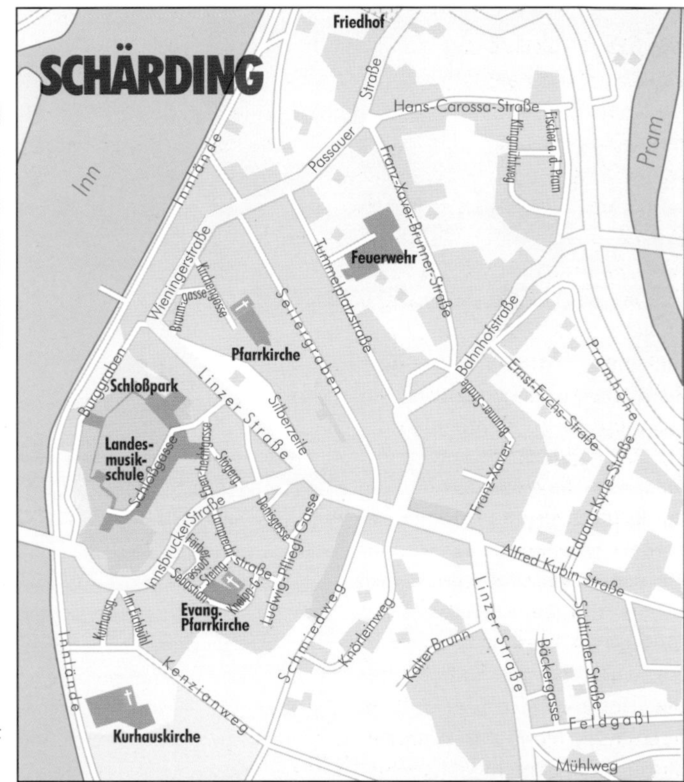

*Schärding – Silberzeile*

der Ortsgrenze beginnt ein Begleitradweg, der im Bereich von **Schnelldorf** in eine Nebenfahrbahn übergeht ~ unmittelbar nach dem **Gasthof Schnelldorf** schwenkt die Route um eine Hecke herum nach links ein ~ vom asphaltierten Radweg aus ist bereits Schärding zu sehen ~ bei **Badhöring** weicht der Radweg dem **Umspannwerk** aus und führt bis St. Florian parallel zur Landstraße.

### St. Florian

Da am Promenadenweg zwischen **St. Florian** und Schärding Radfahren nicht erlaubt ist, müssen Sie hier auf die verkehrsbelastete Straße ausweichen ~ nach knapp 2 km kommen Sie durch das **Linzer Tor** auf den **Stadtplatz** von Schärding.

*Am anderen Ende des Stadtplatzes befindet sich das Wassertor. Auf der gegenüberliegenden Seite des Flusses blicken Sie auf einen weiß und rosa gestreiften Bau mit einem Turm, das Schloss Neuhaus. Davor gibt es eine kleine Felsinsel aus Granit, den* **Kreuzstein**.

### Schärding

PLZ: A-4780; Vorwahl: 07712

**Tourismusverband**, Unterer Stadtpl. 19, ✆ 43000.

**Innschifffahrt Schaurecker**, ✆ 3231 od. 7350, Mai-Okt. wird die Strecke Schärding-Wernstein-Neuburg-Passau/Ingling mehrmals täglich befahren.

**Heimathaus**, Schlossgasse, ÖZ: April-Okt., Mi, Do 15-17 Uhr, Fr, Sa 10-12 Uhr.

**Pfarrkirche Hl. Georg**. Mit gotischem Chor und Langhaus aus der Zeit um 1725.

*Im Jahre 804 wurde* ***Schärding*** *erstmals urkundlich erwähnt. Schon vor der Errichtung der ersten Innbrücke im Jahr 1310 war die Stadt ein wichtiger Handelsplatz. Vor allem Salz und Holz, aber auch Tuffstein und Salzburger Marmor, Holz- und Venedigerwaren wurden auf dem Inn transportiert und hier feilgeboten. Unter den Wittelsbachern wurde Schärding zu einer stattlichen Festung ausgebaut. Die drei noch erhaltenen Stadttore und Reste der Befestigungsmauer zeugen vom wehrhaften Charakter der immer wieder heiß umkämpften Stadt. Im Inneren des Wassertores findet sich noch ein steinerner Pranger.*

*Das Juwel des städtischen Ensembles ist unzweifelhaft der Stadtplatz. Der harmonisch gestaltete, langgezogene Platz gliedert sich durch einen Querbau eigentlich in zwei Plätze. Besonders eindrucksvoll ist die „Silberzeile" genannte*

Karl Hofman KEG
A-4780 Schärding
Passauer Str. 8
Tel. 07712/3064-0
Fax 4464-8
E-Mail: biedermeier-hof@aon.at

Traditioneller Familienbetrieb in der Barockstadt Schärding, an ruhiger, zentraler Altstadtlage. Bekannt für gutes Essen und stilvolle Zimmer mit modernem Komfort – Du/Bad, WC, Sat-TV, Tel., Haarfön, tw. Z-Safe u. Mini-Bar, 60 Betten, Buffetfrühstück. Ideal für Rad-Touristen als Start/Etappe/Ziel, nahe am Inn Radweg. Eigener PKW-Parkhof für Kurz- od. Langzeitparker, Fahrrad-Garage, -shop, -Waschanlage; Radverleih; Gastgarten;

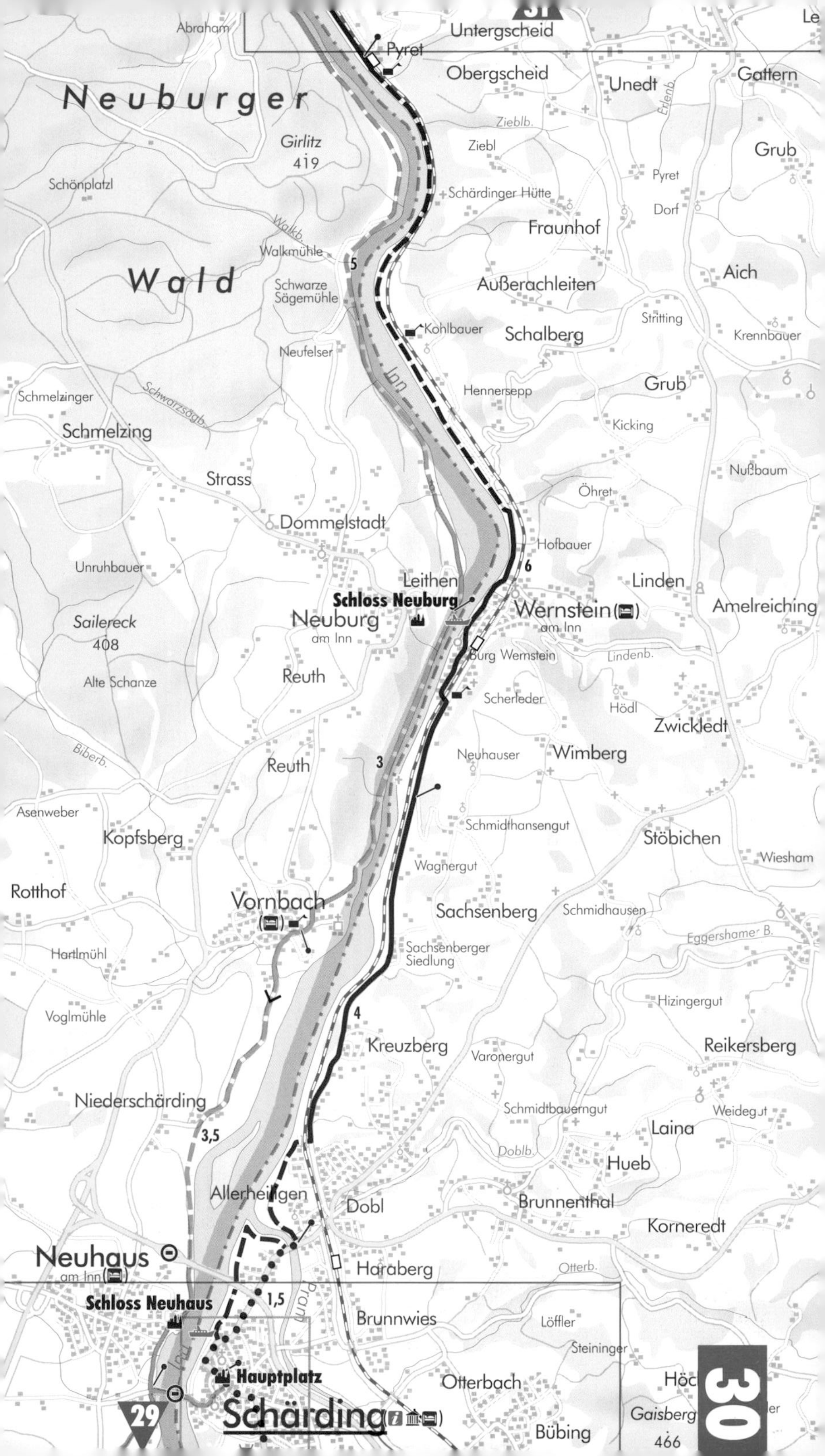
30
Neuburger Wald
Abraham
Untergscheid
Pyret
Obergscheid
Unedt
Gattern
Girlitz
419
Zieblb.
Ziebl
Grub
Schönplatzl
Schärdinger Hütte
Pyret
Dorf
Walkb.
Walkmühle
Fraunhof
5
Schwarze Sägemühle
Außerachleiten
Aich
Kohlbauer
Schalberg
Stritting
Krennbauer
Neufelser
Inn
Hennersepp
Grub
Schmelzinger
Schwarzsägb.
Kicking
Schmelzing
Strass
Nußbaum
Öhret
Dommelstadt
Hofbauer
Unruhbauer
6
Leithen
Linden
Schloss Neuburg
Wernstein
am Inn
Amelreiching
Neuburg
am Inn
Sailereck
408
Burg Wernstein
Lindenb.
Reuth
Alte Schanze
Scherleder
Hödl
Zwickledt
Biberb.
Neuhauser
Wimberg
Reuth
3
Asenweber
Schmidthansengut
Kopfsberg
Stöbichen
Wiesham
Wagnergut
Rotthof
Vornbach
Sachsenberg
Schmidhausen
Eggershamer B.
Sachsenberger Siedlung
Hartlmühl
Hizingergut
4
Voglmühle
Kreuzberg
Varonergut
Reikersberg
Niederschärding
Schmidtbauerngut
Weidegut
3,5
Laina
Doblb.
Hueb
Allerheiligen
Dobl
Brunnenthal
Korneredt
Neuhaus
am Inn
Haraberg
Otterb.
1,5
Pram
Schloss Neuhaus
Brunnwies
Löffler
Steininger
Inn
Hauptplatz
Otterbach
Höc
29
Schärding
Gaisberg
466
Bübing

*prächtige Häuserfront an der Nordseite des oberen Stadtplatzes. Heute begründen Schärdinger Granit, Schärdinger Milch- und Käseprodukte und das Schärdinger Bier den Ruf der attraktiven Stadt.*

**Tipp:** Wer für das letzte Stück der Inn-Route bis Passau die bayrische Seite und damit die beschwerlichere aber verzauberte Strecke durch die reizvolle Vornbacher Flussenge wählt, muss bei Schärding über den Inn nach Neuhausen hinüberwechseln. Bis zur Inn-Mündung in Passau sind noch 14 km zurückzulegen.

Weiter auf der rechtsufrigen **Hauptroute** folgen Sie vor dem Wassertor in Schärding dem Straßenverlauf nach rechts, bis Sie zur Brücke über die Pram kommen ~ unmittelbar nach der Brücke zwischen dem Betonhäuschen und der Hecke nach links ~ danach ist noch eine kleine Holzbrücke über den Doblbach zu queren ~ dann folgt der Weg der Hecke zur Linken.

Am Ufer entlang umrundet die Route eine Wohnsiedlung, nach deren letzten Häusern ein allgemeines Fahrverbot beginnt, der Weg ist Radfahrern vorbehalten, und ein Schild am linken Rand weist scharf nach rechts ~ in einer unbefestigten Kehre müssen Sie dann ein kleines Stück bergauf radeln, um den Durchlass unter der Eisenbahn zu erreichen ~ der Enge zwischen Bahn und Fluss entronnen, folgt die Route einer Nebenstraße in Richtung Passau.

*Bald ist das Stift-Schloss von* ***Vornbach*** *zu sehen, ein zweitürmiger Bau, der am gegenüberliegenden Flussufer in wundervoller Lage am Südhang des Neuburger Forstes liegt. Unterhalb von Vornbach fließt der Inn in einem engen Tal am* ***Johannisfelsen*** *vorbei. Ein paar Kilometer flussab ragt mitten im Wald das fünftürmige* ***Schloss Neuburg*** *in den Himmel.*

Auf der Höhe des bayrischen Neuburg liegt auf der rechten Flussseite Wernstein, wo die Route am Beginn des Ortes die Eisenbahntrasse überquert.

### Wernstein am Inn

PLZ: A-4783; Vorwahl: 07713

**Tourismusverband**, in der Raiffeisenbank Wernstein, ✆ 6963.

**Innschifffahrt** Schaurecker in Schärding, fährt zweimal täglich die Strecke Schärding-Wernstein-Neuburg-Ingling, ✆ 07712/3231. Nur wer die rote Fahne schwenkt, wird auch wirklich abgeholt.

**Kubin-Galerie** in der alten Volksschule. Wernstein ist die Heimat des Malers Alfred Kubin.

Passau – die Dreiflüssestadt

Für die Weiterfahrt biegen Sie bei der **Kirche** links ein ~ nach etwa 200 Metern beginnt ein gesonderter Radweg ~ sobald die rechte Uferlandschaft wieder felsig und steil an den Fluss herantritt, erreichen Sie die Ortschaft **Pyret**.

### Pyret

Bald tauchen die ersten Vororte von Passau auf, Sie kommen zur **Staustufe Ingling** ~ nach der Umrundung des Kraftwerks führt die markierte Route in Kurven durch den kleinen Weiler ⤳ Sie bleiben auf der Flussseite der Eisenbahn ⤳ hinter der **Kapelle** biegen Sie links ab, um zum Radweg am Ufer zu gelangen ⤳ das Weglein steigt um einen weiß gekalkten Neubau herum an und führt nach dem Ortsschild von **Ingling** über die Brücke auf die andere Seite der Bahn ⤳ danach biegen Sie links ein und fahren direkt auf die Grenze zu Deutschland zu.

Vor Passau erreichen Sie die Eisenbahnbrükke über den Inn, fahren an der langen **Friedhofsmauer** vorbei und stehen direkt vor einem imposanten Kirchenbau ⤳ wenn Sie die Kirche linksherum umrunden, erreichen Sie den Innsteg und überqueren Richtung Passauer Innenstadt ein letztes Mal den Inn ⤳ drüben folgen Sie nach rechts der **Innpromenade** und schieben bei der Innbrücke das Rad durch die verwinkelte **Innbrückgasse** zum zentralen **Residenzplatz** ⤳ oder Sie fahren im Inn entlang bis zur eindrucksvollen Mündungsspitze bei der Donau vor, um die Tour würdig abzuschließen ⤳ den **Hauptbahnhof** hingegen erreichen Sie noch vor der Innbrücke links über die **Nikolastraße** und weiter über den **Ludwigsplatz**.

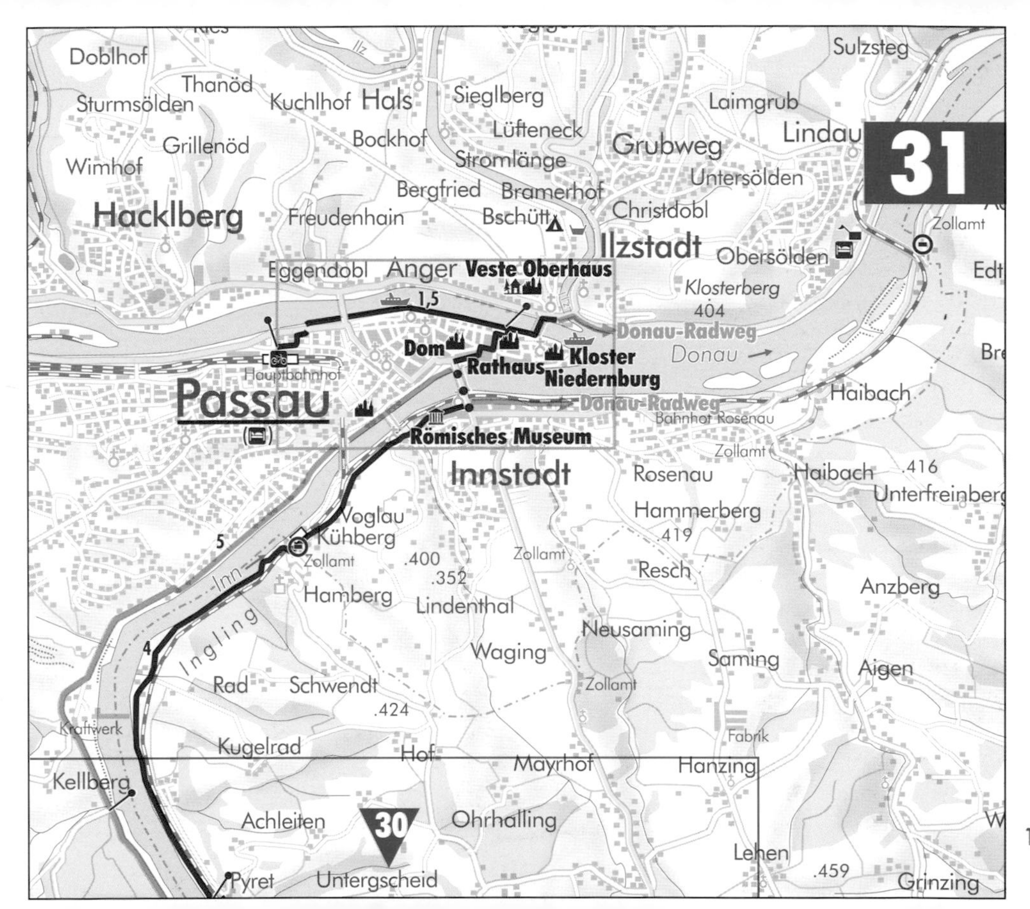

**Tipp:** Das Ende des Inn-Radweges ist damit erreicht, denn hier fließt der Inn in die Donau. Zur direkten Weiterfahrt auf dem **Donau-Radweg** Richtung Wien lassen Sie diesen Steg links liegen und kommen durch das alte Stadttor und die verträumte **Lederergasse** in der Innstadt zum Beginn des Donau-Radweges am Südufer. Die genaue Beschreibung der weiteren Route entlang der Donau finden Sie in dem ***bikeline*-Radtourenbuch Donau-Radweg, Teil 2: Passau-Wien**. Und für die Fahrt in die entgegengesetzte Richtung entlang der „jungen" Donau von hier zur Donau-Quelle im ***bikeline*-Radtourenbuch Donau-Radweg, Teil 1: Donaueschingen-Passau.**

## Passau

PLZ: D-94032-36; Vorwahl: 0851

**Tourist-Information**, 94032, Rathauspl. 3, ✆ 955980

**Rad-Infostelle**, Hauptbahnhof/Bahnhofstr. 36, ✆ 955980.

**Dreiflüsserundfahrten,** Schifffahrtsgesellschaft Wurm & Köck, Höllgasse 26, ✆ 929292, Fahrtdauer 45 Min.

**Inn-Schifffahrt Schärding**, ✆ 07712-3231. Tägl. Kursfahrten am Inn vom 1. April-26. Okt. nach Wernstein-Neuburg, Ingling u. Schärding

Passau

**Oberhausmuseum**, Burgfeste Oberhaus, ✆ 493350, ÖZ: Mo-Fr 9-17, Sa, So/Fei 10-18 Uhr. Historisches Stadtmuseum mit Exponaten zu Schifffahrt und Salzhandel, Böhmerwaldmuseum und Neue Galerie der Stadt. Aussichtsturm. Pendelbus ab Rathaus.

**Domschatz- und Diözesanmuseum**, Zugang durch den Dom, ✆ 393374, ÖZ: Ostern-Okt., Mo-Sa 10-16 Uhr. Geschichte des einst größten Bistums im Hl. Römischen Reich.

**Römermuseum Kastell Boiotro**, Innstadt - Ledererg. 43, ✆ 34769, ÖZ: März-Nov., Di-So 10-12 Uhr und 14-16 Uhr, Juni-Aug., Di-So 10-12 Uhr und 13-16 Uhr. Neben freigelegten Kastellfundamenten sind archäologische Funde aus Passau und Umgebung zu sehen.

**Passauer Glasmuseum**, im „Wilden Mann", Rathausplatz, ✆ 35071, ÖZ: Mo-So 10-16 Uhr, Vor- u. Nachsaison 14-16 Uhr. Die Sammlung dokumentiert mit 30.000 Exponaten das weltberühmte „Böhmische Glas" vom Biedermeier über Jugendstil bis Art Deco.

**Museum Moderner Kunst - Stiftung Wörlen**, Altstadt, Bräug. 17, ✆ 38387979, ÖZ: Di-So 10-18 Uhr. In einem der schönsten Altstadthäuser Passaus wechselnde internationale Ausstellungen mit Kunst des 20 Jhs.

**Dom St. Stephan**. Der älteste Dom wurde 977 zerstört, das heutige Basilika-Langhaus wurde nach dem Salzburger Renaissance-Vorbild 1677 vollendet und gilt als der größte sakrale Barockraum nördlich der Alpen. Besonders sehenswert die Stuckarbeiten, die Fresken, die weltgrößte Orgel und die mächtigen Marmoraltäre.

**Rathaus**, Rathausplatz. Besonders sehenswert der Große Saal (um 1405) mit Kolossalgemälden vom Historienmaler Ferdinand Wagner (19. Jh.). Glockenspiel des Rathausturmes: Mo-So 10.30 Uhr, 14 Uhr und 19.25 Uhr, Sa auch 15.30 Uhr.

**Neue Residenz**, Residenzplatz, ÖZ: April-Okt., Mo-So10-16 Uhr. An der Stelle des frühmittelalterlichen Königshofes und Anfang des 18. Jh. entsprechend dem Repräsentationsbedürfnis der Fürstbischöfe errichtet. Die schmucklose Fassade stellt

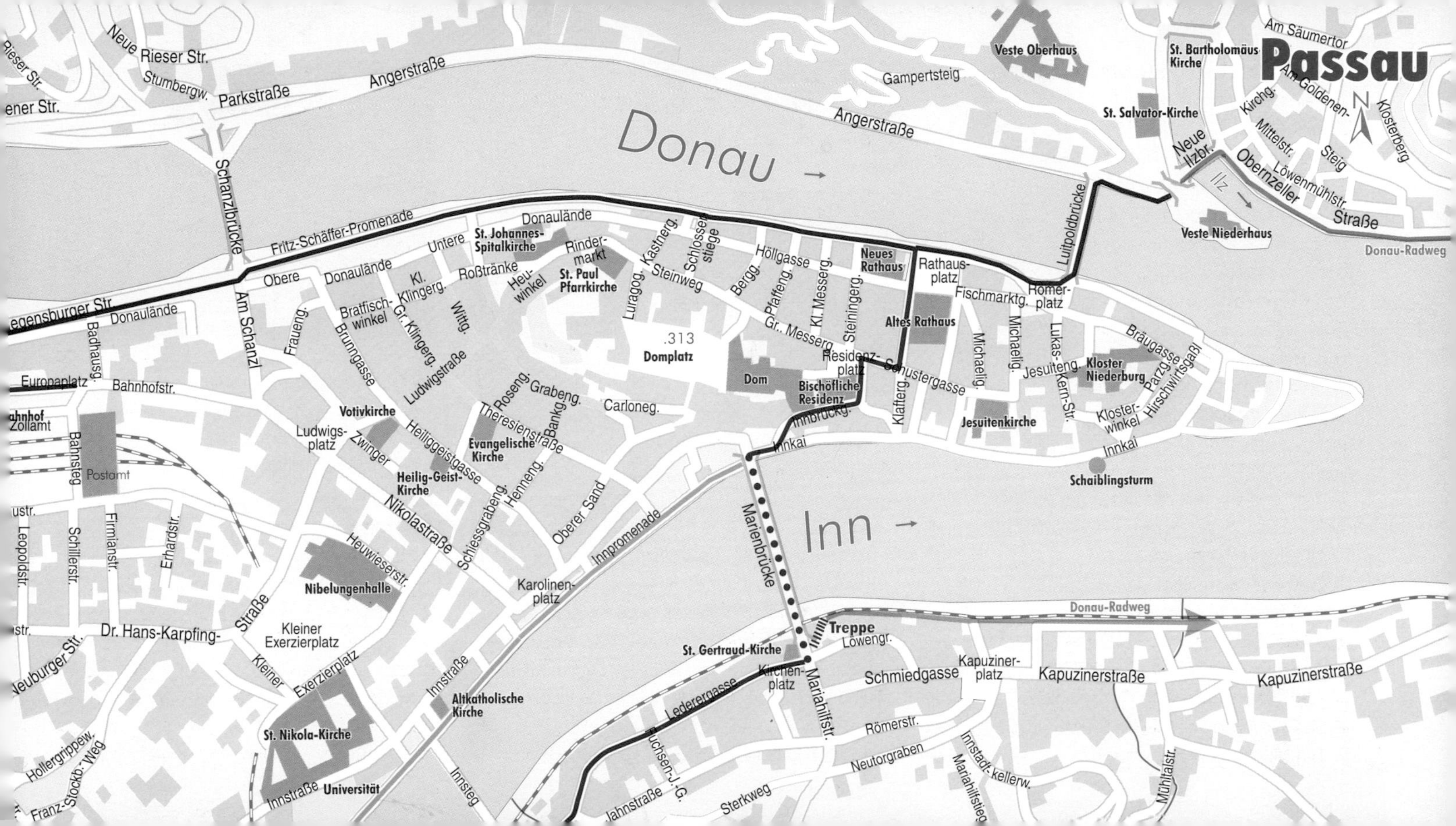

Passau
Donau
Inn
Veste Oberhaus
St. Bartholomäus Kirche
St. Salvator-Kirche
Veste Niederhaus
Am Säumertor
Am Goldenen-Steig
Klosterberg
Kirchg.
Mittelstr.
Löwenmühlstr.
Obernzeller Straße
Neue Ilzbr.
Ilz
Donau-Radweg
Gampertsteig
Angerstraße
Parkstraße
Neue Rieser Str.
Stumbergw.
Schanzlbrücke
Fritz-Schäffer-Promenade
Regensburger Str.
Untere Donaulände
Obere Donaulände
Donaulände
St. Johannes-Spitalkirche
Rindermarkt
St. Paul Pfarrkirche
Roßtränke
Heuwinkel
Kl. Klingerg.
Gr. Klingerg.
Bratfischwinkel
Wittg.
Luragog.
Kastnerg.
Schlossenstiege
Steinweg
Höllgasse
Bergg.
Pfaffeng.
Kl. Messerg.
Steiningerg.
Gr. Messerg.
Neues Rathaus
Rathausplatz
Altes Rathaus
Fischmarktg.
Römerplatz
Luitpoldbrücke
Michaelig.
Lukas-Kern-Str.
Jesuiteng.
Kloster Niederburg
Bräugasse
Parzg.
Hirschwirtsgaßl
Klosterwinkel
Jesuitenkirche
Innkai
Schaiblingsturm
Domplatz
.313
Dom
Bischöfliche Residenz
Residenzplatz
Schustergasse
Klafferg.
Innbrückg.
Carloneg.
Grabeng.
Roseng.
Theresienstraße
Bankg.
Evangelische Kirche
Henneng.
Oberer Sand
Am Schanzl
Frauenq.
Brunngasse
Ludwigstraße
Votivkirche
Ludwigsplatz
Zwinger
Heiliggeistgasse
Heilig-Geist-Kirche
Nikolastraße
Schiessgrabeng.
Innpromenade
Karolinenplatz
Europaplatz
Bahnhofstr.
Badhausg.
Bahnhof
Zollamt
Bahnsteg
Postamt
Leopoldstr.
Schillerstr.
Firmianstr.
Erhardstr.
Heuwieserstr.
Nibelungenhalle
Dr. Hans-Karpfinger-Straße
Kleiner Exerzierplatz
Neuburger Str.
Kleiner Exerzierplatz
Innstraße
Altkatholische Kirche
St. Nikola-Kirche
Universität
Innsteg
Hollergrippew.
Franz-Stockb.-Weg
Marienbrücke
Treppe
St. Gertraud-Kirche
Löwengr.
Kirchenplatz
Mariahilfstr.
Lederergasse
Schmiedgasse
Kapuzinerplatz
Kapuzinerstraße
Römerstr.
Neutorgraben
Innstadt-kellerw.
Mariahilfsteig
Mühltalstr.
Fuchsen-J.-G.
Jahnstraße
Sterkweg

einen bedeutenden Bau des Wiener Frühklassizismus in Passau dar.

- **Nibelungenhalle**, Kleiner Exerzierplatz. Mit Baujahr 1935 ist sie traditioneller Austragungsort der „Europäischen Wochen“, einer Demonstration westlich-abendländischer Kultur seit 1952 und bis zur politischen Wende gegen den Eisernen Vorhang gerichtet, heute in Brückenfunktion zwischen Ost und West.
- **Stadttheater**, Innbrücke. Das ehemalige fürstbischöfliche Opernhaus von 1783 ist heute der einzige erhaltene frühklassizistische Theaterbau Bayerns.
- **Veste Oberhaus,** Georgiberg. Neben dem Dom und der Wallfahrtskirche Mariahilf eine der drei städtebaulichen Dominanten der Stadt. Die mächtige Anlage entwickelte sich von einer bischöflichen Gründung gegen die aufständische Bürgerschaft zur Landesfestung im 19. Jh.
- **Veste Niederhaus**, über der Ilzmündung. Dem Oberhaus vorgelagert und vermutlich im 14. Jh. errichtet. Im 17. Jh. diente sie als Gefängnis, später als Arbeitshaus, heute in Privatbesitz.
- **St. Severin**, beim Innsteg. Die Kirche geht vermutlich auf das 5. Jh. zurück und birgt die Klosterzelle des Hl. Severin.

*Passau – Hauptorgel im St. Stephansdom*

- **Kloster Niedernburg**, Ortsspitze. Niedernburg zählt zu den ältesten kontinuierlich genutzten Klöstern Bayerns, seine Gründung soll bereits um 750 n. Chr. von Tassilo III. (Begründer von Kremsmünster) erfolgt sein.
- **Wallfahrtskirche Mariahilf**, Mariahilfberg. Mit dem Bau der Kirche wurde 1627 begonnen. Nach dem Sieg über die Türken 1683, Kaiser Leopold I. flüchtete während der Belagerung Wiens nach Passau, stieg das Gnadenbild zum habsburgischen „Staats-Gnadenbild“ auf.

*Die „Dreiflüssestadt“ **Passau** wurde schon früh als eine der schönsten Städte Deutschlands bezeichnet. Die einmalige Lage am Zusammenfluss von Donau und Inn, die von Norden noch Verstärkung durch die Ilz bekommen, schuf dafür günstige Rahmenbedingungen. Mit Kultur „gefüllt“ wurde dieses Naturgeschenk durch die ruhmreiche Geschichte der Stadt als Bistum und Herrschaftszentrum des Katholizismus. Um 460 ließ der Heilige Severin hier ein Kloster errichten, welches drei Jahrhunderte später zum Bischofssitz wurde. Pilgrim von Pöchlarn, der erste*

*Passau – Veste Oberhaus*

*große Passauer Bischof, ließ vermutlich das Nibelungenlied aufzeichnen. Er hatte auch bei der Missionierung des Donauraumes großen Erfolg, der Einfluss reichte bis nach Ungarn. Selbst der Wiener Stephansdom ist eine Passauer Gründung.*

*Das Stadtbild spiegelt heute noch die große Bedeutung des Bischofssitzes wider, obwohl viele Bauten durch den verheerenden Brand von 1662 verloren gingen. Auf den gotischen Ruinen wurde eine neue Stadt im italienischen Barockstil errichtet, die mehr denn je Macht und Autorität repräsentierte.*

# Bett & Bike

Alle mit dem Bett & Bike-Logo (🚲) gekennzeichneten Betriebe nehmen an der ADFC-Aktion „Fahrradfreundliche Gastbetriebe" teil. Sie erfüllen die vom ADFC vorgeschriebenen Mindestkriterien und bieten darüber hinaus so manche Annehmlichkeit für Radfahrer. Detaillierte Informationen finden Sie in den ausführlichen Bett & Bike-Verzeichnissen – diese erhalten Sie überall, wo's *bikeline* gibt.

ADFC Allgemeiner Deutscher Fahrrad-Club

# Übernachtungsverzeichnis

Im Folgenden sind Hotels (H), Hotel garni (Hg), Gasthöfe (Gh), Pensionen (P), private Unterkünfte (Pz), Bead and Breakfast (BB) und Bauernhöfe (Bh), Heuhotels (Hh) aber auch Jugendherbergen (▲) und Campingplätze (▲) entlang des des Radweges angeführt. Die Orte sind nicht in alphabetischer Reihenfolge, sondern analog zur Streckenführung aufgelistet.

Das Verzeichnis erhebt keinen Anspruch auf Vollständigkeit und stellt **keine Empfehlung** der einzelnen Betriebe dar. Wichtigstes Auswahlkriterium ist die Nähe zur Radstrecke, in Städten wurden vor allem Betriebe im Zentrum oder nahe zur Route ausgewählt.

Die nachstehenden €-Umrechnungskurse dienen zur leichteren Orientierung:

€ 1 = öS 13,7603
€ 1 = DM 1,95583

Die römische Zahl (I-VI) nach der Telefonnummer gibt die Preisgruppe des betreffenden Betriebes an. Folgende Unterteilung liegt der Zuordnung zugrunde:

| | | |
|---|---|---|
| I | unter € 15,– | |
| II | € 15,– bis € 23,– | |
| III | € 23,– | bis € 30,– |
| IV | € 30,– | bis € 35,– |
| V | € 35,– | bis € 50,– |
| VI | über € 50,– | |

Die Preisgruppen beziehen sich auf den Preis pro Person in einem Doppelzimmer mit Dusche oder Bad inklusive Frühstück. Bei Beherbergungsbetrieben, die Zimmer ohne Bad oder Dusche anbieten, ist dies durch das Symbol ⚠ nach der Preisgruppe angegeben.

Da wir das Verzeichnis stets aktualisieren, sind wir für Anregungen Ihrerseits dankbar. Die Eintragung erfolgt kostenfrei.

## Innsbruck

PLZ: A-6020; Vorwahl: 0512

ℹ Innsbruck Reservierung, Burggraben 3, ✆ 562000

H Alpinpark, Pradler Str. 28, ✆ 348600, IV

H Sailer, Adamg. 6-10, ✆ 5363, IV
H Heimgartl, Hoher W. 12, ✆ 267641, III-IV
H Delevo, Erlerstr. 6, ✆ 587054, III-IV
H Putzker, Laystr. 2, ✆ 281912, III
Gh Dollinger, Haller Str. 7, ✆ 267506, III
Gh Innbrücke, Innstr. 1, ✆ 281934, II-III
Gh Laurin, Gumppstr. 19, ✆ 341104, II-III
P Paula, Weiherburgg. 15, ✆ 292262, II
Jugendherberge Innsbruck, Reichenauer Str. 147, ✆ 46179
Jugendherberge Glockenhaus, Weiherburgg. 3, ✆ 286515
Jugendherberge St. Nikolaus, Innstr. 95, ✆ 286515
Jugendzentrum St. Paulus, Reichenauer Str. 72, ✆ 44291
Camping Kranebitten, Kraneb. Allee 214, ✆ 284180

## Hall in Tirol

PLZ: A-6060; Vorwahl: 05223
Hall Tourismus, Wallpachg. 5, ✆ 56929
H Heiligkreuz, Reimmichlstr. 18, ✆ 57114, IV
H Maria Theresia, Reimmichlstr. 25, ✆ 56313, III
Gh Badl, Haller Innbrücke 4, ✆ 56784, II-III
Gh Schatz, Innsbrucker Str. 62, ✆ 57994, III
Camping Hall, Badgasse, ✆ 4546475

## Volders

PLZ: A-6111; Vorwahl: 05224
Tourismusverband, Bundesstr. 23, ✆ 5231111
Gh Jagerwirt, Bundesstr. 15, ✆ 52591, II
P Poststüberl, Bundesstr. 5, ✆ 55264
Pz Auer, Senselerstr. 17, ✆ 52014, I-II
Pz Klausner, Bahnhofstr. 1a, ✆ 52213, I-II
Fw Plattner, Langeg. 6, ✆ 56205, I-II
Fw Stainer, Kirchnerstr. 22, ✆ 57294, I-II
Schloss-Camping Volders, Schloss Aschach, ✆ 52333

## Wattens

PLZ: A-6112; Vorwahl: 05224
Tourismusverband, Dr.-Felix-Bunzl-Str. 6, ✆ 52904.
H Alpenland, Salzburgerstr. 6, ✆ 52362, II
Gh Frischmann, Lange Gasse 21, ✆ 52435, II
Gh Goldener Adler, Innsbrucker Str. 1, ✆ 52255, III
P Clara, Salzburger Str. 6a, ✆ 52151, V

## Kolsass

PLZ: A-6114; Vorwahl: 05224
Tourismusverband, Mühlbach 6, ✆ 6812456 od. 0664/4502386
H Rettenberg, Mühlbach 6, ✆ 68124
P Edelweiss, Mühlbach 5, ✆ 68240
P Erbhof Sponring, Fl.-Waldaufstr. 14, ✆ 68395
P Haus Schallhart, Taxerweg 4, ✆ 68576
P Haus Angerer, Fiechterweg 1, ✆ 68392

## Weer

PLZ: A-6114; Vorwahl: 05224
Tourismusverband, Mühlbach 6, ✆ 6812456 od. 0664/4502386
H Weererwirt, Dorfstr. 5, ✆ 6114, III-IV
Gh Schmalzerhof, Bundesstraße, ✆ 68116
Gh Steixner, Kuntenweg 1, ✆ 67581

P Angelika, Dorfstr. 26, ✆ 68505

⛺ Camping Mark, Bundesstraße, ✆ 68146

## Pill

PLZ: A-6130; Vorwahl: 05242

Gh Klausen, Dorf 1, ✆ 641850, III

P Plankenhof, Dorf 6, ✆ 64195-0, IV

Pz Fender, Heiligkreuz 11, ✆ 64188

Pz Tannauerhof, Dorf 22, ✆ 64187, ✗

Pz Todeschini, Auweg 24, ✆ 64107, ✗

Pz Auckenthaler, Schmiedg. 5, ✆ 64170, ✗

⛺ Camping Plankenhof,Dorf 6, ✆ 641950

## Schwaz

PLZ: A-6130; Vorwahl: 05242

ℹ Tourismusverband, Franz-Josef-Str. 2, ✆ 632400

Gh Goldener Löwe, Hußlstr. 4, ✆ 62373, II

Gh Einhorn-Schaller, Innsbruckerstr. 31, ✆ 62272, III

Gh Schnapper, Falkensteinstr. 28, ✆ 72100, I-II

P Clara, Winterstellerg. 20, ✆ 63911, II

P Heiss, Andreas-Hofer-Str. 5, ✆ 73388, ✗

Pz Kreidl, Hußlstr. 28, ✆ 62623

Pz Huber, Knappenanger 18, ✆ 62294

Pz Brunner, Swarovskistr. 12, ✆ 64257

Pz Anfang, Pirchanger 72, ✆ 63454, ✗

Pz Thummer, Dr.-Körner-Str. 8, ✆ 62604, ✗

Pz Eberl, Dr.-Weißgatterer-Str. 16, ✆ 71256, ✗

Pz Erler, Falkensteinstr. 31, ✆ 64616, ✗

Pz Häusler, Erbstollenweg 4, ✆ 65335, ✗

Pz Häusler, Pirchanger 87, ✆ 63972, ✗

Pz Schenk, Pirchanger 38, ✆ 63446, ✗

## Jenbach

PLZ: A-6200; Vorwahl: 05244

ℹ Tourismusverband Jenbach, Achenseestr. 37, ✆ 63901.

H Jenbacherhof, Postg. 22, ✆ 62442, IV

P Hilde, Bräufeldweg 6, ✆ 63329, II

P Hofreiter, Kirchg. 7, ✆ 65016, I ✗

P Grafl, Feldg. 15a, ✆ 66326, I

Pz Weber, Schalserstr. 31, ✆ 61136, I ✗

## Wiesing

PLZ: A-6200; Vorwahl: 05244

Gh Waldruh, Rofansiedlung 402, ✆ 62367

## Maurach am Achensee

PLZ: A-6212; Vorwahl: 05243

ℹ Informationsbüro, ✆ 5355.

H Sonnalp, Nr. 127 e, ✆ 5440, IV

H Edelweiß, Nr. 156, ✆ 5302, III-IV

P Huber, Nr. 28, ✆ 5311, III

P Klingler, Nr. 87, ✆ 5495, II

P Monika, Nr. 36 a, ✆ 5195, II

Pz Wach-Hof, Nr. 99, ✆ 5358, I-II

Jugendherberge Stumpfheim, ✆ 5871

⛺ Karwendel-Camping, Nr. 115 a, ✆ 6116

⛺ Seecamping Wimmer, ✆ 5217

## Pertisau am Achensee

PLZ: A-6213; Vorwahl: 05243

ℹ Informationsbüro, ✆ 4307

H Kristall, Nr. 51, ✆ 5490, V-VI

Gh Bergland, Nr. 7 a, ✆ 5308, III-IV

Gh St. Hubertus, Nr. 2, ✆ 5233, II-III

P Enzian, Nr. 17, ✆ 5265, III

P Anneliese, Nr, 53 b, ✆ 5802, II

P Georg, Nr. 54, ✆ 5231, II

## Achenkirch am Achensee

PLZ: A-6215; Vorwahl: 05246

ℹ Tourismusverband, ✆ 5321

H Scholastika, Bei der Schiffstation, ✆ 6210, II

Gh Fischerwirt, Achenkirch 15, ✆ 6258, IV

P Hubertus, ✆ 6338, I-II

P Landhaus Mayer, Hauptstraße, ✆ 6208, I-II

P Lechnerhof, Achenkirch 132, ✆ 6613, II

## Brixlegg

PLZ: A-6230; Vorwahl: 05337

ℹ Tourismusverband, Marktstr. 6 b, ✆ 62581.


Café - Konditorei
**Baumgartner**
Tel & Fax: 05337/62796

Mitten im Zentrum und somit ideal für Radfahrer, die Touren ins Zillertal oder in die herrliche Bergwelt planen, liegt das Café Baumgartner, welches seinen Gästen neben köstlichen Torten und Eisspezialitäten auch eine reichhaltige Küche bietet. Zur Verfügung stehen DZ und EZ mit DU/WC sowie Kabel-TV
Rudolf Baumgartner, Marktstr. 33, A-6230 Brixlegg

Privatpension
**Haberl**

Radlerfreundliche Pension mit Abstellplatz für Fahrräder. 5 Radminuten vom Zentrum entfernt - Nähe Postamt. Zimmer mit DU/WC, auch Halbpension möglich.
Maria Haberl, Mariahilfbergl 2,
A-6230 **Brixlegg**, Tel. 05337/64495

Tel.: 05337/62286
http://www.tiscover.com/gappen-schlosshof.at
e-mail: gappen-schlosshof@netway.at

Zimmer mit Du od. Bad/WC, TV, Telefon, Dampfbad-Sauna, Solarium, Garage für Fahrräder, Restaurant Gappen, Pizzeria Pinocchio.

H Brixleggerhof, Herrnhauspl. 12, ✆ 62630, II
H Alpenhof, Innsbruckerstr. 41, ✆ 63709
Gh Herrnhaus, Herrnhauspl. 1, ✆ 62223, II
Gh Heilbad Mehrn, Faberstr. 5, ✆ 62344, II
P Feichtner, Marienhöhe 3, ✆ 63432, I
P Haberl, Mariahilfbergl 2, ✆ 64495
P Baumgartner, Marktstr. 33, ✆ 62796

## Kramsach

PLZ: A-6233; Vorwahl: 05337
Tourismusverband, Rathaus, ✆ 62209
H Kramsacherhof, Zentrum 134, ✆ 63987, IV
H Central, Zentrum 153, ✆ 62583, III-IV
H Sonnenuhr, Mariatal 426, ✆ 62604, IV-V
Gh Krummsee, Seenstr. 480, ✆ 62402, III
Gh Gappen, Seenstr. 460, ✆ 62286, III
Gh Luchnerwirt, Unterkramsach 118, ✆ 62578, III
Gh Voldöpp, Voldöpp 30, ✆ 62333, III
Gh Seehof, Mosen 21, ✆ 63541, II
P Heigenhauser, Kuglg. 184 d, ✆ 63325, II
P Auer, Claudiapl. 131, ✆ 62992, II
P Handle, Liftstr. 387, ✆ 62560, II
Bramböck, Mosen 10, ✆ 66205
Vögele, Mosen 13, ✆ 65177
Seeblick Toni, Mosen 23, ✆ 63544
Stadlerhof, am Reintalersee, ✆ 63371
Seehof, am Reintalersee, ✆ 63541

## Rattenberg

PLZ: A-6240; Vorwahl: 05337
Tourismusverband, Klosterg. 94 a, ✆ 63321.
Gh Rangger, Radfeld 115, ✆ 62768
Gh Schlosskeller, Hauptpl. 13, ✆ 65104
Gh Sonnhof, Radfeld 92 a, ✆ 63953
P Duftner, Dorfstr. 97, ✆ 62066
P Sonnblick, Siedlung 142, ✆ 62279
P Briezelerhof, Dorfstr. 83, ✆ 64791
P Haus Sandra, Dorfstr. 83 a, ✆ 62762
P Alpenblick, Radfeld 29 a, ✆ 63971
P Birkenhof, Radfeld 15, ✆ 62530
Pz Greiderer, Dorfstr. 69, ✆ 0699-10285853

## Radfeld

PLZ: A-6240; Vorwahl: 05337
Gh Rangger, Radfeld Nr. 115, ✆ 62768

## Kundl

PLZ: A-6250; Vorwahl: 05338
Tourismusverband, Dr.-Fr.-Stumpf-Str. 3, ✆ 7326
Gh Auerwirt, Biochemiestr. 14, ✆ 7245, III
Gh St. Leonhard, St. Leonhard 2, ✆ 7435, III
Gh Mösbichl, Liesfeld 2, ✆ 7440, II
Gh Schurhof, Liesfeld 15, ✆ 7460, II

Gasthof Schloßkeller

A - 6240 Rattenberg,
Sparkassenplatz 13,
Tel & Fax: 05337/65104

Personenlift, Radabstellraum, gemütliche Atmosphäre, 15 Betten, Zimmer mit DU/WC, gutbürgerliche Küche

Gasthof Pension
Rangger

Vor den Toren der mittelalterlichen Stadt Rattenberg und direkt am Innradweg liegt unser familiär gut geführter Gasthof. In den urgemütlichen Stuben sowie im herrlichen Gastgarten verwöhnen wir Sie mit gutbürgerlichen Speisen sowie leichten „Radfahrer Gerichten". Alle Zimmer mit Dusche, WC, TV und Telefon. Versperrbare Radlgarage.
Wir freuen uns auf Ihren Besuch

**Fam. Rangger**
**A–6240 Radfeld Nr. 115**
**Tel. 05337/62768, Fax DW 12**

Direkt am Inntalradweg gelegen, bietet der Ort **Kundl** den Besuchern viele Erholungs- und Sportmöglichkeiten. Wer's ganz sportlich will, fährt per Mountainbike auf die Saulueg und den Distelberg und labt sich im idyllisch gelegenen Berggasthof oder der Distelberger Jausenstation. Von hier aus bietet sich dem Wanderer und Biker ein herrlicher Panoramablick. Die Kristallschleiferei und Steindreherei bieten exclusive Gebrauchsgegenstände an.
Die Kundler Klamm, zwischen dem Wildschönauer Mühltal und Kundl im Inntal gelegen, ist durch herrliche Naturkulisse eine der schönsten Schluchten Österreichs. Die Wanderung durch die Kundler Klamm ist leicht und für Jung und Alt ein herrliches Erlebnis. 20 Minuten dauert die gemütliche Bummelzugfahrt vorbei an saftigen Blumenwiesen, lieblichen Wildwasser-Auen und imposanten Mischwäldern. Kundl ist ein Ausflug wert, kulinarisch wird Sie unsere Gastronomie verwöhnen.

*Information:*
**Tourismusverband Kundl**
**Dr. Franz-Stumpf-Straße 3, 6250 Kundl/Tirol**
**Tel 05338/7326, Fax 8057**
**Internet: tiscover.com/kundl**
**e-mail: tvb@kundl.at**

P Posthof, Biochemiestr. 28, ✆ 7240, III
P Schurhof, Liesfeld 200, ✆ 7450, II
P Binder, Siglg. 30, ✆ 7271, II
P Köfler, Liesfeld 1, ✆ 7430, II
P Krumbacherhof, Pater-Hoffmann-Weg 11, ✆ 7388, I
Pz Haus Seebacher, Ing.-Lindner-Weg 11, ✆ 8371, I-II
Pz Haus Messner, Austr. 42, ✆ 8379, I-II
Pz Haus Egerdacher, Liesfeld 10, ✆ 7462, I-II

**Breitenbach**

PLZ: A-6262 ; Vorwahl: 05338
Gh Schwaiger, ✆ 8184

**Wörgl**

PLZ: A-6300; Vorwahl: 05332
ℹ Tourismusverband, Bahnhofstr. 4 a, ✆ 76007.
H Linde, Angather Weg 7, ✆ 72359
H Schachtnerhof, Salzburger Str. 6, ✆ 72286
H Central, Bahnhofstr. 27, ✆ 72459
Gh Alte Post, Andreas-Hofer-Pl. 2, ✆ 72203
Gh Lamm, Innsbrucker Str. 7, ✆ 72201
Gh Neue Post, Andreas-Hofer-Pl. 1, ✆ 72260
Rose, Bahnhofstr. 54, ✆ 73587

**Angath**

PLZ: A-6300; Vorwahl: 05332
Pz Dobner, Angath 190, ✆ 75640, II

**Niederbreitenbach**

PLZ: A-6322; Vorwahl: 05332
Pz Egger, Nr. 28, ✆ 87885, I

**Kufstein**

PLZ: A-6330; Vorwahl: 05372
ℹ Tourismusverband, Münchner Str. 2, ✆ 62207.
H Andreas Hofer, Georg-Pirmoserstr. 8, ✆ 6980, V
H Auracher Löchl, Römerhofg. 3-5, ✆ 62138, IV
H Kufsteiner Hof, Franz-Josefs-Pl. 1, ✆ 71030, IV


**Gasthof Schwaiger**
**Familie Atzl**
**A–6252 Breitenbach a. Inn**
**Telefon 05338/8184**

gemütliche Gaststube • gut bürgerliche Küche • Stüberl • Fernsehraum • Zimmer mit Du, WC, Telefon und Fernseher • Kinderspielplatz
Anfahrt: Beim Radweg Kundl – auf der Innenbrücke (anstatt unter der Brücke) Richtung Breitenbach – nach der Brücke sofort links erster Gasthof.

**Gasthof Stimmersee**
Fam. Rupprechter
Stimmersee, 6330 Kufstein
Tel. 05372/62756, Fax 05372/627567

Unser Gastbetrieb mit Hotelkomfort (alle Zimmer mit Du/WC oder Bad/WC) steht auf einer kleinen Anhöhe mit herrlichem Blick in die Umgebung.
• Wintergarten • Seehaus mit Apartments
• Komfortzimmer • Sportraum • Strandbad
• Großzügiger Parkplatz • gepflegte Küche
• aufmerksame Bedienung

Cafe-Pension
**MAIER**
Mitterndorferstr. 13,
6330 Kufstein
Tel. 05372/62260

Gemütliche Pension/Cafe mit 20 Betten, Dusche u. WC, ruhige aber zentrale Lage, schöner Gastgarten

H Lanthalerhof, Schopperweg 28, ✆ 64105, III
H Sporthotel, Feldg. 35, ✆ 64732, IV
H Zipferkeller, Marktg. 14a, ✆ 62396, III
H Gisela, Bahnhofpl. 4, ✆ 64520, II
Gh Stimmersee, Stimmersee, ✆ 62756, II
Gh Kirchenwirt, Zeller Str. 17, ✆ 62512, I-II
P Haus Maier, Mitterndorfer Str. 13, ✆ 62260, II
P Ganderhof, Weißbachstr. 41, ✆ 62432, II
P München, Inng. 14, ✆ 64775, III
⛺ Beim Hotel „Zum Bären", Salurner Str. 36, ✆ 62229, Mai-Ende Sept.

## Kiefersfelden

PLZ: D-83088; Vorwahl: 08033
ℹ Kur- und Verkehrsamt, Dordstr. 23, ✆ 976527
H Gruberhof, König-Otto-Str. 2, ✆ 7040, II-III
H Zur Post, Bahnhofstr. 26, ✆ 7051, II
Gh am Rain, Am Rain 1, ✆ 8315, II
Gh Baumerhäusl, Innstr. 31, ✆ 8357, I
P Baumayrhof, König-Otto-Str. 2, ✆ 7040, II
P Bleierhof, Dorfstr. 8, ✆ 6500, I-II
Pz Weiser, Schräckerweg 10, ✆ 8946, II
Pz Lochmann, Sonnenweg 36, ✆ 8863, II

**OT Mühlbach:**

P Grafenburg, Mühlauerstr. 11, ✆1457, II
P Tiroler Weinstuben, Bergweg 8, ✆ 1310, II

## Oberaudorf

PLZ: D-83080; Vorwahl: 08033
ℹ Verkehrsamt, Kufsteiner Str. 6, ✆ 309743
H Bayerischer Hof, Sudelfeldstr. 12, ✆ 92350, III-IV
H am Rathaus, Kufsteiner Str. 4, ✆ 1470, III-IV
H Alpenhof, Rosenheimer Str. 97, ✆ 1036, III-IV
Gh Wildbachstüberl, Carl-Hagen-Str. 9, ✆ 2137, II
P Suppenmoser, Marienpl. 2, ✆ 30570, III-V
P Alpina, Am Oberfeld 8, ✆ 2147, I-II
P Großfuchsenhof, Carl-Hagen-Str. 5, ✆ 1561, II
P Auerburg, Am Burgtor 6, ✆ 1433, I

**OT Niederaudorf:**

P Böhm, Dorfstr. 3, ✆ 1513, I-II
P Kammerloher, Agger Str. 28, ✆ 2656, ✆ I-II
⛺ Am Luegsteinsee, zw. Oberaudorf und Mühlbach, ✆ 1807

## Flintsbach

PLZ: D-83126; Vorwahl: 08034
ℹ Verkehrsamt Flintsbach, Kirchstr. 9, ✆ 306620
Gh Brückenwirt, Nussdorfer Str. 57, ✆ 7830, I
Gh Dannerwirt, Kirchpl. 4, ✆ 90600, III
Gh Heubergstüberl, Kufsteiner Str. 155, ✆ 563, II
Gh Falkenstein, Kufsteiner Str. 6, ✆ 4585, II
Gh Zum Großerwirt, Madronweg 4, ✆ 7774, I-II
P Café Almröserl, Seeweg 12, ✆ 308500, II-III
P Bast, Nussdorferstr. 31, ✆ 2895, I
P Buchberger, Badweg 5, ✆ 2124, I-II
P Petersklause, Kufsteinerstr. 72, ✆ 2166, I-II
P Haus Alpenblick, Seeweg 8, ✆ 1877, I-II
P Gruber, Kirchstr. 3, ✆ 3846, I
Pz Schön, Innstr. 4, ✆ 8530, I
Pz Stadler, Kirchstr. 3, ✆ 3846, I-II
Pz Dirl, Seeweg 6, ✆ 2806, I
⛺ Inntal-Camping Einöden mit Badesee, Kranzhornweg 40, ✆ 2869

## Fischbach

PLZ: 83126; Vorwahl: 08034
Gh Heubergwirt, Einöden, ✆ 4418

## Brannenburg

PLZ: D-83098; Vorwahl: 08034
ℹ Verkehrsamt, Rosenheimer Str. 5, ✆ 4515
H Haus Brannenburg, Schrofenstr. 32-34, ✆ 9050, III
H Zur Post, Sudelfeldstr. 20, ✆ 9067-0, III-IV
Gh Kürmeier, Dapferstr. 5, ✆ 1835, II-III
Gh Schlosswirt, Kirchpl. 1, ✆ 2365, II-III
P Wendelstein, Kufsteiner Str. 1, ✆ 1840, II


Hotel zur Post OHG
Bahnhofstrasse 22, 83088 Kiefersfelden
Tel.: 08033/7051, Fax: 08033/8573
E-mail: HotelzurPost-Kiefersfelden@t-online.de
Alle Zimmer mit Bad/Dusche, WC, Sat-TV, Lift, Garage, Biergarten, Radlerangebote.

30 Betten = Einzel-, Doppel- u. Mehrbettzimmer DU/WC. Balkon, Sonderangebote für Radfahrer
Familie H. u. K. Weiß

## Raubling

PLZ: D-83064; Vorwahl: 08035

H Moser, Reischenhart, Hausstattstr. 2, ✆ 2217

H Moser, Reischenhart, Hausstattstr. 2, ✆ 2217

P Kapellenstüberl, Nicklheimer Str. 14, ✆ 2412

P Neiderhell, Kleinholzhausen, ✆ 08034/1894, I-II

## Ebbs

PLZ: A-6341; Vorwahl: 05373

Tourismusverband, Wildbichlerstr. 29, ✆ 2326

H Fohlenhof, Schlossallee 31, ✆ 2210

H Kaiserhotel, Haflingerweg 6, ✆ 2424

H Stephanie, Wildbichler Str. 2, ✆ 2388

Gh Zur Schanz, Schanz 1, ✆ 05372/64550

Gh Sattlerwirt, Oberndorf 89, ✆ 2203

Gh Unterwirt, Wildbichler Str. 38, ✆ 2288

Gh Ellmerer, Oberweidach 57, ✆ 2387

## Niederndorf

PLZ: A-6342; Vorwahl: 05373

Tourismusverband, Nr. 32, ✆ 61377

Gh Tiroler Hof, Nr. 209 beim Zollamt, ✆ 61213, II

Gh Kuhstall, Nr. 92, ✆ 61287, I-II

Gh Stadler, Nr. 63, ✆ 61323, II

P Schwaiger, Nr. 64, ✆ 61403, I

P Thrainer, Nr. 98, ✆ 61506, I

Pz Achorner, Nr. 58 b, ✆ 61050

Pz Holl, Nr. 281, ✆ 61720

## Nußdorf am Inn

PLZ: D-83131; Vorwahl: 08034

Verkehrsamt, Brannenburgerstr. 10, ✆ 907920 od. 19433

H Nußdorfer Hof, Hauptstr. 4, ✆ 708663, IV

Gh Ringstüberl, Am Ring 1, ✆ 7573, II

Gh Schneiderwirt, Hauptstr. 8, ✆ 4527, II-III

Gh Heuberg, Mühltalweg 12, ✆ 2335, II

P Ueffing, Bugscheinw. 3, ✆ 8531, III-V

Pz Auer, Hochriesweg 1, ✆ 8841, I

Pz Baumgartner, Hochriesweg 15, ✆ 8251, I

Pz Ebersberger, Am Steinbach 12, ✆ 3609, I

## Neubeuern

PLZ: D-83115; Vorwahl: 08035

Verkehrsamt, Marktpl. 4, ✆ 2165.

H Burghotel, Marktpl. 23, ✆ 2456, III-IV

H Hofwirt, Marktpl. 5, ✆ 2340, III

Pz Stelzer, Färberstr. 2 a, ✆ 4775

## Rosenheim

Vorwahl: 08031

**PLZ: 83022**

Verkehrsbüro, Kufsteiner Str. 4, ✆ 3659061

Gh Goldener Hirsch, Münchenerstr. 40, ✆ 21290, V

Gh Kastenauer Hof, Birkenweg 20, ✆ 62158, II-III

Gh Flötzinger Bräu, Kaiserstr. 5, ✆ 31714, IV

Gh Stockhammer, Max-Josefs-Pl. 13, ✆ 12969, II

P Seiffert, Münchener Str. 68, ✆ 13986, I-II

**PLZ: 83024**

Gh Höhensteiger, Westerndorfer Str. 101, ✆ 86667, II-III

**PLZ: 83026**

H Fortuna, Hochplattenstr. 42, ✆ 616363, V

H Theresia, Zellerhornstr. 16, ✆ 67805, IV-V

Gh Happinger Hof, Happinger Str. 23, ✆ 616970, II

P Hubertus, Seestr. 49, ✆ 66236, II-IV

## Stephanskirchen

PLZ: D-83071; Vorwahl: 08036

Verkehrsverein, ✆ 615

P Weinbergnest, Weinbergstr. 15, ✆ 2559, IV

Bh Hamberger, Fussenerweg 61, ✆ 9482, II

Bh Forstner, Badzaunstr. 10, ✆ 7910, I-II

Bh Lechner, Baierbacher, ✆ 4827 II

Fw Schmiedmoarhof, Simsseestr. 369, ✆ 7853, II

## Rimsting

PLZ: D-83253; Vorwahl: 08051

Seerestaurant - Cafe „Hubertus“
Seestraße 49, 83026 Rosenheim
Tel.: 08031/66236, Fax: 08031/269040

Direkt am Happinger See, über den Inn-Radweg zu erreichen. Unser schön gelegenes Haus direkt am See verfügt über Gästezimmer. Wir bieten Ein- bis Mehrbettzimmer an und haben ganzjährig geöffnet. Unser Lokal bietet eine internationale bayrische Küche sowie Wild- und Fischspezialitäten an. Wir liegen direkt am Badesee mit hauseigener Angelmöglichkeit. Außerdem haben wir einen Fahrrad- und Trockenraum.

Stephanskirchen am Simssee

Die Radler sind immer wieder begeistert, von der Ruhe und Naturschönheit am Simssee. Die frischen Simssee Fische sind eine Gaumenfreude. Kostenloses Freibad mit Kiosk. Minigolf, Kinderspielplatz und die „größte Kunstuhr der Welt“ - ***All das findet man am Simssee!*** Leider sind die Übernachtungsmöglichkeiten, vor allem zur Ferienzeit, knapp. Deshalb bitte mit Zimmer-Vorbestellung die Reise planen.

🛈 Verkehrsamt, Schulstr. 4, ✆ 4461 od. 687621
H Zur Sonne, Endorfer Str. 27, ✆ 2053, II
P Westfalenhof, Priener Str. 8, ✆ 91900, II
P Hasenhof, Endorfer Str. 1, ✆ 2322 II

**OT Schafwaschen:**

Gh Seehof, Schafwaschen 4, ✆ 1697, II-III

## Chieming

PLZ: D-83339; Vorwahl: 08664
🛈 Verkehrsamt Chieming, ✆ 245
Gh Zur Post, Laimgruber Str. 5. ✆, 1481, II
Gh Unterwirt, Hauptstr. 32, ✆ 98460, II-IV
Gh Goriwirt, Truchtlachingerstr. 1, Ederer, ✆ 98430, III
P Haus Gerti, Mühlenweg 1, ✆ 467, II-III
P Strudelmichel, Irmingardstr. 4, ✆ 985956, II-III
P Förster, Christelmal 8, ✆ 426, II
Pz Putz, Stötthamer Str. 12, ✆ 295, I-II
⛺ Möwenplatz-Chieming, Grabenstätterstr. 3, ✆ 361
⛺ Kupferschmiede, Arlaching, ✆ 08667/446
⛺ Seehäusl, Stöttham, ✆ 303

## Prien am Chiemsee

PLZ: D-83209; Vorwahl: 08051
🛈 Kurverwaltung, Alte Rathausstr. 11, ✆ 69050
H Bayerischer Hof, Bernauer Str. 3, ✆ 6030, V
H Zum Fischer am See, Harrasser Str. 145, ✆ 90760, IV-V
H Möwe, Seestr. 111, ✆ 5004, III-IV
H Westernacher, Seestr. 115, ✆ 4722, III
P Haus Drexler, Seestr. 95, ✆ 4802, III
P Haus Scholze, Seestr. 52-54, ✆ 2687, II
P Händelmayer, Rafenauerweg 7, ✆ 2823, II
P Hasholzner, Dickertsmühlstr. 3, ✆ 2733, I-II
Jugendherberge, Carl-Braun-Str. 46, ✆ 68770
⛺ Campingplatz Hofbauer, Bernauer Str. 110, ✆ 4136

**OT Harras:**

⛺ Campingplatz Harras, ✆ 90460 🚲

## Bad Leonhardspfunzen

PLZ: 83071; Vorwahl: 08031
P Zum Badwirt, Mühltalweg 45, ✆ 27430, III 🚲

## Pfaffenhofen

PLZ: D-83135; Vorwahl: 08031
Gh Esterer, Wasserburger Str. 30, ✆ 28560, III

## Mühlstätt

PLZ: D-83135; Vorwahl: 08039
Pz Mayer, Am Gries 9, ✆ 90390, I

## Schechen

PLZ: D-83135; Vorwahl: 08039
🛈 Gemeindeverwaltung Schechen, Rosenheimer Str. 13, ✆ 90670
Gh Egger-Stüberl, Rosenheimerstr. 17, ✆ 90390, III
⛺ Campingplatz am Erlensee, ✆ 2935

**OT Marienberg:**

Gh Mesnerwirt, Marienberg 4, ✆ 08031/28480, IV-VI

## Hochstätt

PLZ: D-83135; Vorwahl: 08039
Gh Kapsner, Hauptstr. 12, ✆ 613, V

## Rott am Inn

PLZ: D-83543; Vorwahl: 08039
🛈 Gemeindeverwaltung Rott am Inn, Kaiserhof 3, ✆ 90680
Gh Zur Post, Marktpl. 5, ✆ 1225, IV
Gh Am Kirchplatz, Marktpl. 2, ✆ 1222, III-V


Gasthof - Pension
Kapsner
Hauptstr. 12, D-83135 Hochstätt/Inn
Tel. 08039/613 - Fax: 08039-5991
www.Gasthof-Kapsner.de
gasthof-kapsner@t-online.de

Gutbürgerliche, feine Küche, freundliche Gästezimmer mit Bad/Dusche und WC, gemütliche Gasträume, schöner Biergarten 1 km westlich vom Innradweg.


## Vogtareuth

PLZ: D-83569; Vorwahl: 08038
Gh Vogtareuther Hof, Krankenhausstr. 3, ✆ 258, II
P Sewald Georg, Bergstr. 4, ✆ 206, I-II
Pz Huber, Wasserburger Str. 5, ✆ 396, I
Pz Dutz, Sonnenstr. 8, ✆ 452
Pz Voringer, Eglham 15, ✆ 469

## Griesstätt

Vorwahl: 08039; PLZ: 83556
H Abaton, Laiming 12, ✆ 909880, V
P Jagerwirt, Wasserburger Str. 7, ✆ 3782, III

## Wasserburg am Inn

PLZ: D-83512; Vorwahl: 08071
🛈 Verkehrsbüro, Salzsenderzeile, Rathaus, ✆ 10522
H Fletzinger, Fletzingerg. 1, ✆ 90890, V 🚲
H Paulaner-Stuben, Marienpl. 9, ✆ 3903, II-III
H Pichlmayr, Burgau Nord, Anton-Woger-Str. 2-4, ✆ 40021, IV-V
Gh Huberwirt, Salzburger Str. 25, ✆ 7433, IV-V
P Staudham, Münchner Str. 30, ✆ 7435, VI
Pz Pfeiffer, Schloss Weikertsham, ✆ 51338, IV-V

Pz Schütt, Heilingbrunnerstr. 19, ✆ 4420, II

## Gars am Inn

PLZ: D-83536; Vorwahl: 08073

ℹ Gemeindeverwaltung Gars, Hauptstr. 3, ✆ 91850

Gh Berger, Langmoos 19, ✆ 08072/8898

Pz Mitter, Kamingerw. 10, Gars-Bahnhof, ✆ 2230

Pz Lindlbauer, Klosterweg 9, ✆ 465

Pz Ebner, Graben 15, ✆ 1067

**OT Au:**

PLZ: 83546

Pz Rauscher, Weing. 2, ✆ 2025

**OT Huttenstätt:**

Gh Eisgruber, Huttenstätt 2, , ✆ 452, II

Pz Grill, Nr. 11, ✆ 1581

Pz Wimmer, Nr. 10, ✆ 1565

**OT Mittergars:**

PLZ: 83559

Gh Zur Hex, Dorfstr. 40, ✆ 384020

## Grafengars

P Wieserhof, Dorfstr. 19, ✆ 72699

Pz Hauner, Dorfstr. 10, ✆ 72135

## Kraiburg am Inn

PLZ: D-84559; Vorwahl: 08638

**Pension Wieserhof**
Grafengars, Dorfstraße 19
84555 Jettenbach
Tel. und Fax: 08638/72699

Direkt am Inn-Radweg, Zimmer mit ET, DU und WC, Radlgarage. Großer Gästeraum mit Dart u. TV. Schöner Biergarten mit Kinderspielplatz.

**Fürstenberger Hof**
Anton und Rosi Fürstenberger
Flossinger Straße 2, 84559 Kraiburg/Frauendorf

• FEWOS • Zimmer mit Du/WC
• Radlergarage • Reichhaltiges Frühstück mit frischer Milch + frischen Eiern vom Hof
• Gaststätte und Einkaufsmöglichkeit im Ort.

*Kraiburg am Inn*
Landgasthof Rosenberger
Innstraße 7, 84559 Kraiburg a. J.
Tel.: 08638/886750
Inhaber: **Fam. Halbwirth**

• Ruhige Zimmer mit TV
• Sonniger Biergarten
• Fahrradgarage vorhanden
• Gut bürgerliche Bayerische Küche
• Gute Brotzeiten und gepflegte Biere.

ℹ Gemeindeverwaltung, Marktpl. 1, ✆ 98380

Gh Rosenberger, Innstr. 7, ✆ 886750, I-II

Gh Unterbräu, Bahnhofstr. 12, ✆ 7807, II

Pz Bratzdrum, Reichingerweg 9, ✆ 7750, I

Pz Anwander, Jettenbacher Str. 13, ✆ 7423

Fw Berger, Samerstr. 5 a, ✆ 73337

**OT Frauendorf:**

Pz Fürstenberger, Flossinger Str. 2, ✆ 7038

## Waldkraiburg

PLZ: D-84478; Vorwahl: 08638

ℹ Stadt Waldkraiburg, Braunauer Str. 10, ✆ 9590

H Trasen, St. Erasmus, ✆ 9839911

H Hubertusstuben, Graslitzerstr. 4, ✆ 83900

Hg City, Berliner Str. 35, ✆ 96750, V-VI

Pz Schnelzer, Ruinenweg 20, ✆ 65485, I

Pz Keimeleder, Liebigstr. 14, ✆ 4286

Pz Friedrich, Ludwigstr. 1 g, ✆ 5478

Pz Lamich, Ringstr. 3, ✆ 7089

Bh Holzner, Asbach 35, ✆ 1333

Bh Hintereder, Holzhausen 48, ✆ 4983

Haus Sudetenland, Keplerweg 2 a, ✆ 94480

## Mühldorf am Inn

PLZ: D-84453; Vorwahl: 08631

ℹ Fremdenverkehrsbüro Mühldorf, Stadtpl. 21, ✆ 612226

H Inntalhotel, In der Pflanzenau 31, ✆ 7054, II
H Altöttinger Tor, Stadtpl. 85, ✆ 4080, III
H Bastei, Münchener Str. 69, ✆ 5802, II
Hg Altstadthotel Wetzel, Stadtpl. 36, ✆ 36510
Gh Schwaigerkeller, Stadtberg 12, ✆ 6287, II-III
Gh Kirchenwirt, Mößling, Hauptstr. 19, ✆ 7027, I
Jugendherberge, Friedr.-Ludwig-Jahn-Str. 19, ✆ 7370

**Töging am Inn**

PLZ: D-84513; Vorwahl: 08631
ℹ Stadtverwaltung (Bürgerhilfestelle), Hauptstr. 26, ✆ 900418
Gh Gillhuber, Hauptstr. 15, ✆ 928900

**Winhöring**

PLZ: D-84543; Vorwahl: 08671
ℹ Gemeindeverwaltung, Obere Hofmark 7, ✆ 99870
Gh Isensee, Landshuterstr. 63, ✆ 2284
Gh Radlmüller, Kronberg 19, ✆ 71381
Gh Sextl, Ortsteil Kronberg, ✆ 2481, I
P Café Schmidhuber, Obere Hofmark 11, ✆ 20302
Pz May, Oberfeldstr. 61, ✆ 2971, II

**Neuötting**

PLZ: D-84524; Vorwahl: 08671
ℹ Gemeindeverwaltung Neuötting, Ludwigstr. 60, ✆ 99800
Gh Krone, Ludwigstr. 69, ✆ 2343, II
Gh Müllerbräu, Burghauser Str. 2, ✆ 2433, III

**Altötting**

PLZ: D-84503; Vorwahl: 08671
ℹ Verkehrsbüro Altötting, Kapellpl. 2 a, ✆ 8068
H Zur Post, Kapellpl. 2, ✆ 5040, V-VI
H Wienerwald, Tillyplatz, ✆ 6361, II
Gh Scharnagl, Neuöttinger Str. 2, ✆ 6983, III
Gh Plankl, Schlotthamer Str. 4, ✆ 6522, III
Gh Zwölf Apostel, Bruder-Konrad-Pl. 3-4, ✆ 96960, III
Gh Altöttinger Hof, Kapellpl., ✆ 5422, III
Gh Alte Post, Mühldorfer Str., ✆ 13677, I-II

**Perach**

PLZ: D-84567; Vorwahl: 08670
Pz Feichtner, Hauptstr. 5, ✆ 758

**Queng**

PLZ: D-84533; Vorwahl: 08678
▲ Harlander, Queng. 3, ✆ 1786

**Marktl**

PLZ: D-84533; Vorwahl: 08678
Gh Altenbuchner, Burghauser Str. 10, ✆ 249, II

Herzlich Willkommen im
INNTAL HOTEL
garni
• 19 Zimmer mit Bad/Dusche, WC und TV
• reichhaltiges Frühstücksbuffet
• zentrale, doch ruhige Lage inmitten der Mühldorfer-Innschleife
84453 Mühldorf a. Inn
In der Pflanzenau 31
Tel. 08631/7054 Fax: 7176

Altstadthotel Wetzel
Garni
Stadtplatz 36
84453 Mühldorf a. Inn
Tel. 08631/3651-0
Fax 08631/5893
• Zimmer mit Du, WC, Selbstwähltelefon und Kabel-TV.
• Reichhaltiges Frühstücksbuffet
• Wintergarten
• Terrasse
• hauseigene Garage
• nur 100 m vom Inntalradweg entfernt

Gasthof "Krone"
PAUL DÖRFL
Ludwigstr. 69, D - 84524 Neuötting
Tel.: 08671/2343 • Fax: 08671/72307

Historische Innenstadt • Ruhige Zimmer
DuWC, TV • Gutbürgerliche Küche
eigene Metzgerei • Radfahrer willkommen

GASTHOF-HUMMEL-PENSION
Hauptstr. 34, 84533 Marktl
Tel. 08678/282
Fax 08678/919845

Biergarten, moderne Fremdenzimmer mit Dusche, WC, Kabel TV, Fön und Telefon.
Fahrradgarage

Gh Hummel, Am Bahnhof, ✆ 282

P Neumayr, Bahnhofstr. 32, ✆ 1381, II

P Edhofer, Nikolausstr. 3 b, ✆ 1710, II

P Eckert, Am Kreuzberg 41, ✆ 7161

Pz Schnoga, Gartenstr. 22, ✆ 650

Pz Maier, Blumenstr. 3, ✆ 1742, I

## Stammham

PLZ: D-84533; Vorwahl: 08678

Gh Huber, Kirchenstr. 8, ✆ 634

## Burghausen

PLZ: D-84489; Vorwahl: 08677

i Burghauser Touristik GmbH, Stadtplatz 112, ✆ 9676931 od. 32

H Lindacher Hof, Mehringer Str. 47, ✆ 9860, V

H Bayerische Alm, R.-Koch-Str. 211, ✆ 9820, V

H Bayrischer Hof, Stadtpl. 45, ✆ 97840, IV

H Glöcklhofer, Ludwigsberg 4, ✆ 96170, IV

H Post, Stadtpl. 39, ✆ 9650, III

Hg Gartenhotel Salzach, H.-Stiglocher-Str. 11, ✆ 9652, IV

Gh Klostergasthof, Raitenhaslach 9, ✆ 9730, III

P Pentenrieder, Heiligkreuz 14, ✆ 61686, IV

P Hofbauer, In den Grüben 119, ✆ 2517, II

P Kaffeemühle, Mautnerstr. 270, ✆ 61965, III

P Altstadtpension, In den Grüben 138-142, ✆ 878686


Zum Kirchenwirt

Seibersdorf

Gasthof zum „Kirchenwirt"
84375 Seibersdorf
Kirchdorfer Straße 20
Tel. 08571/5161, Fax 3567

Am Radweg unterer Inn
Europa–Reservat

Wir bieten moderne
Fremdenzimmer mit Du,
Farb-TV u. Tel: 35 Betten
und Ferienwohnungen
Kinderfreundlich
Ruhige Lage
Geeignet für Busausflüge

*Liebe Gäste
aus nah und fern
beim Kirchenwirt
begrüßt man euch gern!*


P Salzburger Hof, In der Grüben 190, ✆ 911000

Jugendherberge Kapuzinerg. 235, ✆ 4187

Jugendherberge, In der Burg 27 b, ✆ 4187

## Seibersdorf

PLZ: D-84375; Vorwahl: 08571

Gh Kirchenwirt, Kirchdorfer Str. 20, ✆ 5161, II

## Simbach am Inn

PLZ: D-84359; Vorwahl: 08571

H Moosbräu, Pfarrkirchnerstr. 27, ✆ 60240, III

Gh Wimmer Weißbräu, Schulg. 6, ✆ 1418, II-III

Gh Passauer Hof, Passauer Str. 15, ✆ 2500, II-III

Gh Zur Traube, Innstr. 3, ✆ 2502, III

Gh Bayerischer Löwe, Mooseckerstr. 56, ✆ 2358, II-III

Gh/P Göttler, Pfarrkirchnerstr. 24, ✆ 2311, III

P Bichler, Bachstr. 9, ✆ 2548, III

Pz Wernhard, Pfarrkirchner Str. 35, ✆ 8408, II

Jugendübernachtungshaus, Ewigkeit 4, Auskunft Landratsamt Pfarrkirchen, ✆ 08561/20267

Zeltplatz d. Landkreises Rottal-Inn, siehe

## Braunau am Inn

PLZ: A-5280; Vorwahl: 07722

i Tourismusverband, Stadtpl. 2, ✆ 62644 und Radterminal, Theatergasse.

Hg Post, Stadtpl. 10, ✆ 63415 III

Gh Mayr Bräu, Linzerstr. 13, ✆ 63387, III-IV

Gh Alter Weinhans Neussl, Linzer Str. 21, ✆ 63471, II-III

Gh Hoftaverne, Untere Hofmark 2, ✆ 63522, I

Gh Salzburger Hof, Salzburger Str. 55, ✆ 63154, II-III

Gh Schüdlbauer, Auf der Haiden 76, ✆ 87339, III

Jugend/Radlerherberge, Osternberger Str. 57, ÖZ: April-Okt., ✆ 81638 od. 63136

Campingplatz-Freizeitzentrum, Quellenweg, ÖZ: April-Sept., ✆ 87357


Gasthof

**Mayr-Bräu**

Fam. Wohlschlager
5280 Braunau, Linzerstraße 13
Tel.: 07722/63387, Fax: 07722/ 63387-130

- Gutbürgerlicher Gasthof mit 36 Komfortzimmer
- Direkt am Tauern- und Inntalradweg
- Schöner ruhiger Gastgarten im Innenhof
- Eigener Radabstellraum
- Innviertler Küche

## Ering

PLZ: D-94140; Vorwahl: 08573

Gh Eckinger Wirt, Bahnhofstr. 2, ✆ 675, II-III

Gh Zum Steg, Simbacher Str. 2, ✆ 267, II

Pz Haus Buchner, Passauer Str. 13, ✆ 680, I

Pz Reichenbacher, Blumeng. 1, ✆ 709, I

Pz Schlögl, Blumeng. 2, ✆ 1369, I

Pz Ebertseder, Pildenauerstr. 7, ✆ 663, I-II

Pz Spannbauer, Lagerhausstr. 5, ✆ 1275, I

Pz Hautz, Westring 4, ✆ 703, I

Fw Schlögl, Blumeng. 2, ✆ 1369

**OT Münchham:**

Gh M. Wieser, Dorfstr. 32, ✆ 316, I

## Egglfing

PLZ: D-94072; Vorwahl: 08537

Gh Egglfinger Hof, Obere Inntalstr. 43, ✆ 288, II

Gh Zur Innbrücke, Treidlerweg 1, ✆ 240, II

Gh Gläßl, Blumenstr. 7, II

P Brunner, Sickingerg. 1, ✆ 701, I

P Wagner, Obere Inntalstr. 15, ✆ 446, I-II

P Haus Kotlik, Treidlerweg 17, ✆ 743, I

P Hager, Blumenstr. 3, ✆ 1028, I

P Obermeier, Sickingerg. 2, ✆ 235, I

P Haus Maria, An der Schulde 15, ✆ 723, I

P Haus Stefan, An der Schule 3, ✆ 1307, I

Pz Elisabeth, Obere Inntalstr. 17, ✆ 721, I

▲ Kur- und Feriencamping Max 1, Falkenstr. 12, ✆ 1399

▲ Kur- und Feriencamping Max 2, Brunnenstr. 5a, ✆ 356 🚲

**OT Wies:**

P Füssinger Alm, Wies 2, ✆ 424, I-II

## Bad Füssing

PLZ: D-94072; Vorwahl: 08531

i Zimmervermittlung, ✆ 975540 od. 975541

H Promenade, Schillerstr. 9, ✆ 9440, V

H Victoria, Beethovenstr. 1, ✆ 9790, IV

H Zink, Thermalbadstr. 1, ✆ 9270, VI

H Frechdachs, Paracelsusstr. 5, ✆ 9420, V

H Parkhotel, Waldstr. 16, ✆ 9280, VI

H Sonnenhof, Schillerstr. 4, ✆ 22640, V

H Wittelsbach, Beethovenstr. 8, ✆ 9520, VI

H Holzapfel, Thermalbadstr. 5, ✆ 9570, VI

H Am Mühlbach, Bachstr. 15, ✆ 2780, V-VI

H Bayerischer Hof, Kurallee 18, ✆ 9566, V

H Mürz, Birkenallee 9, ✆ 9580, VI

H Allgäu, Saffernstettner Str. 17-19, ✆ 24090, V

H Villa Fortuna, Thermalbadstr. 19, ✆ 9546, IV-V

H Rottaler Hof, Richard-Wagner-Str. 5, ✆ 2740, V 🚲

H Apollo, Mozartstr. 1, ✆ 9510, VI

H Juwel, Thermalbadstr. 12, ✆ 22690, V

H Olympia, Thermalbadstr. 16, ✆ 94290, V

H Füssinger Hof, Thermalbadstr. 9, ✆ 22630, V

H Falkenhof, Paracelsusstr. 4, ✆ 9743, IV-V

H Zur Post, Inntalstr. 36, ✆ 29090, III-V

H Astoria, Kurallee 10, ✆ 2910, IV

H Sacher, Schillerstr. 3, ✆ 21044, V

Hg Lindenhof, Pockinger Str. 1-5, ✆ 2790, III-V

Hg Quellenhof, Dr.-Koch-Str. 2, ✆ 2990, V

Hg Köck, Waldstr. 8, ✆ 2710, IV-V

Hg Schatzberger, Safferstettener Str. 25, ✆ 9266, III-IV

Hg Vogelsang, L.-Thoma-Weg 13, ✆ 95050, III

Hg Panland, Thermalbadstr. 14, ✆ 9460, III

Hg Zentralhotel, Goethestr. 3, ✆ 9730, III

Hg Undine, Kurallee 2, ✆ 9560, III

Hg Vier Jahreszeiten, Birkenweg 12, ✆ 22670, III

Hg Hubertushof, Safferstettnerstr. 21, ✆ 92150, II-III

Hg Roßmayer, Birkenallee 6, ✆ 24577, II-III

Hg Brunnenhof, Schillerstr. 9, ✆ 94180, III

Hg Rossini, Goethestr. 6, ✆ 973-0, III

Hg Waldeck, Paracelsusstr. 12, ✆ 29050, IV

P Mayerhof, Paracelsusstr. 2, ✆ 27090, III

P Hildegard, Goethestr. 10, ✆ 92370, III

P Freudenstein, Kurallee 14, ✆ 24060, IV

P Maximilian, Birkenweg 21, ✆ 9770, III

P Lorenz, Goethestr. 1, ✆ 92110, III

P Huber, Birkenweg 9, ✆ 22257, II

P Regina, Prof.-Böhm-Str. 3, ✆ 9540, III

P Diana, Kurallee 12, ✆ 29060, III-IV

P Grabner, Bachstr. 35, ✆ 9530, III

P Berger, Andreas-Hofer-Str. 2, ✆ 926000, II-III

P Dornröschen, Dr.-Heim-Str. 26, ✆ 24616, II

P Reindl, Thermalbadstr. 15-17, ✆ 2240, II

P Birke, Alte Füssinger Str. 6, ✆ 24623, II

P Riedlhof, Bachstr. 23, ✆ 92390, II

P Claudia, Sonnenstr. 2, ✆ 21078, II

P Eckstein, Birkenallee 18, ✆ 95030, II

P Rosmarie, Bachstr. 12, ✆ 95020, II

P Haus Maria, Andreas-Hofer-Str. 5, ✆ 94190, II

P Haus Hermine, L.-Thoma-Weg 4, ✆ 21547, II

P Waldfrieden, Amselweg 14, ✆ 9750, II

P Haus Renate, Ledererg. 7, ✆ 92380, II

P Haus Heidemarie, Birkenallee 19, ✆ 942680, II

P Fichtenwald, Finkenstr. 10, ✆ 24010, II

P Haus Carola, Birkenweg 11, ✆ 9466-0, II

P Haus Mariandl, Friedensweg 1, ✆ 29640, II

P Haus Evelyn, Birkenallee 17, ✆ 943990, II

P Haus Erika, L.-Thoma-Weg 9, ✆ 29608, II

Pz Beißer, Steinreuther Str. 11, ✆ 22993, I
▲ Campingplatz Riedlhof, Buchstr. 23, ✆ 92390
▲ Camping Erika, Pichlstr. 30, ✆ 21155

**OT Riedenburg:**

Hg Weidinger, Amselweg 1, ✆ 94260, II
P Haus Hildegunde, Inntalstr. 46, ✆ 92190, II
P Riedenburg, Inntalstr. 51, ✆ 29020, II-III
P Haus Gass, Finkenstr. 6, ✆ 29080, IV
P Landhaus Riedl, Nussbaumweg 1, ✆ 95070, II
P Eleonore, Auenstr. 17, ✆ 92180, II

## Würding

PLZ: 94072; Vorwahl: 08531

H Würdinger Hof, Unter Inntalstr. 39-41, ✆ 95690, II-III
Hg Bellevue, Antoniusweg 1, ✆ 92170, III
P Gundula, Untere Inntalstr. 44/46, ✆ 97600, II
P Haus Antonius, Antoniusweg 5-7, ✆ 94160, II
P Schwaben, Antoniusweg 3, ✆ 92350, II
P Reiterhof, Reiterweg 1, ✆ 94280, III
P Haus Franken, Am Gänseacker, 19, ✆ 2015, II
P Wimmer, Am Gänseacker 25, ✆ 92440, II
P Huber, Hartkirchner Str. 7, ✆ 21548, II
P Eisenreich, Wiesenweg 2, ✆ 29693, II
P Haus Guter Stern, Untere Inntalstr. 60, ✆ 22958, II
P Krenn, Poststr. 4, ✆ 24682, I
P Bauer, Poststr. 7, ✆ 22135, II
P Landhaus Irma, Poststr. 8, ✆ 29666, II
P Kleine Pension, Untere Inntalstr. 67, ✆ 21349, II
P Ulmer Spatz, Göschlweg 8, ✆ 21924, I
P Christa, Metzgerstr. 19, ✆ 21127, II
P Haus Maria, Hochrainstr. 18, ✆ 24695, I
Pz Haus Anneliese, Unter Inntalstr. 30, ✆ 29287, II

## Gögging

PLZ: 94072; Vorwahl: 08538

P Landhaus Katrin, Ortsstr. 41, ✆ 511, I

## Neuhaus am Inn

PLZ: D-94152; Vorwahl: 08503

H Alte Innbrücke, Finkenweg 7, ✆ 8001, II 🚲
Pz Wagmann, Moorweg 4, ✆ 8147, II

**OT Mittich-Reding:**

Gh Forellenstube, Reding 82, ✆ 302
P Eva, Mittich 11, ✆ 8264
Pz Lachhammer, Mittich 5, ✆ 681 🚲

## Vornbach

Vorwahl: 08503

P Urlberger, Schaueródstr. 10, ✆ 8057, II

## Neuburg am Inn

PLZ: 94127; Vorwahl: 08502

Gh Kreuzhuber, Passauer Str. 36, ✆ 240, II-III
Gh Eibl, Schärdinger Str. 22, ✆ 357, II

## Kirchdorf am Inn

PLZ: A-4982; Vorwahl: 07758

P Salzingerhof, Ufer 1, ✆ 3114, II

## Obernberg am Inn

PLZ: A-4982; Vorwahl: 07758

ℹ Tourismusverband, ✆ 2284
Gh Goldenes Kreuz, Marktpl. 37, ✆ 2202, II-III
Gh Reiter, Zollamtstr. 14, ✆ 3153, I
P Stuttgart, Rennbahnstr. 31, ✆ 2003, II
P Haus Piralli, Zollamtstr. 8, ✆ 2236, I
P Birglechner, K.-Meindl-Str. 6, ✆ 2491, I
P Innblick, Salzburger Str. 23, ✆ 2612, I
P Katharina, Th.-Riggle-Str. 23, ✆ 2396, I
P Panorama, Rennbahnstr. 18, ✆ 2407, I
P Dorfer, Vormarkt Ufer 57, ✆ 2481, I
▲ Panorama-Camping, Salzburger Straße

## Reichersberg

PLZ: A-4981; Vorwahl: 07758

ℹ Tourismusverband, ✆ 231326
H Radotel, Nr. 181, ✆ 03383


Landhotel
„GOLDENES KREUZ“
Am Marktplatz 37, A-4982 Obernberg

Zimmer in ruhiger Lage mit DU/WC, bodenständige Küche, Sauna und Solarium, grosse Fahrradgarage
Tel. u. Fax 07758/2202

*Pension „Haus Stuttgart“*
Rennbahnstr. 31, A-4982 Obernberg/Inn
Tel. 07758/2003 Fax 07758/4011
(aus D:) Tel. 0043-7758/2003 Fax 0043-7758/4011

Familiär geführte Privatpension. Ruhige Lage, Gästegarten samt Liegewiese, Frühstücks-/Fernsehraum. Jedes Zimmer mit Sat-TV, Dusche und WC. Reichhaltiges Frühstück. ***Radfahrer willkommen!***

P Haus Hildegard, Nr. 136, ✆ 2318, I

Pz Hatteier, Nr. 34, ✆ 2505, I

## Badhöring

PLZ: A-4780; Vorwahl: 07712

P Schusterbauer, Nr. 3, ✆ 6845, II

## St. Florian

PLZ: A-4780; Vorwahl: 07712

Gh Moritz, Nr. 18, ✆ 2361, III

P Roma, Passauerstr. 49, ✆ 35630, III

Pz Kinzl, Haid 37, ✆ 4169, II

Pz Schröckeneder, Aigerding 5, ✆ 2829, I

Pz Haus Schusterbauer, Badhöring 3, ✆ 6845, III


Privatzimmer „Hatteier“

Hermine Hatteier
A-4981 Reichersberg 34
Tel. und Fax: 07758/2505

Nettes, schönes Wohnhaus, Ortsmitte.
Alle Zimmer mit WC u. Dusche.
Frühstücksraum, Aufenthaltsraum mit TV,
Kühlschrank, Garten, Radgarage, eigener Parkplatz.


## Schärding

PLZ: A-4780; Vorwahl: 07712

ⓘ Tourismusverband, Unterer Stadtpl. 19, ✆ 43000

H Biedermeier Hof, Passauer Str. 8, ✆ 30640, IV

H Kneipp-Gesundheitszentrum, Kurhausstr. 6, ✆ 3221, VI

H Gugerbauer, Kurhausstr. 4, ✆ 3191, V

H Schärdinger Hof, Innbruckstr. 6-8, ✆ 44040, IV

H Forstingers Wirtshaus, Unterer Stadtpl. 3, ✆ 2302, VI

H Zur Stiege, Schlossg. 2-6, ✆ 30700, IV

Gh Kreuzberg Alpenrose, Passauer Str. 21, ✆ 2012, II

P Am Weberspitz, A.-Stifter-Str. 40, ✆ 29004, III

P Beim Lachinger, Silberzeile 13, ✆ 2268, II

Pz Wagner, Innbruckstr. 25, ✆ 6034, II

Pz Haus Wagner, Wagnerstr. 4, ✆ 2565, III

Pz Haus Mayr, Silberzeile 8, ✆ 3080, II

Pz Haus Fuchs, Unterer Richtstattweg 3, ✆ 4241, II

## Wernstein am Inn

PLZ: A-4783; Vorwahl: 07713

ⓘ Tourismusverband, in der Raiffeisenbank, ✆ 6963

Gh Zur Mariensäule, Nr. 61, ✆ 6608, II

P Hoftaverne, Nr. 51, ✆ 7076, II

## Passau

PLZ: D-94032-94036; Vorwahl: 0851

ⓘ Touristinformation, 94032, Rathausplatz 3 und Bahnhofstr. 36, ✆ 955980

**PLZ: 94012**

H Rotel Inn, Hbf./ Donaulände, ✆ 95160, II

**PLZ: 94032**

H Am Jesuitenschlössl, Kapuzinerstr. 32, ✆ 386401, IV-V 🚲

P Vilsmeier, Lindental 28 a, ✆ 36313, II

H Holiday Inn, Bahnhofstr. 24, ✆ 5900-0, IV-VI

H Weisser Hase, Ludwigstr. 23, ✆ 9211-0, IV-VI

H Altstadt-Hotel, Bräug. 23-29, ✆ 337-0, IV-VI

H Wilder Mann, Rathausplatz, ✆ 35071, V-VI

H Passauer Wolf, Rindermarkt 6, ✆ 93151-10, V

H Wienerwald , Gr. Klingerg. 17, ✆ 33069, III

H Schloss Ort, Im Ort 11, ✆ 34072, IV

H Zum König, Rindermarkt 2, ✆ 93106-0, III-IV

Hg Vicus, Johann-Bergler-Str. 2, ✆ 93105-0, III

Hg Deutscher Kaiser, Bahnhofstr. 30, ✆ 9556615, III

Hg Residenz, F.-Schäffer-Promenade, ✆ 35005, V-VI

Hg König, Untere Donaulände 1, ✆ 3850, V

Hg Herdegen, Bahnhofstr. 5, ✆ 955160, IV-V

Hg Spitzberg, Neuburgerstr. 29, ✆ 955480, IV-V

Gh Blauer Bock, 94032, Höllg. 20, ✆ 34637, IV

P Gabriele, A.-Stifter-Str. 12, ✆ 6446, II-III

P Rößner, Bräug. 19, ✆ 931350, II-III

**PLZ: 94034**

Hg Firmiangut, Firmiangut 12 a, ✆ 41955, III-IV

Gh Rosencafé, Donaustr. 23, ✆ 42811, II

Gh Zur Burg, Marktpl. 6, ✆ 41228, II

P Frickinger, Christdobl 13, ✆ 41222, II-III 🚲

Pz Hofbauerngut Winter-Sprödhuber, ✆ 41263, I

Auf der Veste Oberhaus 125, ✆ 41351 🚲

⛺ Zeltplatz an der Ilz, Halserstr. 34, ✆ 41457

**PLZ: 94036**

H Dreiflüssehof, Danziger Str. 42/44, ✆ 72040, IV-V

H Albrecht, Kohlbruck 18, ✆ 959960, IV

H Best Western, Neuburger Str. 79, ✆ 95180, V

Hg Haidenhof, Brixener Str. 7, ✆ 959870, II-III

Gh Heininger, Regensburger Str. 21, ✆ 7814, III

Pz Weidinger, Brixener Str. 78, ✆ 51975, II

# Ortsindex

Einträge in *kursiver* Schrift beziehen sich aufs Übernachtungsverzeichnis.

bikeline
Rund ums IJsselmeer
Internationale Dollard-Route
Radatlas Münsterland
Radatlas Hamburg
Radatlas Ost-Friesland
Nordseeküsten-Radweg
Ostseeküsten-Radweg
Ostseeküsten-Radweg
Radatlas Niederrhein
Via Romana
Xanten – Nijmegen – Xanten
Bett & Bike Deutschland
Bett & Bike Hessen, Rheinland-Pfalz und Saarland
Deutsche Fehnroute
Elbe-Radweg
Elbe-Radweg
Radatlas Brandenburg
Rhein-Radweg
Radatlas Vulkaneifel
Leine-Radweg
Lüneburger Heide-Radweg
Radatlas Mecklenburgische Seen
Oder-Neisse-Radweg
Rhein-Radweg
Mosel-Radweg
Bett & Bike Nordrhein-Westfalen
Bett & Bike Niedersachsen
Ruhr-Radweg
Lahn-Radweg
Muldental-Radweg
Spree-Radweg
Rhein-Radweg
Saar-Radweg
Bett & Bike Baden-Württemberg
Bett & Bike Bayern
Drei Täler-Radweg
Main-Radweg
Liebliches Taubertal
Berliner Mauer-Radweg
Neckar-Radweg
Nahe-Radweg
Kocher-Jagst-Radweg
Deutscher Limes-Radweg
Radatlas Donau-Allgäu
Bodensee-Radweg
Main-Tauber-Fränkischer Rad-Achter